W9-BBJ-359

PARADIS CONJUGAL

DU MÊME AUTEUR

Le Ventre de la fée, Actes Sud, 1993.
L'Elégance des veuves, Actes Sud, 1995 ; Babel n° 280, 1997.
Grâce et dénuement, Actes Sud, 1997 ; Babel n° 439, 2000.
La Conversation amoureuse, Actes Sud, 2000 ; Babel n° 567, 2003.
Dans la guerre, Actes Sud, 2003 ; Babel n° 714, 2005.
Les Autres, Actes Sud, 2006 ; Babel n° 857, 2008.
Paradis conjugal, Albin Michel, 2008.

© Editions Albin Michel, 2008

ISBN 978-2-7427-8836-1

ALICE FERNEY

PARADIS CONJUGAL

roman

BABEL

à Manuel Maidenberg

Personne, pas même un sage, ne pourrait dire pourquoi un homme et une femme s'unissent et pourquoi ils se séparent.

SÁNDOR MÁRAI,
Métamorphoses d'un mariage

1 – Casting

Twentieth Century Fox présente : Jeanne Crain, Linda Darnell, Ann Sothern, dans *Chaînes conjugales*. Au générique, les femmes avaient l'honneur. Noir sur blanc, étaient annoncées et glorifiées, celles qui, à l'écran, se pavaneraient dans l'écrin de leur beauté. Comment nier que ces actrices hollywoodiennes étaient rudement piquantes ? pense Elsa Platte. Oui, au cœur d'un monde où la fourrure du dehors était primordiale et suffisante, elles étaient splendides. Chacune à sa manière offrait le spectacle d'un admirable visage. Bien sûr l'une semblait virginale et l'autre vénéneuse, celle-ci était grave, cette autre fantaisiste, timide, candide ou provocante, désuète ou moderne. Mais toutes avaient quelque chose de fatidique, comme si, de bonne ou de mauvaise foi, c'est-à-dire sincèrement éprises ou crûment conquérantes, elles ne pouvaient que capturer leur proie, dès les premiers regards loger la convoitise dans l'homme qui les rencontrait, et planter le désir comme un petit poignard de sorte que personne ne résistât à leur force d'attraction.

Installée devant le poste de télévision, émancipée (ses deux plus jeunes enfants sont couchés), dans le ravissement et la délivrance du soir, la danseuse Elsa Platte laisse aller sa pensée autour des images devenues familières : stylée, un brin stupéfiante, le regard intelligent et précis, l'actrice Linda Darnell en aurait imposé à n'importe quelle femme. Elle avait le physique d'Ava Gardner sans en avoir l'esprit : plus chaleureux et moins sophistiqué, avec un supplément de fragilité dans un œil noir qui était moins ardent que facétieux. Sa beauté n'engendrait aucune forfanterie, altière sans être méprisante, altière et timide, en un mélange si inattendu que la timidité semblait feinte. Il ne s'y mêlait pas de dédain pour le soupirant qui s'agenouille. Cette beauté n'était pas aussi sûre d'elle-même et de sa puissance fatale. On aurait pu dire que la femme – ou le personnage qu'elle incarnait – sans ignorer son pouvoir, doutait judicieusement du bonheur vers quoi menait sa magie superficielle. Il y avait là une des formes de la pureté qui est l'espérance, une aspiration à la durée des sentiments (laquelle est un gage autant qu'un effet de leur authenticité), une sorte d'élan naïf vers l'amour, qui étaient bel et bien présents dans le rôle que jouait miss Darnell pour ce film : Madame Lora Mae Hollingsway (c'était le nom du personnage) était merveilleuse parce que romantique et tendre malgré ses artifices. Et elle était follement aimée de son mari sans l'avoir deviné, à cause des manigances dont elle avait usé pour devenir son épouse. Et à cause de sa beauté de jeune vamp (pas une de ces grâces discrètes), qui parasitait la conversation (le regard quittant sans cesse le regard, pour se porter sur les lèvres, ou l'échancrure du décolleté, ou même les jambes), bien lissée pourtant (elle avait la politesse du cœur autant que l'éducation), mais démesurée encore (c'était Hollywood), dont l'héroïne forcément voyait les effets immédiats et simplistes (envie irrépressible d'embrasser la désirable créature, de la dévêtir et de la découvrir, de la toucher à loisir et de l'allonger finalement dans sa reddition complète, de la sentir s'ouvrir et frémir et accepter sur elle le corps pesant et le désir et l'envolée). Et que c'était bref par rapport à l'architecture élaborée d'une vie ! Comme était mince ce que les hommes attendaient d'elle. *Voulez-vous coucher avec moi ? Je vous trouve merveilleuse.* Jamais *Je vous aime*, mais *J'ai envie de vous faire l'amour*. Une maigre proposition… Et que c'était prosaïque en comparaison d'un sentiment. Rien ! pense Elsa Platte dans un esprit de provocation. Rien ! Elle pourrait le répéter juste pour agacer un homme et le remettre à sa place. Rien ! Que croyaient-ils faire ? Une chiquenaude sur le corps d'une femme, un embrasement éphémère qui ne suffisait en aucune manière à la belle créature. En tant qu'épouse et amante, et ancienne jeune fille impassible, Elsa Platte pense que c'est peut-être le plus vif débat entre les membres de chaque sexe : quelle est l'importance du lien charnel inauguré par l'attirance ? Quelle place est celle du sexe dans la solidité (et la durabilité) d'une relation amoureuse ? En tout cas, cette joute souligne l'évidence de l'écart entre les *elles* et les *ils*. Au dire des hommes, le sexe serait crucial, cause de rupture du couple, appel à la tromperie (qui alors, par un singulier renversement, peut devenir une relation sexuelle sans importance). Il serait nécessaire mais pas suffisant, et moins important que la tendresse des liens, éprouveraient les femmes. Et, diraient-elles encore, cultivant la subtilité autant que l'humour, les jours ou les nuits sans sexe ne sont pas pour autant jours et nuits sans amour.

Ainsi Lora Mae Hollingsway voulait-elle bien davantage que le désir d'un homme éveillé par la couleur blanche de sa peau, ou la proéminence arrondie de son buste. Elle voulait une maison. Elle voulait être une maison pour un homme. Que désirait-elle donc qu'il ne lui donnât pas ? pensait celui qui la courtisait. Il l'invitait à dîner au restaurant, il l'emmenait au bord du lac le soir, il lui offrait une soirée chez lui, mais elle restait farouche et intouchable. Que demandait-elle encore avant de se livrer à son désir ? Elle savait très bien le dire : je veux ma photo sur mon piano, dans mon salon, dans ma maison. Cette parole tomberait un soir, en pleine galanterie, au cœur de son refus de devenir une maîtresse, non pas comme un aveu, mais comme une affirmation claire, pas une menace mais une requête incontournable. Quel jeu c'était ! Il désirait coucher avec elle. Elle voulait être épousée. Sans doute lui semblait-il plus enviable (voire plus difficile) d'être épousée que d'être aimée (était-ce une vision venue de sa condition modeste ?). De sorte qu'au spectateur elle paraissait ironique ou calculatrice en étant seulement clairvoyante, ferme, et amusée par son soupirant. Elle figurait une déesse aussi entêtée que malicieuse, qui tenait un homme au bout d'une baguette magique (son corps, son tempérament, sa beauté, qui savait ?). Oui, elle tirait de lui à peu près tout ce qu'elle voulait, mais elle ne prendrait que le mariage. Elle avait la force obstinée de ceux qui ne possèdent qu'euxmêmes et savent ce qu'ils veulent.

Devant l'écran lumineux, dans ce songe des autres et du monde qu'était le film, Elsa Platte en est toute confondue : baba. D'une Lora Mae, il n'y a même pas lieu d'être jalouse : elles ne boxaient pas dans la même catégorie. Cette héroïne façonnerait sa vie comme une figurine de glaise. Et la spectatrice se le dit, par ce principe d'identification et de mimétisme qui nous lie aux œuvres de fiction, tout simplement parce qu'elle est une femme, elle aussi désireuse d'inspirer l'amour, elle aussi séduisante, et de surcroît aussi brune et silhouettée que cette comédienne qui fut la contemporaine de Marilyn. Elsa Platte contemple ce spectacle de la féminité resplendissante, l'élégance, la taille étranglée par une ceinture et l'évasement sensuel des hanches, les sourires, les dents immaculées, le moindre battement de paupières calculé, la retenue feinte et les minauderies, tout l'art maîtrisé d'un babil charmeur. Linda Darnell atteignait la perfection. C'était presque une question de génération. Il y avait, au-delà du style singulier d'une actrice, la vision des femmes portée par le cinéma de ces années-là. Femmes fatales, qui vous emmènent où elles veulent, vers la lumière de leur amour comme dans les abysses noirs de la passion non partagée, de l'argent dilapidé, de la disgrâce et de la solitude. Il y avait donc des femmes à qui leurs amants obéissaient ! pense Elsa Platte. Qui sait-elle entraîner dans son sillage parfumé ? Personne, absolument personne ce soir, pense-t-elle avec amertume, ironie, et dans le même temps la peur en boule au creux du ventre. On a toujours des leçons à prendre.

Elsa Platte peut encore entendre la phrase, assourdie dans sa mémoire vive, comme si elle l'entendait sous l'eau, comme si elle s'était cachée sous l'eau lorsqu'il s'était mis à parler. Il ? C'était son mari qui disait : *Demain soir et les soirs suivants, prépare-toi à dormir seule. Je ne rentrerai pas. Je ne rentrerai pas dans une maison où ma femme est installée devant la télévision, voit le même film depuis trois mois, ne se lève pas pour me préparer à dîner, et se couche sans me regarder !* Non décidément, l'époux n'est ce soir ni dans le sillage parfumé, ni dans la maison, le lit ou les bras d'Elsa. Elle est seule. C'est la plus triste manière d'être tranquille. Elle peut regarder le film. Elle pense que la perte de l'objet aimé détruit toute la joie de la vie.

2 – Bande-annonce

A l'instant de s'embarquer pour une croisière en bateau, Deborah, Rita et Lora Mae, trois amies qui en attendent une quatrième, reçoivent de la retardataire, Addie Ross, une lettre qui gâchera leur journée.

Une histoire extravagante où il est question d'amour et de trahison, de doute et de loyauté, de disputes et de regrets.

Avec Linda Darnell, Jeanne Crain, Ann Sothern, Jeffrey Lynn, Paul Douglas et Kirk Douglas.

Magnifique réussite, chaînes conjugales inaugure la consécration de Mankiewicz à Hollywood, où il remportera pour ce film l'Oscar du meilleur réalisateur, et celui du meilleur scénario.

Une œuvre remarquable qui mêle le drame à la comédie, une chronique tendre et pathétique de l'Amérique d'après-guerre.

3 – J'adore le cinéma

Le moins que l'on pût dire en tout cas, c'était que les acteurs de cinéma bénéficiaient d'une notoriété extravagante. On le savait, mais c'était une de ces choses connues dont on continue de s'étonner tant elles sont disproportionnées. Au générique, leurs noms précédaient le titre du film et l'identité du réalisateur. Les hommes venaient en second, abandonnant la préséance à leurs partenaires féminines, puis défilaient les rôles secondaires de l'histoire, avant l'interminable liste des fonctions et patronymes de l'équipe de tournage. Il fallait tellement de petites mains pour fabriquer un film. Scénario. Direction artistique. Décors. Costumes. Son. Effets spéciaux. Maquillage… Le nom du producteur occupait l'écran entier. Sol C. Siegel. Enfin l'hommage de la dernière place allait au réalisateur. Scénario et mise en scène par Joseph L. Mankiewicz.

Elsa Platte regarde le nom de ce perfectionniste se calligraphier à l'écran. Bientôt le film commencera et elle laissera cette soirée, sa solitude, son inquiétude, sa journée, ou même l'insidieuse tonalité de la vie, s'estomper jusqu'à disparaître sous le martèlement mental de la fiction. Telle est la chance que donne au spectateur la décision de se livrer à une œuvre : se dérober et esquiver le réel. Pour l'instant la musique du générique fait tanguer l'écran, et, au-delà, l'orchestre est une présence qui ne s'efface pas sous la mélodie, chaque instrument identifiable, la trompette très isolée, pour cette musique de guinguette années cinquante, simpliste, entraînante, vouée aux couples et à l'amour gai. Comme si l'amour était gai ! pense Elsa Platte. Comme s'il se poursuivait sans fin dans l'enchantement qui présidait à sa naissance, et qu'il n'écrivait pas la suite des entorses aux serments, des blessures et des déceptions que valait de découvrir chez l'autre la part que l'on n'aimera pas. Comme si l'amour était une idylle ! Au contraire, n'aimait-on pas dans le

18

désespoir et, seulement par intermittence, dans l'accomplissement joyeux qui dissout l'idée de l'avenir et des ombres ? Ne savait-on pas, à chaque caresse, à chaque promesse, que les gens ne s'appartiennent pas, qu'ils peuvent malgré eux renier leur parole et déserter les lieux où ils l'ont proférée, les lits de leurs anciennes confidences, et les liens qui en ont résulté ? Et cela ne gâchait-il pas certaines paroles et certaines promesses ? Cela ne gâchait-il pas l'amour tout court, comme toute idée de fin altère le commencement, comme la maladie terrorise la santé, et en général la perspective de la mort assombrit la vie ? Ce commentaire nocif et inutile vient à l'esprit de la spectatrice. Elsa Platte oppose ce désarroi-là à cette musique-là. Pourquoi cette ligne mélodique provoque-t-elle ce désenchantement ? Trop de légèreté agace une âme mélancolique ? La gaieté est une conquête bien plus qu'une évidence ? Elsa Platte déplore l'amertume d'où jaillit cette réflexion désabusée, mais elle l'accueille. Détester un sentiment en même temps qu'on l'abrite, quelle singulière conjonction ! Mais elle porte en elle cette source empoisonnée. Elle a dansé contre cette source car la cascade des mouvements exprime sa vitalité. Elle a choisi ce métier effroyable dans la déchirure de croire qu'exister ne suffisait pas et qu'il fallait resplendir en bougeant, devenir une étoile. Elle ne bouge plus, elle est sombre, rien ne peut l'empêcher d'être sombre. On ne fait pas ce que l'on veut avec son esprit. Elle songe : on ne le dirige pas comme sa voiture, son cheval, sa main, son amant ou son soupirant. Celui qui pense à oublier ravive son souvenir. Comment s'empêcher de penser à ce qui manque, à ce qui blesse, déchire, effrite le plaisir de l'existence ? Ce qui nuit au bonheur tourmente l'attention, obsède, à la manière d'une douleur exquise qui polarise, emplit mais rapetisse, parce que rien d'autre n'est réfléchi. Elsa Platte pourrait dire : il arrive que je sois incapable de penser ailleurs que là où je souffre. Je ne peux pas penser à ne pas penser à. Je ne peux que diriger ma pensée vers autre chose.

Voilà ce qu'elle fait en regardant ce film. Elle s'efforce de détourner son attention. Ce soir, elle lutte contre l'envie de se coucher et de pleurer, d'attendre en larmes sur un lit (elle attend son mari avec qui elle s'est disputée gravement), de téléphoner et de hurler. De hurler sur le mari (la plus idiote des choses à faire). Où es-tu ? Que fais-tu ? Avec qui es-tu ? Et aussi des réponses comme : Si, ça me regarde ! Ou même des ordres comme : Rentre tout de suite ! Rentre immédiatement. Ou encore des menaces : Sinon je te tue. Sinon je meurs. C'est ce qu'elle éprouve ce soir, la folie de la perte, la rage de l'impuissance, le démon de la jalousie. Réponds-moi ! Il ne répond pas. Alors viennent les injures. Salaud ! Salaud ! Il n'est pas là. Cette fulgurance du manque fait perdre la raison quand elle perce. Rentre à la maison. Sinon je te tue. Sinon je meurs. Comment ces deux phrases peuvent-elles venir ensemble à l'esprit et vouloir dire la même chose

20

(car c'est bien le cas) ? Elles veulent dire : je souffre comme devant la mort (la mienne ou la tienne).

Demain soir et les soirs suivants, prépare-toi à
dormir seule. Je ne rentrerai pas. Je ne rentrerai pas
dans une maison où ma femme est installée devant
la télévision, voit le même film depuis trois mois, ne
se lève pas pour me préparer à dîner, et se couche
sans me regarder ! Comme elle le comprend ! Elle
a bel et bien cessé d'être aimante et rayonnante et il
s'en est aperçu ! Sa source d'amour s'est tarie. C'est
vrai qu'elle a été indifférente et perdue, et absente,
et qu'il le lui reproche maintenant, lui qui était venu
à côté d'elle parce qu'elle dansait la vie. Elle le sait.
Sinon pourquoi aurait-elle peur qu'il ne revienne
pas ? Pourquoi aurait-elle tant de remords ?

Ce soir, elle a fait dîner les plus jeunes, elle a dîné
avec les grands. Il y a quatre enfants dans cette maison. Une maison pleine d'enfants est comme un
trampoline : elle vous renvoie sans cesse de la cuisine au salon. L'avantage des femmes tient à cette
réalité simple. Il y a toujours quelque chose à faire
et leurs mains occupées dissipent leur tourment.
Elsa Platte fait tout ce qui doit être fait, elle cajole
qui doit être cajolé, elle met en pyjama qui a besoin
de l'être, et fait réciter la leçon, et embrasse, et lit
une histoire, et console, et gronde, et range, et pré-
pare, et allume les bougies de la table… Elle n'aime
pas que son mari dise, avec un sourire dont elle
devine les significations mélangées : tu es une femme

de devoir. Comment s'y prend-on pour manquer à ses devoirs ? murmure sa voix du dedans. Je fais les choses, c'est tout, dit-elle. Oui, c'est bien ce que je dis, répond Alexandre Platte.

Elle est de ces personnes que rien ne paraît abattre, parce qu'elles camouflent leurs chutes, parce qu'elles veulent envers et contre tout tenir debout, et elles le disent (*Il faut se donner du mal. On n'a rien sans rien. Il est interdit de baisser les bras. Il faut lutter par tous les moyens contre la consternation*), et le répètent, et le transmettent à leurs enfants, et se le disent le soir avant de s'endormir, et ne savent pas pourquoi elles se le disent ou le pensent, ni comment elles ont pu s'interdire de faillir, et oublier que l'on peut tomber et se relever, aussi. Non, elles se répètent : *Il faut lutter. Il faut lutter par tous les moyens contre la consternation. La tristesse est une imperfection. Tout est affaire de volonté. Où irait-on dans la vie sans volonté ?* Il faut cette rage pour faire de son corps une œuvre d'art. Les danseuses en sont pleines. Mais personne ne voit à quel degré de souffrance elles se mènent, ni à quel point c'est une fatigue absurde et une tension nocive. Et la chose la plus incompréhensible, c'est que personne ne leur dit jamais la phrase qu'il faudrait dire : Mais laissez-vous donc chuter ! Tombez ! Evanouissez-vous une bonne fois pour toutes dans votre mélancolie.

Le film est un carrousel de diversions possibles devant lequel Elsa Platte se relâche. Il n'y a rien à faire que recevoir le spectacle. Le cinéma crée une pause dans la vraie vie. Elsa s'installe, comme un personnage, au milieu du trio féminin que propose le scénario : Rita Phipps à l'esprit excentrique, mère de famille et maîtresse de maison, Deborah Bishop, sage et lisse comme une image, un peu éthérée, lente et enfantine au début, Lora Mae grandiose, déterminée, indéchiffrable. Et les trois couples qu'elles forment avec leurs époux : les Phipps, rieurs dans la connivence, les Bishop, calmes dans la conjugalité, les Hollingsway, coriaces et tempétueux dans la passion. Elsa observe leurs complicités, leurs craintes, leurs disputes ou leurs conversations. C'est tout l'objet du film. C'est beaucoup du mariage. Un faisceau d'évocations, d'émotions, de pensées, naît de ce scénario.

Elsa regarde et écoute ce film très dialogué. Mankiewicz réclamait un spectateur qui écoute. Car il écrivait ce qu'il filmait. Ses mots élucident et révèlent. Alors Elsa se sent légère, égayée, disposée, capable, prête. Que trouve-t-elle ? Pourquoi est-elle happée par cette histoire ? Si on lui posait la question, elle n'aurait pas de peine à répondre. Elle dirait qu'elle en reçoit une leçon : l'art du bonheur par l'image. Le film réveille en elle l'énergie primordiale. Elle pense que la sophistication d'une œuvre insuffle une force vitale à celui qui la contemple. Ces femmes qui vivent restituent à Elsa Platte la foi dans l'allégresse que l'on peut éprouver à se sentir vivre. Celle qu'elle connaissait autrefois sur scène en dansant. Un élan sauvage, inébranlable, sensuel, heureux. Un mouvement. Elle pense : le film imprime à l'esprit un mouvement qui contrecarre le tracas de l'immobilité. Elle se détourne du tourment et respire. Le film produit en elle un tel apaisement qu'il devient un parfait bonheur. Par une alchimie dont elle ne démêle pas les composants, le film remédie à son chancellement intérieur. Comme s'il disait à la fin : on ne reçoit pas sa vie, on la crée. Il délivre et réjouit, dédramatise et galvanise : elle se lève avec l'impression que rien n'est imparable. Il y a comme cela des artistes (elle pense à Capra) qui vous sèment un élan au cœur et vous écartent des tourments qui vous broyaient. Non qu'ils les suppriment ou vous aveuglent, non, d'abord ils les distraient, puis la trace qu'ils laissent est une sagesse et une force. Regarder des gens vivre et faire des cabrioles autour d'un événement qui les ébranle, frissonner et s'amuser, lui donne le sentiment de savoir s'y prendre avec la vie. Elle voudrait faire comme les personnages du film, et sourire comme à la fin d'une comédie. Veut-elle que la vie soit une comédie ? Elle ne l'est pas. En tout cas, certains artistes vous aident à vivre la vie telle qu'elle est donnée, imparfaite et dure. Il suffit de les trouver, dit Elsa. Elle dit aussi : j'adore le cinéma ! Avec un enthousiasme de jeune fille qui fait plaisir à voir. Son fils Max, qui à douze ans entre avec maturité dans l'adolescence, acquiesce toujours : C'est vrai, dit-il, on se vautre dans un fauteuil, on mange une glace, on n'a rien à faire. Belle mentalité ! rit la mère. Tu peux parler toi, rétorque le fils. Et c'est une tendresse mal habillée, car il se sent parfois le jumeau de sa mère, pareil à elle, dans la même vibration. Elsa, Max, ils aiment le spectacle, ils aiment regarder cette création sophistiquée qui est hors de la vie. Et la sœur aînée, qui a l'intuition de cette gémellité, clôture leur débat : C'est le chaudron qui traite la poêle de cul noir ! dit-elle.

La mère souriait toujours d'entendre dans la bouche de sa fille cette expression du mari. Il la lui avait apprise à elle d'abord, lorsqu'ils étaient de récents amants. Elle peut encore entendre sa petite voix de jeune homme circonspect (en prenant du poids, il avait changé de voix). Tu ne connais pas cette expression ? C'est le chaudron qui traite la poêle de cul noir. Tu ne connais pas cette expression ? Tu ne connais pas cette expression ? Plus jamais il ne parlait ainsi (puisqu'elle connaissait toutes ses expressions), mais elle l'entendait encore. Le passé ne fond pas dans toutes les mémoires, parfois il se coule en vous, devient la matière même dont vous êtes fait, agace vos oreilles et définit votre sourire. Le passé est une traîne (ou le mirage d'une traîne) qui vient battre dans le vent du présent. Et l'habitude aussi compose le présent avec du passé, et dépose le passé dans le présent, et maintient ce qui est, et veut le maintenir. Je suis pleine de danse et d'amour, pourrait dire Elsa, et elle sait que c'est le même épanouissement, qui se nourrit à la même source. La danse et l'amour l'avaient modelée. Cette chose étrange lui était arrivée : en

lisant son propre prénom, Elsa, elle l'entendait prononcé par Alexandre. Elle était habitée par son mari.
Elle entendait sa voix même quand il ne parlait pas.
Elsa. Elsa par-ci, Elsa par-là. Elsa ! Il avait cette
façon de l'appeler dans la maison pour un rien. Un
objet qu'il ne trouvait pas, une question, et sans
raison quelquefois. Elsa. Elsa ! Il lui intimait de
venir tout de suite auprès de lui pour, à l'instant de
son désir à lui, résoudre le problème qu'il rencontrait.
Je ne trouve pas mes clefs ! Elsa ! Elsa ! Dire qu'elle
accourait… En ce sens, elle lui appartenait. Ce prénom Elsa était à lui plus qu'à elle, à lui qui le prononçait plus qu'à elle qui le portait. Voilà ce que pouvait
produire l'amour : la perte du nom, et la dépendance,
le besoin d'être appelé par l'autre pour exister.

Mais ce soir le mari n'est pas là. Il ne l'appelle
pas. Et pourtant elle a le sentiment exacerbé de
l'existence, une acuité émotive exceptionnelle. Parce
qu'elle regarde ce film elle fait plus que vivre, elle
sent passer la vie en elle, elle en est traversée, irriguée. Un film décale : voilà Elsa installée à côté de
la vie. Elle peut penser son cours, les choix, la
volonté qu'on y met, les dangers multiples tapis dans
chaque instant, et comment il faut se protéger d'abord
de soi-même. L'existence est le venin. Le film est
l'antidote, le vaccin : un échantillon de destin, une
mesure de vie qui protège de la vie.

4 – Tempérament

Elle est pleine de son passé, de son histoire de passion avec la danse si jalouse, puis de son enlèvement par l'amant devenu son mari, de ceux qu'ils ont engendrés, et tout cela s'est posé dans sa vie, s'incruste et pèse, et elle se demande : et maintenant ? Et après ? On dirait que plus rien ne va se passer qui la concerne directement. Elle a dansé, maintenant elle fait danser. Elle a refusé des rôles pour vivre le sien. Mais lequel ? Et après, quels rôles lui seront proposés ? Elle qui créait du sens avec son corps, quel sens peut-elle inventer ? A ce moment de sa vie, la mère est émiettée dans la mélancolie. Elsa Platte – désincarnée comme si elle ne devait jamais plus être aimée d'un homme – : une femme qui serait capable de dire *j'ai cent ans, mon corps est éteint, je vais mourir, je pourrais mourir, je suis infiniment lasse, je ne veux plus voguer, je voudrais bien me coucher et dormir, ne plus me lever le matin, être soignée dans un hôpital…*

A personne elle ne confie cette plainte, ces pensées lamentables (elle les juge ainsi) qu'elle a depuis qu'elle ne danse plus. Elle aurait honte de révéler à des gens qui ne le recèlent pas eux-mêmes cet espace en elle, pillé par l'achèvement d'une chose, livré au désespoir. Que comprendraient-ils à cette obligation intérieure de créer quelque chose d'aussi fugace qu'une danse, de s'éclipser dans le mouvement ? Elle abrite un regret, presque une rancœur, mais elle ne lève pas un doigt pour les dissoudre. Elle n'aurait pourtant qu'à faire ce qui la rend heureuse ! Pourquoi ne le fait-elle pas ? La dépression ? Pff. L'âge ? Pff. La charge de la famille ? Des prétextes ! Elle ne souffle mot de rien. Avec les gestes, la force et la grâce, elle a aussi appris tous les silences. Une danseuse qui ne danse plus peut-elle être heureuse ? lui a demandé une amie perspicace. Elsa n'a pas répondu. Elle ne sait vraiment plus parler qu'avec le corps. Elle a fait un entrechat en riant : une fuite animale et jubilatrice. Elsa Platte est désemparée. C'est le tourbillon de la vie qui l'a emportée. Elle est prise en même temps par sa nature, active, spontanée, vive, une nature à rendre service quand on l'appelle (ou même quand on ne lui demande rien), et dans le filet de sa vie, devenue pleine d'enfants, organisée, pesante, et cependant engourdie, un peu navrée, assoupie dans ce mutisme. Elsa Platte n'a plus de vie personnelle. Elle est tombée dans un piège. D'ordinaire, comme sur un animal sauvage traqué par des braconniers, les pièges tombent d'une manière brutale et soudaine. (L'image est vivante : le tigre ou le puma sont soulevés de terre, emportés dans le filet – leurs pattes se prennent dans les mailles, ils sont boudinés dans la nasse, eux qui couraient comme des princes sont devenus ridicules.) Mais il est aussi des pièges qui se referment imperceptiblement, ceux que l'on porte en soi, une manière que l'on peut avoir de se gripper soi-même, ou dans la réponse que l'on donne à ses destins, de sorte qu'à la fin ils vous usent et finalement vous paralysent.

La vie fait-elle le braconnier ? Est-elle une édification ? Et la pacification de soi, par quel chemin l'atteindre ? Ces questions taraudent la confusion qu'elles rencontrent dans la tête d'Elsa Platte. Une tête de danseuse, dit l'époux, comme on dirait des pieds de danseuse, des pieds qui souffrent, des pieds que l'on torture pour un spectacle de beauté. Elsa se plie aussi l'esprit.

Parfois, au milieu de la nuit, dans le silence du monde, dans ce face-à-face de soi et de l'existence de soi, lorsque l'on peut entendre contre l'oreiller le sang battre dans sa tempe, Elsa se mettait à pleurer d'angoisse. Le mari disait : Tu fais peut-être une dépression. Tu es fatiguée, tu en fais trop. (Elle protestait : Je ne fais plus rien. Et cela voulait dire : je ne fais plus rien pour moi.) Ou bien carrément : On est trop vieux pour avoir un enfant de cet âge (en renvoyant Arthur se coucher). Ou bien : Tu as besoin de bouger, ton corps s'est habitué à la discipline, il réclame. Tout était vrai, tout était faux, tout était réalité, tout était imagination, l'opinion d'Elsa changeait avec les couleurs du jour, la luminosité sur la ville, la qualité de sa coiffure, le teint de son visage le matin. C'est cela la dépression, lui avait dit une amie. Et une autre : C'est la ménopause ma vieille, prends des hormones ! Ou bien, en réserve, il y avait aussi cette nouvelle idée venue d'Amérique : la crise de milieu de vie, oppression célèbre de la quarantaine avancée, qui avait gagné jusqu'à des initiales, CMV. Il fallait consulter un médecin, peut-être même un psychiatre, et sûrement prendre des antidépresseurs !

A tant de clameurs, Elsa Platte opposait la mollesse d'un sourire incertain et disait : Je regarde un film. Les étonnements ou les rires que suscitait cette réponse n'avaient pas prise sur sa nonchalance. Les autres, pensait-elle, disent parfois n'importe quoi, ce qui leur passe par la tête, ce qu'ils arrivent à penser face au visage dévasté d'un autre et qui leur fait soudain craindre la consternation, la mort, tout le venimeux de la vie. Tu regardes un film ? Oui, presque chaque soir. Le même ou un nouveau ? Tous les soirs le même. C'est une sorte d'art-thérapie ? Je ne sais pas. Mais ça me fait du bien. Je ris et je pleure, ensuite je me sens joyeuse et forte pendant un petit moment. Comme si j'avais appris à m'arranger avec l'aléa, la souffrance et la peur. C'est une magie étonnante. Quel film regardes-tu ? Un film de Mankiewicz sur le mariage, l'amour conjugal, la suspicion et l'attachement, la manipulation… Et ça te donne le moral ?! Oui. C'est une comédie. Pourquoi ce film en particulier ? Il y a une raison ? Pas vraiment de raison, Alexandre me l'a rapporté un soir il y a quelques mois. Depuis je ne cesse de le regarder. Les trois héroïnes me captivent et me touchent. Tu sais ce que disait François Truffaut ? Non, que disait-il ? Quand on n'aime pas la vie, on va au cinéma. J'aime la vie. Je crois que les œuvres d'art ont cette vocation de lutter contre la mélancolie : c'est de là qu'elles viennent et c'est là qu'elles retournent.

On peut se sentir fragile et sombre, avoir chaque jour le regard voilé par les larmes, pleurer sans raison, éprouver des accès de souffrance, et l'accepter sans réagir, ne rien faire d'autre que le vivre, l'explorer le ressentir intimement. Et attendre un autre moment de la vie, laquelle se consomme en tranches, chacune ayant son goût. On peut sentir fondre sa force sous l'effet d'une douleur qui, toute morale qu'elle soit, s'installe bel et bien au creux du corps, par ce mystérieux rapport qu'entretiennent la chair et l'esprit. Une petite fenêtre s'est ouverte quelque part dans la poitrine, pff pff, l'énergie s'échappe par la blessure. On peut tressaillir alors de se retrancher, comme un animal blessé va se cacher et ne bouge plus. Le cœur de soi qui fut plein et aimant (ce point figuré par l'entrelacement complexe de nerfs et de vaisseaux qu'on baptise plexus solaire) est devenu un trou, un nœud oppressant. Simplement parce que quelqu'un manque, ou bien quelque chose n'est pas donné qui était attendu, ou bien quelque chose prend fin, disparaît, devient inaccessible. L'incandescence de la danseuse en prenant fin engloutit toute sa joie, dit Elsa. Elle dit aussi : La vie souvent ne suffit pas. Exister ne suffit pas. Elle est intraitable sur cette question. A ses enfants, elle dit : Sans efforts on n'intéresse personne. Sauf sa maman, disent les enfants. La vie parfois ne suffit pas et on a le droit d'être triste et inatteignable quand on ne sait plus faire d'efforts, pense leur mère. Tout n'est pas désagréable d'ailleurs dans la tristesse. Il y a une acuité des sens et des émotions spécifique à cet état. Pleurer pour un rien est un genre de vertige, comme si la vie passait en vous grattant le cœur, ce qui vaut toujours mieux que de passer inaperçue. Elsa Platte s'abandonne à la langueur désœuvrée de la tristesse ; tous les papillons noirs de la mélancolie volettent en elle, dans la place qu'a creusée cette humeur qui peut être délectable, cet acide goûteux, un peu enivrant, qui donne à celui qui s'en nourrit une pose presque décorative, ce charme qu'on dit tchékhovien mais qui, pense la mère, est en réalité à pleurer. A pleurer puisqu'il ne fait rien de la vie, que la regarder se perdre et se défaire dans la mélancolie. Attendre n'est pas vivre, pleurer est comme trembler de vivre, et vivre dans le grand ventre d'un autrefois ensoleillé n'est que tomber dans un puits. Pff pff. L'énergie s'échappe. La mère ferme la petite fenêtre en regardant le film.

Le film réconforte parce qu'il traite avec gaieté une question encore plus douloureuse qu'épineuse. Les personnages étaient chaleureux, amusants, intelligents. Souvent le film donnait à rire, par des situations, des répliques, certaines façons de faire des personnages. On s'y trouvait soi-même aussi et c'était de soi alors que l'on s'amusait. Un chef-d'œuvre apportait le réconfort de sa perfection. Celui-ci racontait comment, dans un amour, on traverse les pires affres, les tourments, tous les détours du hasard : on souffrait et on renaissait. Et on ne mourait pas, et le drame s'arrangeait à la fin (c'était une comédie), non pas que tout fût pour le mieux, mais toute chose était vivable, et tout se recomposait, de sorte qu'un sens apparût, fût-il marqué au sceau de la destruction, de la disparition, de l'abolition.

La vie aussi peut être lue comme une histoire, dont on ne connaît pas la fin mais qui en aura une : il suffit de l'attendre. L'attente est plus exaspérante parce que cette histoire-là, au lieu d'être lue, est vécue, parce que celui qui en attend le dénouement est aussi l'un de ceux qui en décident. Comment savoir s'il faut attendre ou décider ? Existe-t-il une issue heureuse qui préexiste à l'action et réclame qu'on l'attende ? Ma vie est une histoire dont je suis le protagoniste agissant. Chaque homme devrait se dire cela. Chaque homme aimait-il qu'on lui racontât des histoires parce que celles-là lui évitaient les hésitations du choix et l'avancée douteuse de celle qu'il écrivait ? se demande Elsa Platte.

Pendant le temps qu'il faut pour le regarder, le film devient la vie. Il la remplace. La fiction, légère mais pertinente, relègue le monde. La musique est le commencement de la paix. Elsa Platte pourrait en fredonner les notes si elle avait le cœur à fredonner. Et si elle avait un quelconque talent pour le chant. Mais elle déteste sa voix haut perchée : sa voix de crétine. Pas la voix de Linda Darnell ! Ah non hélas ! Ni la voix de cette garce d'Addie Ross (qui était la voix off du film).

Elle en a l'éventuelle sensualité. Mais cela se cache derrière des délicatesses et des contours moraux précis. Jamais je ne courtiserais un homme marié ! Et quoi qu'il me racontât sur l'amour mort et la fin de son couple, se dit-elle, par exemple, lorsqu'elle regarde le film. J'éprouverais de la solidarité féminine pour l'épouse. Je me mettrais à sa place. Je ne pourrais vivre une aventure avec son mari. Avec *un* mari. Par un singulier exercice d'empathie, Elsa Platte se pensait en rivale des épouses et optait pour une grandeur d'âme dont la narratrice du film ne faisait pas preuve. Cette vision était aussi une infantilisation des maris. Il s'agissait de croire que les femmes menaient la danse. Est-ce que toute femme ne savait pas que c'était la réalité ? Elsa s'était mise à penser ce genre d'idioties. Les hommes, les femmes, sans arrêt, les hommes ceci, les femmes cela. La machine à songes ne s'arrêtait jamais. Oui, dans la mélancolie, Elsa Platte était traversée par une onde continue de pensées, et cela fabriquait une personne animée, réactive, toujours sur le qui-vive : incandescente. Alertée, mordue, elle abritait un tourbillonnement mental. Hop en voilà une : à propos de salope. Rien ne retient un homme hameçonné par une salope. Est-ce qu'elle aimait ce film parce que la garce ne l'emportait pas ? Oui, exactement pour ça, pense Elsa. Et elle riait ou pleurait, comme une enfant, avec sa voix de petite fille, ou comme son fils Arthur devant les dessins animés, elle riait à travers des larmes parce que la garce du film échouait à capturer sa proie, parce que ça pouvait donc arriver. Légitimiste, résolument du côté des épouses, Elsa Platte s'amusait d'elle-même. Que de petitesse ! pensait-elle. Que de possessivité ! L'élan vers l'autre emplissait-il en revers de préoccupation de soi, afin de se protéger, de tenir serrées (et inoffensives) les mains de l'aimé à qui on avait donné le pouvoir de vous blesser ?

5 – Immobile danseuse

Par terre, une paire de ballerines noires, dans la position de dix heures dix, marque la trace de l'arrivée devant la télévision et du délassement. Elsa Platte est assise avec les jambes repliées sous elle, des jambes sveltes, plus sèches (tendineuses et musclées) que charnues, aux chevilles fines et aux mollets hauts, dans des bas clairs dont la couture renforcée enveloppe une partie des doigts de pieds, et dont le tissé brille davantage sur le genou étroit et osseux. Quelque chose de bohémien et de sauvage, de juvénile et de féminin, se dégage de ces jambes façonnées par la discipline. La minceur des membres laisse voir leur musculature prononcée. Le corps d'Elsa Platte est un corps de souffrance, une puissance concentrée, comme aucune des femmes qu'elle va regarder n'en possède. Elle n'est pas moelleuse comme Rita ou Lora Mae, le travail a durci sa chair féminine. Elle pense qu'elle peut chalouper en robe longue comme le font les trois héroïnes, mais elle est capable aussi de lever la jambe à l'horizontale à hauteur des hanches et de tenir de longues minutes sans cesser de sourire. En somme, Elsa Platte contient et surpasse les trois stars qu'elle regarde.

Elle s'habille pour civiliser cette force. La jupe, dans un tissu serré comme du feutre, et doux (qui doit contenir du cachemire), est tendue sur les cuisses et cintrée à la taille, mais sans donner l'impression d'entraver, tant le corps semble délié, souple, comme délivré par sa légèreté. Son attitude parle de disponibilité, d'attente, mais d'ingénuité aussi. Il y a chez Elsa Platte quelque chose de lointain, d'inconscient ou de vacant, et donc d'inatteignable. A cette heure de sa vie, le corps et le cœur causent en sens inverse : la mère est à la fois sensuelle et éparpillée, guère présente à elle-même, attirante (parce que belle) mais sans le moyen de répondre à une sollicitation (parce que mélancolique). *J'ai autre chose à penser*, pourrait-elle dire aux importuns, avec un joli air lassé. N'était-ce pas ce qu'elle disait à son mari ? Les jours sans désir ne sont pas des jours sans amour.

La tenue impeccable ne glace pas la sensualité de la danseuse, et peut-être d'autant plus que la femme est éteinte et réfractaire, ce qui lui confère l'inaccessibilité si attirante chez un être. De temps en temps, la spectatrice passe une main sur son bas, comme si elle se caressait le mollet. Elle a des mains minuscules, très blanches, aux doigts longs et souples, avec des ongles bombés, limés avec soin et passés au vernis transparent. De toute évidence la mélancolie ne va pas chez elle jusqu'à l'incurie, c'est-à-dire que l'on peut être assuré – à la contempler assise dans sa jupe droite et moulante – qu'elle n'est pas en danger, approximative, suicidaire ou même morte. Sa vie est en ballottade, comme un cheval, c'est bien cela, elle ne touche plus la terre qu'elle connaît, aucun de ses appuis n'est efficient, mais elle a eu les pieds sur terre, elle a été incarnée, dans le travail et dans l'amour, et même si elle a ce soir l'impression d'avoir perdu ces deux piliers, les automatismes ne disparaissent pas en un tour de main de l'humeur. Elle se tient avec sa grâce de danseuse, le buste droit, le ventre rentré, les épaules dégagées, naturel de professionnelle dont le corps est le joyau. Elle est bien coiffée, des cheveux bruns très longs, une cascade de boucles qui tombe brillante et souple autour du visage au teint clair. Elsa Platte est retranchée dans sa force d'antan et sa beauté.

Aucun désordre apparent. Elle est bien installée. Le tournoiement dans sa tête demeure enclos derrière son front. *Demain soir et les soirs suivants, prépare-toi à dormir seule. Je ne rentrerai pas. Je ne rentrerai pas dans une maison où ma femme est installée devant la télévision, voit le même film depuis trois mois, ne se lève pas pour me préparer à dîner, et se couche sans me regarder !* Elle ne fronce même pas les sourcils quand cette phrase résonne au-dedans d'elle. Au contraire, elle sourit. Sourire quand on souffre. Elle rêve. Danser ? Une manière de captiver l'autre jusqu'à l'envoûtement. Elle ne danse plus, elle ne captive plus. Et pour chasser la mélancolie, Elsa Platte entre dans ce film, *Chaînes conjugales.* Un chef-d'œuvre de Mankiewicz. Un film de 1949, période charnière dans l'histoire des femmes, commencement de leur insertion dans le monde du travail, du dehors, de la réussite et de l'argent.

6 – Maisonnée

— Qu'est-ce qu'elle fait ? demande Sarah Platte à son frère Max.

Et comme il ne répond pas, captivé par ce qu'il regarde, elle s'agace, tire sur la manche de pyjama de ce frère muet, et répète :

— Mais dis-moi ce que fait maman !

Les deux enfants espionnent leur mère, la tête passée dans l'entrebâillement de la porte qu'ils ont ouverte sans bruit. La fillette est plus petite que le garçon, mais ils se ressemblent et tous les deux exhibent les boucles brunes d'Elsa Platte.

— Elle regarde la télé, dit-il.

Il est sérieux. Son application méthodique est perceptible jusque dans sa réponse. La fille est inquiète. On peut penser qu'elle a déjà vu souvent les yeux pleins de larmes de sa mère. En poussant son frère pour tenter de mieux distinguer ce qu'elle suspecte, elle dit :

— On dirait qu'elle pleure ! Est-ce qu'elle pleure vraiment ?

— Je ne peux pas voir, maman a la tête baissée, dit Max.

Plus que sérieux, il est précis, méticuleux.

— J'espère qu'elle ne pleure pas ! dit Sarah.

— Elle aime pleurer, dit Max.

— Personne n'aime pleurer ! dit Sarah.

— Pleurer d'émotion devant un film, dit Max, si, on peut aimer ça. Maman aime ça. Moi aussi.

L'enfant qu'il est s'envole dans une rêverie mature. Puis il dit à voix haute :

— Je suis comme elle.

C'est une revendication autant que l'affirmation d'une découverte. Max Platte a entériné qu'il est le fils de cette mère-là, qu'il en est la vivante reproduction, avec fierté parce que cette mère-là est une femme merveilleuse, et une grande danseuse admirée dans le monde entier, même si hélas elle ne danse plus à Londres et à Tokyo, parce que pour la danse elle est vieille.

— Tu dis toujours ça ! Ça m'énerve, dit Sarah.

— J'ai remarqué ! Mais pourquoi est-ce que ça t'énerve ? Tu es jalouse ou quoi ?

— Je ne suis pas jalouse d'un garçon. Je suis une fille, donc je ressemble plus à maman.

— C'est pas la question. La question, c'est le caractère.

Une toute jeune fille est arrivée par-derrière. Noémie Platte a seize ans, elle est petite et large comme son père. Elle sourit en apercevant les deux silhouettes serrées l'une contre l'autre et comprend de quoi il retourne comme si la scène se jouait chaque jour dans la maison.

—Chut ! dit Noémie. Vous n'allez pas encore vous disputer pour savoir qui ressemble le plus à maman ! Vous lui ressemblez beaucoup tous les deux.

Sarah tire la langue à son frère.

— Tu vois que j'ai raison, dit-elle.

Un garçonnet à la voix haut perchée est sorti d'une chambre comme un diablotin pour rejoindre le groupe.

— Qu'est-ce que vous faites ? crie Arthur.

— Chut ! font les trois autres.

— C'est vous qui faites du bruit ! proteste-t-il.

— On regarde si maman pleure, dit Sarah.

— Pourquoi elle pleure ? s'étonne Arthur.

— On voit pas ce qu'elle fait, dit Max.

— Arrête de me pousser, dit Sarah à son frère. Si on regarde tous, elle va nous entendre et on ira au lit.

— Qu'est-ce que ça peut faire ! On ira se coucher mais on saura si elle pleure, dit Max.

— Elle ne pleure pas, tranche Noémie. Pourquoi voulez-vous qu'elle pleure ! Et maintenant Arthur et Sarah au lit, il me semble que maman vous avait couchés tous les deux !

Ils ne bougent pas, frémissants, affermis par leur union, et hypnotisés par le plaisir de voir sans être vus.

— Qu'attendez-vous ? Allez ! Au lit !

— C'est pas juste, proteste Sarah. Pourquoi Max il a le droit de pas se coucher ?

— J'ai trois ans de plus que toi, dit Max. A ton âge je me couchais plus tôt que toi.

— Tu dis toujours ça, dit Sarah.

— C'est la vérité, dit Noémie. A ton âge, Max se couchait bien plus tôt que toi.

— Je m'en fous de la vérité, dit Sarah. A mon âge il avait pas un grand frère chiant.

— Allez, les p'tits loups ! Au lit ! dit Noémie. Et arrête de dire ce vilain mot, ça n'est pas joli dans la bouche d'une petite fille.

Max jette un dernier regard à sa mère.

— C'est fou qu'elle regarde encore le même film ! dit-il.

— Comment sais-tu que c'est le même film ? dit Sarah en haussant ses petites épaules.

— Je reconnais la musique, dit Max.

— Allez, Sarah, retourne au lit, dit Noémie qui porte Arthur dans ses bras.

— Oui, j'y vais ! dit Sarah.

Elle amplifie l'exaspération (soupire, hausse les épaules), mignonne, debout dans une longue chemise de nuit bien boutonnée jusqu'au col, et les pieds nus qui ont encore une rondeur de poupon. Puis elle s'en va remonter dans son lit, ramener la couette contre son menton, et fermer les yeux pour la nuit. Et la maison pleine d'enfants est silencieuse. Des petits corps chauds dorment entre des draps et leur présence diffuse douceur et joie. Ils sont là, ils appartiennent à leur mère pour ce temps d'enfance qu'ils traversent. La musique et la voix off du film trouent ce silence. La mère entre dans un état presque hypnotique. Elle cherche la gaieté que lui procure cette histoire.

7 – Rencontre

On peut se plonger dans une œuvre, se calfeutrer dans ce qu'elle fait lever en soi, rechercher sans finir ni se lasser sa tonalité spéciale et la rencontre qu'elle inaugure, ramifier la complicité que l'on entretient avec elle. Et c'est ce que fait Elsa Platte. On peut chercher le face-à-face intérieur avec ce que dit un artiste, et la confrontation de son langage avec la vie qu'on mène. On peut faire passer le temps à côté d'une œuvre et même à travers elle : le fil des jours dans le chas d'un film. On peut se servir d'une œuvre pour surmonter une épreuve. Est-ce qu'il ne s'agit pas souvent de surmonter ? Quand on n'aime pas la vie, on va au cinéma. Est-ce que le lien à la création d'art n'a pas à voir avec la difficulté d'être ? Comme si la vie avait besoin d'un écho, d'un ensemble architecturé de miroirs qui nous la révèle et nous l'éclaircisse. Elsa Platte s'installe face à face avec une histoire.

L'histoire est celle de trois femmes qui se demandent laquelle d'entre elles vient d'être quittée par son mari.

Bien sûr ce choix peut étonner. Pourquoi Elsa Platte est-elle si captive de ce film ? Bien sûr la question lui est posée.

— Pourquoi regardes-tu ça ? Ce sujet est d'emblée déprimant. N'entends-tu pas suffisamment parler de couples qui se séparent ?

— Ce n'est pas un film sur la séparation, c'est un film sur le mariage. Sur le soupçon. Sur l'imperfection dont on est toujours coupable et que l'on doit bien reconnaître. Sur toutes les raisons que, dans un couple, on aurait de partir. Sur l'amour qui fait rester, dit Elsa.

Pourquoi as-tu acheté ça ? C'est un cadeau d'Alexandre. Ah oui ? Oui. Tu crois qu'il voulait te dire quelque chose ? Non. Il ne savait même pas de quoi il s'agissait.

On peut emmêler sa vie à des œuvres. Ce que l'on vit rencontre ce que l'on regarde, ou ce qu'on lit vient s'entrelacer dans la trame des perceptions réelles. Par exemple, une musique peu à peu s'associe, pour l'éternité de notre esprit, à un moment vécu. On peut attarder, étirer l'instant dans l'œuvre, l'y faire tant traîner que se tisse le lien mental insécable entre ce temps et la contemplation. On peut s'alanguir dans l'émotion qui naît, s'estompe, renaît, resurgit à chaque contact avec l'œuvre. Elsa Platte jouait à ce jeu depuis l'enfance.

Bien sûr elle se demandait : pourquoi Alexandre m'a-t-il offert ce film ? Comment savait-il que cette histoire allait m'enchanter ? Mais ça n'était pas le plus important. Le plus intriguant était : pourquoi ce film me bouleverse-t-il ? Que m'apprend-il ? En quoi m'aide-t-il ? Car il m'aide.

Ce soir elle s'abandonne à nouveau au charme de cette fiction, qui revêt une signification plus brûlante, puisque Elsa attend elle aussi le retour incertain d'un époux dont le mécontentement s'est pleinement exprimé. C'est une mise en abyme. Elle est délassée, tour à tour rieuse, mélancolique, sentimentale, heureuse, jalouse, finalement galvanisée devant la télévision. Dans l'âpreté de l'attente, elle suit l'artiste qui lui fait éprouver sa propre énergie. Une force de résistance lui vient, un bien-être simple, méditatif, une manière d'exister facilement dans le moment : ni dans la préoccupation de l'avenir ni dans la remémoration nostalgique du passé. Elle trouve un maintien qui vient combattre la commisération qu'elle éprouve envers elle-même. Commisération ? Elsa Platte est à cet âge où l'on se croit malheureux sans l'être, où l'on devine mal la forme toujours empirée de l'avenir. Où en portant une pâquerette sur ses épaules on croit recevoir une tuile sur la tête. Le film l'aide à sentir la différence entre une pâquerette, une tuile, et un désastre. Elle utilise ce que dit le cinéaste pour comprendre ce qu'elle ressent, elle conquiert l'harmonie de la vie vécue et de la vie interprétée.

Quand commence la journée difficile des trois héroïnes, Elsa Platte se sent accompagnée, multiple, universelle, dans le frisson de la fraternité. L'œuvre cause une émotion, lui offre une parole, un exemple, un miroir, une histoire jumelle, une musique, une question, une réponse, un embellissement, une compagnie.

Trois femmes se demandaient laquelle d'entre elles était quittée par son mari. Chacune, dans une rêverie secrète et douloureuse, revisitait le passé de son couple pour en trouver la faille, la blessure fatale qu'elle aurait pu infliger à son amour de sorte qu'elle l'eût découragé. La mémoire, l'amour et le doute flambaient ensemble. L'éternelle opacité de l'autre surgissait comme une bête faramineuse et fracassait la confiance. Tout ce questionnement retombait en crainte, désespoir et regrets. Elsa Platte regarde ces trois épouses inquiètes d'avoir peut-être perdu leur mari. A quoi pense une femme qui s'imagine trompée ou délaissée ? Les vies et les œuvres fournissaient des réponses. Il fallait observer, demeurer aux aguets jusqu'à se sentir gavée de vérités.

On peut chercher dans une œuvre un secret, un réconfort. On se le forge, on le découvre, on se le délivre à soi-même. Il arrive que l'on sache ainsi parfaitement rectifier l'humeur de son cœur. On sait que l'on peut respirer une fleur. Cela peut être une musique que l'on écoute en boucle, un livre qu'on lit et qu'on relit, qu'on annote et qu'on recopie, dont on apprend même des passages par cœur. Cela peut être un tableau que l'on installe dans sa chambre, dans son regard du matin et du soir. Et cela peut être un film, une série d'images animées, en musique, conduisant une histoire, une situation et des personnages joués par des acteurs. Bientôt l'impulsion agit, l'écran s'estompe, tout le cadre imaginaire et toute limite disparaissent, l'histoire n'est plus contée mais réelle, l'histoire entre dans la vie. Elle avale d'abord les deux heures que dure le film, elle en fait éclater la structure, la décuple et la remplit, elle distrait toute peine. Puis elle diffuse la grâce qu'on lui trouve, elle enchante, elle éveille un sentiment, elle exalte, donne à penser, réjouit, remémore, revitalise. Oui, on peut se plonger dans l'œuvre d'un autre par amour de la vie, afin d'en ressentir la vibration qu'il capture.

Dans cet esprit de recherche intime, de rêverie dirigée, le film de Mankiewicz s'est installé dans la maison d'Elsa Platte. Cette projection est salutaire et douce. Elsa est assise devant l'écran, nu-pieds sur le canapé, dans une pièce aux murs couverts de bibliothèques surchargées. Les livres, les photographies, une lumière fondue, sans éclatement brutal, les housses tachées des fauteuils, des jeux d'enfants sur le tapis, un verre de vin sur une cheminée, un vieux bouquet, tout un doux désordre ordonné, chaleureux et vivant. Une gerbe de vieux chaussons de danse, au bout de leurs rubans, est suspendue à la corniche d'une bibliothèque. C'est une maison familiale, un nid, des objets servent, l'ensemble vibre autour d'une femme qui ce soir-là paraît posée là comme une source. D'ailleurs elle crépite de rires et de larmes, si émotive, semblable à une rivière vivante, souple comme son cheminement, avec ses longs cheveux bruns ondulés en flammes. Rien n'a pu altérer cette nature nourricière, lumineuse, intérieure, rien pas même la danse, ni la fin de la danse.

Maintenant elle a besoin de la fréquentation assi-due des œuvres. Car nous sommes sommés de sol-liciter avec volonté toutes nos ressources. Le nombre des ressources est illimité : un sourire, une chanson, un livre, un dîner convivial, la chaleur d'une main effleurée, un dos, un bras qu'on touche, et tout un corps qu'on serre, ou une promenade, un voyage, le café au lit du matin… Un film. Voilà le début d'une liste magique : ces choses qui fabriquent de la joie.

Est-ce que je peux regarder le film avec toi ? de-mande Max à sa mère. J'ai fini tous mes devoirs de la semaine, précise-t-il. Il est plein de bon vouloir, il s'éprouve jumeau de sa mère, il la copie, la regarde, l'admire, la côtoie avec volupté. Elle est aimante comme une louve, exigeante et méticuleuse comme une danseuse. Quelle heure est-il ? vérifie-t-elle. Et puisqu'il n'est pas tard du tout, elle prend l'enfant avec elle. D'accord, dit-elle, tu peux regarder le début. Alors le jeune garçon, silencieux comme un chat heureux, s'assoit, et regarde. C'est le générique.

8 – Générique

Et le générique passe, qu'Elsa pourrait établir de mémoire. Elle sait les noms, la calligraphie à l'écran, l'ordre d'apparition dans ce mélodrame ironique. Mélodrame. Ironique. Forcément puisqu'il s'agit de mariage et d'infidélités, et des chaînes conjugales. Celles que l'on sent peser un jour après les avoir appelées de ses vœux et portées sans le savoir. Celles que l'on brise. Celles que l'on aime. Celles qui n'en sont pas. Chaînes conjugales. Un film s'appelait du nom d'un mystère ou d'une chose qui n'existait pas, ou bien qui n'existait qu'en tant que l'on décidait qu'elle existait, pense Elsa. Elle monte le volume. Cela fait une voix dans le silence de la maison. Qui parle ? demande Max. La narratrice de l'histoire, qui en est aussi une protagoniste. Tu vas comprendre très vite, dit la mère. Elle ne veut révéler aucune des astuces de Mankiewicz.

Est-ce une présence ? Absolument. Les personnages de cette fiction ont acquis une existence réelle. Au risque d'apparaître comme une toquée, elle aurait pu l'affirmer. Ma femme passe ses soirées avec trois copines qui me détrônent ! déplorerait Alexandre Platte qui n'était pas dépourvu d'humour. Maintenant qu'elle avait regardé ce film presque un soir sur deux depuis que son mari le lui avait offert (pourquoi fait-on des choses aussi singulières ?), elle en connaissait chaque réplique et chaque enchaînement de séquences. Rita, Deborah, et Lora Mae étaient devenues des compagnes familières. Deborah Bishop, à la crinière bouclée, l'ancienne paysanne engagée dans l'armée et complexée socialement. Rita Phipps, la blonde hyperactive, agitée, chaleureuse, moderne, qui écrivait des sketches pour la radio afin de mettre du beurre dans les épinards, comme le disait son amie Addie Ross. Et Lora Mae Hollingsway, la jeune fille pauvre qui avait écrit son propre conte de fées, en épousant, après de charmantes manœuvres, l'homme le plus riche de la ville. Ces femmes l'accompagnaient dans tellement de ses pensées. Et même cette Addie Ross, l'invisible créature qui incarnait l'éclat de l'inconnu, le dehors attrayant, la soie jamais caressée d'une peau inconnue : le danger qui menace l'amour conjugal. Le scintillement de nouveauté qui menace l'amour conjugal, celui qui a décidé de durer, l'amour long scellé en pacte. Celui qui s'installe et se fatigue, se ternit, comme les couleurs sont mangées par le soleil, lui mangé par le temps, et l'habitude, et la répétition sempiternelle, et les mauvais moments et les traces qu'ils laissent, et le doute dans la difficulté d'être, et alors bien sûr la difficulté d'être en deux. Voilà tout le cocon de pessimisme où se love ce soir la peur d'Elsa.

La voix off s'épanche dans le petit salon. *"Les personnages de cette histoire sont purement fictifs. Toute coïncidence avec des événements réels serait fortuite. Le nom de la ville où se déroule cette histoire est sans importance."* Tout détail était en effet superflu parce que les vies étaient tissées de la même étoffe, pense Elsa Platte. Dans toutes les villes du monde les couples se ressemblaient. Ils se mariaient devant Dieu ou le maire et se disputaient devant le fourneau ou l'assiette. Ils s'embrassaient et s'injuriaient tour à tour, dans le manège conjugal qui n'est inconnu que des célibataires. Il y avait partout des portes qui claquaient, des femmes et des hommes qui se quittaient, d'autres qui, trouvant dans l'infidélité le moyen de rester, se tourmentaient de plus près, et dans le même temps des amours heureux, réciproques et tendres. Sur le palier des maisons, des bras se nouaient autour des cous : à quelle heure rentres-tu ? demandait celui qui restait. *"C'est une petite ville banale, autour de son fleuve, des maisons, des magasins, des églises, et une rue principale."* Le visage d'Elsa semble mobile et flottant dans la lumière du poste qui se reflète sur sa peau. Derrière ce masque tranquille, tout le dedans tressaille. Les mots que l'air porte ne font pas taire ceux qui nous parlent au-dedans. La sentence tinte : *Demain soir et les soirs suivants, prépare-toi à dormir seule. Je ne rentrerai pas. Je ne rentrerai pas dans une maison où ma femme est installée devant la télévision, voit le même film depuis trois mois, ne se lève pas pour me préparer à dîner, et se couche sans me regarder !* Maman !

Maman ! C'est la fille aînée qui appelle. Ma chérie, répond Elsa. Noémie Platte vient faire signer un relevé de notes à sa mère. Elle espère sans doute que le film fera diversion. Mathématiques : 10, 12. Sciences physiques : 8, 10. Français : 11, 13… Bon, commente Elsa, c'est moyen quoi. Elle est un peu déçue mais pas soucieuse. Est-ce que tu as un livre de Nathalie Sarraute ? demande Noémie. Elle voudrait bien amadouer celle qu'elle craint de décevoir. Bien sûr, dit Elsa, c'est urgent ? La jeune fille secoue la tête. Je te le donnerai tout à l'heure, dit Elsa. Elle fait ce qu'elle dit, serviable, pas du tout distraite, et sa fille a une confiance bienheureuse en elle. Vous regardez encore ton film ? demande Noémie. Elle s'assoit sur le bord du canapé, à côté de son frère. A l'écran, une splendide maison apparaît au milieu d'une verdure ensoleillée. Je regarde avec vous ! dit la jeune fille en s'installant plus au fond dans les coussins.

Voilà Elsa Platte avec ses deux grands enfants, ils l'entourent comme s'ils savaient son souci. Sans prendre garde à ce qu'elle dit, elle s'enthousiasme : On va voir si vous devinez quel mari a quitté sa femme ! On dit parfois de telles choses, dont seul on connaît la folie ou l'indécence, un mot de trop qui ne se rattrape pas. Une boule dure emplit son ventre avec l'inquiétude amère et le démenti qui se combattent en elle. C'est ça l'histoire ? demande Max. Tu vas voir, dit la mère à son fils. Tu vas voir comme l'amour est périlleux et douteux. Très drôle ! dit la fille. Tu as peur que papa te quitte ? Bien sûr, dit Elsa Platte. Et elle sourit, comme si elle plaisantait. Elle prend une longue inspiration, on ne sait distinguer si elle soupire ou respire.

9 – Mauvais souvenir

Alexandre Platte avait déjà voulu quitter sa femme. En elle, le douloureux souvenir s'était cristallisé en secret absolu. A personne elle n'avait dit cette phrase qui était alors l'exacte vérité de ce qu'elle vivait : Alexandre me fait traverser un calvaire, il veut se séparer de moi, s'il part j'ai l'impression que j'en mourrai. Pareil silence en cette occasion lui avait valu de connaître la profondeur de sa propre discrétion, son peu de confiance dans celle des autres autant que le faible réconfort qu'elle attendait d'eux. Et plus navrant encore, ce moment de détresse avait scellé la distance qui la séparait des plus proches. Il n'y a pas de proximité, pas de parenté, pas de fusion salvatrice. Elsa Platte avait découvert, pour ne jamais l'oublier, l'immensité de sa solitude. Et plus que jamais elle avait dansé.

Aussi personnelle que conjugale, la crise datait de cet autrefois enregistré par chaque amour dans la mémoire de son tracé : non pas celui du commencement (autrefois tu me retirais mes bas, autrefois tu m'embrassais le matin, autrefois tu m'apportais le petit déjeuner au lit…), mais celui de la fin du commencement. L'enchantement passionnel du coup de foudre cédait la place au côtoiement paisible. Elsa et Alexandre Platte sortaient imperceptiblement de l'embrasement. C'était là, dans ce ronronnement tendre qui peut décevoir des amants, qu'avait surgi la violence de la rupture. Elsa se croyait la plus heureuse des femmes, et cette fois s'exprimait dans sa danse. On pourrait dire qu'elle était plus immergée dans la danse que dans l'amour ou bien que l'amour la faisait danser. Le corps dur et lisse comme un bois flotté, sous les voiles des robes modernes, livrée à la scène, elle était, les bras déployés, comme un grand oiseau qui s'élance, comme une statue de la Victoire, vigoureuse et gracieuse de se sentir aimée. Etait-ce écrasant pour un homme ? Ou bien tout époux, un jour ou l'autre vaguement lassé, rencontrait-il le doute et l'envie de s'envoler ? Subissait-il un faisceau de forces de rappel qui tendaient à le ramener à l'état de disponibilité amoureuse ? Peut-être victime, Alexandre Platte fut diabolique. Il accusa, critiqua, réprouva, menaça. Il demanda une séparation sans la consommer. Il était là pour dire qu'il ne voulait plus être là. Mais jour après jour, c'était là qu'il était. A sa femme, il entendait bien rendre la vie si impossible qu'à la fin elle céderait. Il voulait que ce fût elle, et non pas lui, qui mît le point final et en portât à jamais la charge. Et puisqu'elle était sûre de le vouloir pour époux, il devint aussi fou qu'un chien qui tire sur son collier, s'enroule dans sa laisse, s'emprisonne lui-même, et mord celui qui tente de le désentraver.

Il disparaissait et resurgissait au hasard, absent jusque tard dans la nuit, mutique et clos, replié sur lui-même, imprégné d'une inexplicable colère, sûr de ses raisons, dépourvu de gestes et plein de venin. Ses paroles étaient sans appel : Tu es insupportable. Convaincu, il répétait ce mot en détachant chaque syllabe, in-sup-por-ta-ble, et cela faisait sur Elsa un martèlement de sons destructeurs. Essayait-il de la détruire ? Je ne veux pas vivre ma vie avec une femme dure comme toi. Tu es intransigeante et impitoyable.

Tu souffres sans cesse, ton art du détail, ton souci de la perfection, ta passion de la beauté, tu t'es martyrisée toute ta vie et tu me fais subir la même chose. Il était si immédiat de penser tout cela d'une danseuse ! Qu'aurait-elle pu répondre ? Que l'effort suscite la joie ? Elle le prouvait, tournoyante et moirée, affranchie et radieuse avant qu'il ne l'eût mise à terre, mais c'était peine perdue, puisque cet épanouissement aussi agaçait. Rien ne plaisait plus au mari. L'avenir lui-même était déprécié. Alexandre Platte instruisait par avance le procès de ce que serait ou justement ne serait pas sa femme. Il imaginait : Tu ne seras pas une bonne mère. Je ne veux pas d'enfant avec toi. C'était un réquisitoire qu'elle écoutait dans les larmes. Arrête de pleurer tout le temps, tu ne m'émeus pas ! ordonnait-il avec rage. Comment un amant qui l'avait tenue contre lui pouvait-il devenir si cruel ? Elle ne se posait pas la question. Elle lui répondait ! Au lieu de se taire, elle s'expliquait. Elle disait qu'elle ne pleurait pas pour l'émouvoir ! Et il se sentait agressé de l'entendre seulement dire l'authenticité si peu manipulatrice de sa peine. Comment parler encore ? Il disait qu'il allait foutre le camp. Elle le suppliait de n'en rien faire. Il répétait qu'il allait foutre le camp et restait planté là : il était l'échafaud de sa femme. Comme si, de la fenêtre de son mariage, elle avait regardé la sinistre mécanique de mort installée dans la cour.

Pareil tourment, dit-on, peut durer des années. L'amour qui résiste traverse, sans en prendre la mesure, un temps qu'il rend irréel et imperceptible. Le tourment efface les jours en les remplissant. Celui d'Elsa dura trois mois. Décidée à ne pas rompre, elle restait figée à la fois dans l'amour et dans la souffrance, mais moins exempte de doute que son sacrificateur. Comme on dit, elle ne savait plus où elle en était. Elle ignorait qui elle était (celle qu'il disait, celle qu'elle croyait être ?). Avait-il raison de lui faire ces reproches ? Ne mérite-t-on pas toujours des reproches ? Disait-il vrai ? Etait-elle vraiment cette femme invivable qu'il avait décidé de fuir ? Ces questions émiettaient le sentiment uni qu'elle avait eu de son identité. Ses qualités, ses défauts, tour à tour évalués, la propulsaient dans l'absorbante besogne de se connaître et de s'améliorer. Mais il y allait aussi de sa survie. Celle-ci méritait d'autres voies de réflexion : jusqu'à quel point fallait-il supporter les blessures qu'infligeait l'autre ? Si le couple traversait pareille crise, ce malaise ne risquait-il pas de se reproduire ? Valait-il mieux se séparer avant d'avoir eu des enfants ? Une femme n'était-elle pas mieux armée par sa jeunesse que par sa patience ? Ne pouvait-elle aussi aimer ailleurs et être mieux aimée qu'ainsi destituée ?

Mais les questions étourdissent, ricochent les unes sur les autres, exténuent celui qui s'interroge, et finalement cheminent sans réponse. Quand bien même elles en trouvent, rien n'empêche les revirements, les indulgences, les faiblesses ou les grandeurs qui éloignent les actions des décisions censées les commander : ainsi, Elsa attendit et Alexandre revint.

D'un coup, sans explication ni raison apparente, il mit fin à ses errances autant qu'à ses harangues furieuses. Au début de la nuit, dans la maison où virevoltaient Verdi, Mozart, Mahler, Schumann et Bellini (il n'en fallait pas moins pour se soustraire au désarroi), dans l'ivresse d'Elsa bouleversée d'attente et de musique, la porte s'était ouverte et l'amour déclaré. Alexandre Platte avait marché droit vers sa femme, sans enlever son manteau s'était agenouillé devant elle, avait enserré les genoux étroits dans ses bras, et posé sa tête sur le double fuseau des cuisses. Il avait embrassé les genoux. La musique s'incorporait à son baiser, soulevait leurs cœurs d'ardeur, balayait l'appréhension et la modération. La musique réparait l'injure, l'injustice, la dévastation de la tristesse. Pardon, disait-il. Je t'aime.

A une femme désemparée par la perte de l'amour, ces mots étaient aussi apaisants qu'abominables. Ils mettaient fin à l'affliction. Mais le pire des tourmenteurs était celui-là même qui les disait ! Alexandre Platte serrait contre lui ce qu'il avait battu, repentant et avide, égrenant les déclarations, les effusions, dans l'orbite de son plaisir. Je t'aime ! Trois mots qu'elle entendait avec effroi. Elsa Platte était aussi heureuse qu'ébahie. Une part de son cœur s'était envenimée. Elle savait comme le poète a raison de dire la versatilité et l'inconstance, et la défaillance, et la fragilité des trésors. Rien n'est jamais acquis à l'homme, et la femme fait face à la force perdue, à la faiblesse pervertie, à l'amour envolé, à la dilapidation et à l'usure, aux baisers qui étouffent, au bonheur broyé, et à la mort. Elsa Platte, remontée sur le piédestal de l'amour, n'était pas perplexe ou craintive, ni davantage condescendante de sa sagesse nouvelle, elle n'eut la mesquinerie d'aucune parole, ne fit ni sermon ni pardon, elle prit ce qu'il y avait à prendre, retrouva ce qui était intact (son envie de vivre avec cet homme) mais sut que rien n'est jamais acquis à l'amour. L'amour subit des assauts, il tombe dans des crevasses insondables, se parjure et s'égare, se ment et s'irrite. Elle aima en le sachant.

Comment oublierait-on pareille métamorphose, la véhémence et l'invective soudain substituées à la tendresse et au désir, et l'injustice imméritée qu'elle avait affrontée ? Elle n'oublia pas. L'étonnement resta en elle. Dorénavant, elle savait que cette folie de renier et de détruire peut s'emparer d'un homme, et comment nul n'y peut, et que l'on n'a, contre cette sauvagerie, rien d'autre que son sourire et son silence, à défaut du courage de s'en aller. Elle disait que le plus doux amant peut devenir ce vandale menteur et violent. Et ensuite, à côté de cette certitude, elle étala celle de son amour, celui qui embrasse et qui parle, et raconte, informe, propose, imagine, fait ses commentaires, livre ses avis et ses peurs, amuse et distrait l'autre à qui il s'est voué : bref, cet élan qui partage en deux, ou répète une deuxième fois pour l'autre, ce qui a été pensé et senti dans la solitude de soi.

Et plus tard enfin le démultiplie et le diffuse dans des esprits vierges et vivants : des enfants, Elsa Platte en porta quatre.

Elle est cette femme accompagnée, que le passé a emplie et trouée tout ensemble, qui a tenu comme des rênes les chaînes conjugales que l'amour avait nouées.

10 – Beaux quartiers

Le film commençait. Une voix féminine parlait tandis qu'à l'écran glissait lentement l'image d'une voie ferrée qui, par l'effet visuel du travelling, était en mouvement comme un train, vers la gare. Puis la caméra entrait dans la ville. De toute évidence la femme avait entrepris de raconter une longue histoire. Elle s'en faisait la narratrice invisible – mystérieuse, elle le resterait –, on ne savait pas encore qui elle était, on l'apprendrait bientôt mais jamais on ne la verrait, ni son visage ni même sa silhouette, tout juste par les yeux de Deborah en apercevrait-on une épaule nue, émergeant d'une robe longue habillée, sur une terrasse, cachée par un arbuste, le premier soir au Club. On ne la connaîtrait qu'à travers ce qu'en diraient les autres. Sa voix était chantournée, charmeuse, distinguée, son propos bien posé.

"Les personnages de cette histoire sont purement fictifs. Toute coïncidence avec des événements réels serait fortuite. Le nom de la ville où se déroule cet épisode est sans importance." On aurait dit qu'elle s'amusait en disant cela. Elle s'amusait. Elle s'amuserait jusqu'au bout. Ou du moins ferait semblant. Même quand la partie tournerait mal. Elle était une femme qui ne prenait pas la vie par le flanc sérieux mais par la face savoureuse. Ou plutôt qui jouait, en jouait, la jouait, comme si, le sort lui ayant une fois été défavorable, elle était entrée dans la cohorte des gens blessés qui choisissent l'ironie. Elle faisait pétiller l'insouciance d'après l'échec, dans le sillage d'une déception, elle n'avait plus rien à perdre peut-être. C'était une femme qui, jouant avec la vie, allait nous raconter comment elle avait fait une bonne blague à ses amies. *"C'est une petite ville banale, autour de son fleuve, des maisons, des magasins, des églises, et une rue principale très ordinaire, rien de beau ni rien de trépidant."* Oui, la bonne blague valait dans toutes les villes du monde, il suffisait pour l'imaginer d'avoir trois amies mariées.

Les trois amies mariées résidaient dans les beaux quartiers. Les pauvres gens connaissent leur cœur en l'oubliant, mais les riches – libérés de l'intendance matérielle de la vie – ont le temps de s'amuser avec lui. Là, les avenues étaient spacieuses et arborées, les frondaisons de part et d'autre se rejoignaient en une voûte dentelée que traversait doucement la lumière, et à l'époque où se passait cette histoire, les voitures peu nombreuses glissaient dans le silence des arbres comme des poissons dans les grands fonds inviolés. Dans l'alternance de l'ombrage et du matin ensoleillé, derrière des plages de verdure, les maisons dressaient leurs masses parfois imposantes. Celle de Brad et Deborah Bishop était l'une des plus énormes : une demeure à colonnes, percée de grandes baies et d'un jardin d'hiver, qui racontait d'un bloc que la providence jusqu'à ce jour avait été infaillible envers son jeune propriétaire. *"Voici les beaux quartiers où résident les membres du Country Club. C'est ici que rêvent d'habiter les ambitieux qui vont réussir et ceux qui sont déjà riches"*, poursuivait la narratrice. Et il y avait dans cette manière de présenter son univers une philosophie, une lucidité empreinte d'un réalisme cynique. La narratrice connaissait les mécanismes secrets de ce monde privilégié mais cruel. Des qualités qui étaient tout à son honneur, et d'autres qui l'étaient moins, en faisaient un membre remarqué. Cela, le spectateur le comprendrait de mieux en mieux.

Le soleil rebondissait sur les feuillages et les hauts pilastres de la maison blanche des Bishop. Sa lumière rendait éclatant le vert de la pelouse parfaitement tondue. On était le samedi 1er mai, jour d'ouverture de la saison des bals au Country Club. Justement, jour de fête, de privilège et de frivolité, jour de délice où les femmes s'enfiévraient à l'idée d'une robe nouvelle ou d'une coiffure ratée, où les femmes faisaient les idiotes en s'entraînant les unes les autres. Où elles s'aimaient et se détestaient dans le pétillement de la fête, au gré des révérences et des simagrées, dans la constellation des sourires que leur accordaient les hommes comme des bons points ou des bons d'achat. Celle qui racontait l'histoire ne devait pas tellement aimer Deborah Bishop. Un dépit perceptible désunissait sa voix lorsqu'elle parlait de Brad : *"Il m'a donné ma première gifle et mon premier baiser. Bref ! Ensuite il est parti à la guerre et il en est revenu avec une femme : Deborah."* Le prénom était sèchement dit. La trace d'un regret déchirait cette sécheresse d'un éclat de souffrance. Brad marié, c'était un homme perdu pour la narratrice. Elle ne parvenait pas à s'en cacher tout à fait. Elle avait dû l'aimer bien, dans un espoir aussi flou que précoce, comme aime une jeune fille. Brad Bishop avait-il été amoureux ? Il l'avait embrassée, elle s'en souvenait, comme elle n'avait pas oublié le moment (juste avant la mobilisation) où il avait acheté sa maison. Elle était capable de raconter ces événements antérieurs. Mais l'on n'en savait pas davantage, le spectateur développerait ses conjectures personnelles, et en tout cas Brad Bishop (qui ne soufflerait pas un mot de cette aventure) avait épousé Deborah. La réalité de son alliance avec elle s'imposait par-dessus le passé inconnu. Pendant que la narratrice poursuivait son récit, la caméra était entrée dans la chambre des époux. L'image livrait leurs visages, et leur couple, en même temps qu'était vertement prononcé ce prénom : Deborah.

Deborah était naturelle et ravissante. Sa beauté avait le charme de celles qui n'ont pas conscience d'elles-mêmes, la fraîcheur de l'ingénuité, une pincée d'enfance dans le sourire ou dans les pommettes encore très pleines. Installée dans sa nouvelle maison, dans sa vie d'épouse et cette ville inconnue, elle était vive, inquiète, un peu sauvage, et ivre comme une petite fille qui, dans sa chambre de grande, n'aurait pas encore essayé son bureau. Face ou à côté de cette jeunesse, se tenait, pas ébahi, pas enivré, mais charmé et amoureux, habitué à sa vie luxueuse, serein, courtois, le mari : Brad Bishop. Que pouvait-il arriver à cette physionomie si jeune et pourtant pacifiée ? Ça ne pullulait pas derrière cette tête bien coiffée, ça n'avait pas peur, c'était rangé, occupé, diligent, ça ne s'embarrassait pas de faux problèmes, c'était simple comme une victoire. Comment la guerre (le débarquement ?) était-elle passée sur cet homme ? s'était demandé Elsa Platte sans le deviner. Le film laissait de côté cette question, à dessein peut-être, pour spécifier une fadeur polie du personnage. Brad Bishop avait tout ce dont un homme peut rêver – une belle maison, de l'argent, un métier, une jolie femme – et il était clair comme le visage de son épouse qu'il n'avait pas eu à se battre pour l'obtenir. Il était un nanti charmant qui prenait sa vie sans se créer des embarras qui n'existaient pas. Cela d'ailleurs lui donnait un tact remarquable, mais une personnalité moins captivante que celle de ses amis. Bientôt (il était aisé ou logique de l'imaginer bien que cela ne se fît pas encore sentir) ils feraient comme on dit qu'il convient, ils fonderaient une famille, et Deborah sourirait au milieu de ses jeunes enfants, dans sa grande maison, saluant son mari qui partait en voyage. Justement, ce samedi 1er mai il s'en allait. C'était exceptionnel (d'ordinaire il jouait au golf), et son épouse le déplorait. Elle n'était pas heureuse et posait des questions comme on fait des reproches (avec une intonation qui tombe au lieu de monter).

Pourquoi as-tu besoin d'une valise ? Tu ne dors pas là ce soir ? Tu me préviens toujours au dernier moment quand tu ne dors pas là ! disait maintenant Deborah Bishop à son mari Brad. C'était une tendre plainte étirée jusqu'au bord de la réprimande. Ces conférences n'en finissent jamais, je ne peux pas le savoir à l'avance, dit-il. Charmants et amoureux, ils descendaient le fastueux escalier de leur immense demeure, c'était le matin, Brad était encore en robe de chambre, elle était habillée d'un élégant tailleur à ceinture. Elle s'apprêtait à accompagner la sortie annuelle des enfants de l'orphelinat avec ses amies. Un pique-nique. En bateau. Ah oui, ça ne t'embête pas ? demandait Brad Bishop à sa femme tout en se servant du café. Non ! ça me fait plaisir, tu sais combien j'aime les enfants, répondit-elle.

Alors ? demande Elsa à ses enfants, ce film vous plaît ? Oui, pas trop mal, marmotte Max dans le langage de sa génération, et sans faire remarquer pour cette fois qu'il goûtait peu les films en noir et blanc (résumant par la couleur une chose qui tenait bien davantage au rythme). La jeune Noémie ne répond pas, soupirant d'être dérangée, elle ne veut pas que soit percée la bulle de l'attention. Elle relève d'un ample geste du bras ses cheveux longs tombés devant son visage quand elle a penché la tête d'agacement. Maman ! proteste-t-elle, chut ! Pardon, souffle *maman*. Brad et Deborah Bishop parlaient, Elsa connaît la scène et oublie que ses enfants la découvrent. Je suis contente de regarder ce film avec vous, murmure Elsa dans l'idée de clore avec tendresse cet intermède importun. Chut ! font les enfants, arrête-toi un peu de parler. Et pour être plus doux avec sa mère le fils lui souffle gentiment : Espèce de pipelette !

Maintenant assis à la table du petit déjeuner, la taille cintrée dans sa robe de chambre soyeuse, Brad Bishop posait des questions à sa femme. Le ton était celui d'une conversation courante, tissée de proximité, et pourtant fondée sur une distance, une étrangeté irréductibles : un homme questionnait une femme, essayait de comprendre ce qui la distrayait ou l'amusait, s'intéressait à ce qui était différent. Dans le même temps ce masculin et ce féminin étaient alliés, se fréquentaient intimement, partageaient le toit et le lit. Que feras-tu aujourd'hui ? Es-tu contente ? Tu vas t'acheter des chaussures ? Elsa Platte avait toujours été sensible à ce ton des conversations familières, conjugales et quotidiennes, qui n'ont rien de palpitant ou de passionnant, mais qui sont la matière du lien. Car toute chose dite à l'autre, livrée, ou offerte comme un cadeau, comme son envie de partager, ne sert qu'à le tisser. Oui, nos amours autant que nos amitiés étaient des tresses de mots, comme ces épaisses cordes lisses le long desquelles on doit grimper enfant à l'école.

Quelle robe porteras-tu ce soir ? demanda Brad. C'était une de ces questions attentionnées de l'aurore amoureuse : l'homme franchit le seuil de l'univers féminin et s'intéresse distraitement aux frivolités dont il l'imagine composé ! Et cela donne : Quelle robe porteras-tu ce soir ? Comme il était amoureux ! pensait immanquablement Elsa. Celle que tu as découverte dans *Vogue*, répondait Deborah en s'approchant de son mari. Pleine de regrets, elle se penchait sur lui, déjà versée dans la lamentation : Mais si tu ne rentres pas ce soir… De quelle couleur ? poursuivit-il sans s'apitoyer. Noire, répondait-elle. Mais elle était déjà ailleurs, loin du plaisir d'une robe, suppliante : Je n'irai pas sans toi, seule ça ne me dit rien du tout, souffla-t-elle. Et cela voulait dire : sans toi, rien ne me dit. Et la vie n'a pas de sens sans toi. Et j'ignore par quelle force. Mon ardeur sans toi se perd et tout le plaisir se prend avec toi. Elle est comme toi, dit Max à sa mère, j'ai déjà remarqué que tu n'aimais pas sortir sans papa. C'est vrai, tu as raison, dit Elsa en parlant tout bas, j'aime sortir avec papa.

C'est l'Amérique d'après-guerre, dit Elsa, à cette époque les femmes étaient élevées pour être accompagnées ! C'était une phrase à l'intention de sa fille.

D'ailleurs, ajoute Elsa, il est apaisant de sortir au bras d'un homme. Et cette fois c'était à l'intention de son fils. Comment peux-tu être si vieux jeu, maman ! proteste Noémie. Elle n'apprécie pas que sa mère joue les victimes ou les petites choses qui ont besoin d'être protégées. Tu verras, dit la mère à la fille. Elsa n'avait jamais apprécié de sortir seule, de même qu'elle avait prodigieusement goûté de danser en couple, soulevée de terre par son cavalier, entraînée dans des tourbillonnements escortés. Célibataire, elle avait été la plus casanière des jeunes filles. C'était seulement au bras d'un compagnon amoureux qu'elle était devenue à l'aise dans le monde et la vie. La confiance en soi semblait une chose purement sexuelle, donnée par le désir, l'attention et la tendresse d'un amant. Il en allait pareillement des hommes, pensait Elsa, leur confiance c'était la jouissance des femmes qui la leur conférait : les sons qu'ils tiraient de leurs amantes. C'était la place que leur faisait ou non une femme jusque dans le secret de son intimité, et ce qu'ils se croyaient capables de lui faire découvrir d'elle-même. Elle les imaginait semblables à des musiciens dormant contre leur violon. Il leur fallait aussi se forger une place au-dehors. Elsa se souvenait que les jeunes danseuses se cherchaient des protecteurs riches. Tout se passait pour ces amants comme si leur place dans le monde leur offrait une place dans une femme. Ce vieux système était moche, disait à ce propos Noémie. Elle voulait dire plein d'intérêt et de servitude. Pour les hommes, pense Elsa, tout était affaire de places : les conquérir et s'y étendre (au propre et au figuré). Au contraire, les femmes étaient des places à elles toutes seules. Et les hommes allaient de place en place. Certaines, comme Rita, Deborah ou Lora Mae, essayaient de retenir leurs amants. D'autres, comme Addie Ross, les trouvaient trop envahissants et jouaient les indépendantes. Avait-elle fait une vraie place à Alexandre ? Ou bien l'avait-elle simplement placé dans le tableau sans prendre vraiment garde à lui ? En tout cas, quoi qu'il leur arrivât, les maris ne capitulaient pas. Les indésirables s'incrustaient. Les captifs s'absentaient, ils s'agaçaient des plaintes, et peut-être en secret en savouraient le témoignage. Ne me quitte pas ! Je n'ai pas envie que tu partes ! Je voudrais que tu sois déjà revenu ! Tu ne dors pas là ! protestait ainsi Deborah Bishop. Quand rentres-tu ? C'était la question de celle qui restait. Je ne sais pas exactement, ça va dépendre. C'était la réponse de celui qui partait. Dialogue d'étrangers qui ne parlaient pas la même langue, plein d'écarts et de malentendus, source infinie de souffrances et de doutes. Pourquoi veux-tu qu'il y ait une telle différence entre les sexes ? demande Noémie à sa mère. Elle a raison, dit Max, rien ne ressemble plus à un homme qu'une femme. Et les trois spectateurs éclatent de rire avant de se concentrer sur le film.

Ma chérie ! tu ne vas pas manquer le premier bal de la saison pour un caprice ! dit Brad Bishop. Si seulement tu m'accompagnais ! gémit son épouse. Je ferai tout pour te rejoindre mais si je ne réussis pas, promets-moi que tu iras quand même, dit-il. Pourquoi es-tu paniquée comme ça ? Nos amis seront avec toi ! Il n'était pas tendre mais pragmatique et précis pour dire cela qui restait sans effet. Elle languissait toujours après lui. De quoi as-tu peur ? demanda-t-il d'un seul coup avec la fermeté de celui qui prend du recul et sort du jeu en le déjugeant. Comment répondre à cela, de quoi avait-elle peur ? Elle n'avait pas peur, non, elle n'avait pas envie, nulle envie de se trouver seule dans une fête qui rassemblait des couples. Je n'ai pas peur, répondit Deborah Bishop.

Elle préférait être deux, elle se plaignait de son absence, elle n'avait pas le goût à être seule, elle n'en avait plus l'habitude, pense Elsa, elle aimait un homme à son bras. Elle s'était accoutumée à ce confort. On aime dans l'habitude. Par habitude ?

Je ne panique pas, disait la jeune épouse, mais je déteste l'idée d'aller à ce bal sans toi... Deborah Bishop tournait le dos à son mari, faisant mine de partir, oscillant entre douceur attristée (elle serait seule) et colère (il s'en moquait). De toute évidence une pensée nouvelle était en train de s'emparer d'elle, la pire des pensées : l'idée d'une autre femme. Elle fit volte-face comme sous l'effet d'un affront, puis se radoucit (à une vitesse remarquable) pour demander à son mari : Brad ? Un sourire rêveur traversa son beau visage et elle souffla : Addie Ross... elle te plaisait n'est-ce pas ? Elle fut un de tes flirts ?

Voilà bien une question de jeunes mariés, pense la mère. Passé ces premiers temps, on savait tout de l'autre et c'était d'ailleurs une catastrophe. On lisait en lui. On décryptait ce qu'il était en train de penser. On aurait été capable de répondre à sa place. A tout moment, dans n'importe quelle soirée, on pouvait deviner ses frémissements, comme une réplique pâle de ceux qu'on lui avait autrefois fait éprouver. Et puisque l'on était femme soi-même, on savait reconnaître les séductrices et les allumeuses, et celles qui étaient sensibles au charme qu'on connaissait à son propre époux. Quel sport pour une épouse que de sortir en ville avec un mari qui a besoin de plaire… Brad Bishop n'était pas de ceux-là. Elsa le voit bien. Il avait une allure de petit garçon prématurément habillé en homme. Etait-il à ce point naïf ? Impossible de le savoir. Mais il avait cet air-là : plat et inoffensif. Addie Ross… elle te plaisait n'est-ce pas ? Elle fut un de tes flirts ? demandait Deborah. Que venait faire tout à coup Addie Ross dans cette conversation ? Brad Bishop ne comprenait pas, le demandait à son épouse, et souriait. Il ne voulait pas entrer dans une scène de ménage. Les Bishop avaient-ils déjà eu des scènes de ménage ou bien serait-ce la première ? A quoi ressemblaient-ils quand ils se disputaient ? C'était une question à laquelle il était impossible de répondre, pense Elsa. Elle trouvait à Brad Bishop un air un peu idiot, lent, malgré l'élégance et le luxe raffiné dans lesquels il vivait, ou trop poli justement, et qui faisait penser qu'il était un fils de famille, gentil, chanceux, mais pas très intéressant. Brad Bishop n'avait aucune vivacité.

Brad souriait, il ne voyait pas le rapport entre Addie Ross et le bal, il était amusé par la colère de son épouse, puisqu'il était de toute évidence innocent de toute convoitise et amoureux. Ma chérie ! Arrête ! aurait-il pu dire devant l'air suspicieux de sa chérie. Il aurait pu éclater de rire tant ce drame qu'elle créait était absurde. Mais Deborah ne lui laissait pas la place de rire, elle l'assaillait, poursuivant l'idée qu'elle s'était faite : depuis quand lisait-il *Vogue* ? Il l'avait trouvé ? ah oui ? une femme avait dû l'oublier dans le train. Une femme ? Quelle femme ? Et il avait lu le magazine et pensé à son épouse adorée en voyant cette robe ? Elle ne lâchait pas le fil de son soupçon qui l'entortillait peu à peu dans la colère. J'ai pensé que cette robe te plairait. Est-ce que c'était mal ? demandait maintenant Brad Bishop, agacé. Non, pas du tout, disait-elle. Il espérait bien qu'elle ne voyait pas le mal partout ! Il était un peu fâché. Mais elle l'était encore plus que lui. L'avis d'Elsa se fait là-dessus : Deborah Bishop était capricieuse, soumise à des humeurs comme une enfant, très gâtée. Elle allait et venait autour de son mari, chaloupant au propre et au figuré, entre le caprice de la suspicion et la douceur de son amour, puis perçant enfin l'abcès, révélant le nœud de son doute : au concert, il y a quinze jours, Addie Ross portait justement cette robe que tu as vue dans *Vogue*. La même ! Et sur cette colère enfantine, elle claqua la porte de l'entrée et sortit pour passer prendre en voiture son amie Rita. Brad Bishop restait calme et étonné devant sa tasse de café. Impassible sous le regard de son maître d'hôtel qui lui apportait des toasts, il murmura : Merci Tomasino. Il devait se demander quelle mouche avait piqué sa femme. Ou bien : Comment avait-elle deviné qu'Addie Ross avait autrefois flirté avec lui ? Non, c'était plutôt la première option qui s'écrivait en lui : quelle mouche avait piqué Deborah ?

11 – Mère

Maman ! Maman ! appelle Arthur. Maman ! L'enfant s'est relevé pour la quatrième fois. Ses pieds nus martèlent le parquet. Sa petite silhouette se dessine dans l'embrasure de la porte puis, à peine hésitante, entre dans le salon. Noémie se fâche aussitôt : Arthur ! Qu'est-ce que tu fais là ? demande-t-elle à son jeune frère. Penaud, le garçonnet cherche les yeux de sa mère. Fais pause, dit Elsa à sa fille qui soupire. Il faudrait ne pas interrompre le processus d'invasion de la fiction, mais la vie réelle se poursuit, ne s'interrompt que dans l'esprit du spectateur. Tu peux attendre cinq minutes, dit Max à sa sœur. Tu seras une mère sévère ! s'exclame-t-il comme s'il faisait une découverte. Je plains ton futur fils. Chut ! dit Elsa. On ne sait jamais comment on sera avec ses enfants, réplique-t-elle pour clore le débat. Maman, reprend Arthur en se plantant avec fermeté devant sa mère, j'ai quelque chose de très important à te dire ! Le visage du petit garçon est rieur, il n'ignore pas qu'il exagère et justement s'amuse de cette fermeté de ton inappropriée à sa situation d'enfant sorti de son lit. Quoi ? demande Elsa. Elle est aussi dans le sourire, encore loin de la réprobation, tendre, elle tend les bras, riant avec son fils, elle l'assoit sur ses genoux, l'entoure de sa patience comme d'une couverture douce, en le serrant contre elle.

Arthur Platte n'était jamais renvoyé au lit quand il venait parler à sa mère alors qu'il aurait dû être couché, et lorsque cette chance était terminée, lorsqu'il était réellement l'heure de dormir, il devinait qu'elle se fâcherait pour de bon et restait dans son lit. J'aime pas l'école, dit le garçonnet. Je sais, dit Elsa, tu me l'as déjà dit. Mais je n'aime vraiment pas l'école, répète l'enfant. C'est très embêtant, dit Elsa facétieuse. Parce que tous les enfants vont à l'école ! Tu as remarqué ? dit-elle pour le prendre à témoin. Noémie va encore à l'école, et Max, et Sarah aussi, et les papas et les mamans vont au bureau. J'ai peur à l'école, dit le garçon. Je comprends rien, dit-il. On ne comprend pas tout du premier coup, dit la mère, laissant frapper ses bras contre son buste d'un air de prendre les choses avec philosophie. Elle est rassurante et douce parce qu'elle croit ce qu'elle murmure : On ne comprend pas à l'école, on souffre sans cesse de ne pas être assez intelligent ou travailleur, on se fait engueuler, c'est un moment difficile qui nous fait grandir. Tu es un petit garçon très intelligent, dit Elsa Platte à son fils. Allez, ouste ! va te coucher et dors maintenant. Elle se lève du canapé en gardant l'enfant dans ses bras pour le ramener jusqu'à sa chambre. Les jambes se serrent autour de la taille. Les mollets portent des petits poils minuscules, fins, soyeux, repliés contre la peau ; les cuisses sont un collier de chair claire autour d'elle. Qui protège qui ? pense Elsa Platte. C'est une question idiote ou indémêlable. Le jeune Arthur grimpe sur son lit et glisse ses pieds sous la couette, il sourit en serrant une peluche râpée contre sa joue. Sa joue est ronde et rose, le pli de sa bouche ourlé d'une ligne claire, les sourcils dessinent deux ailes sous l'aplat du front, tout est d'une perfection inaltérée. Tu es beau, mon amour, souffle la mère. Je ne suis pas ton amour, réplique l'enfant. Ton amour, c'est papa. Oui, murmure-t-elle, mais ferme tes yeux maintenant, il est tard, tu devrais dormir depuis longtemps, tu vas être fatigué. Pourquoi papa n'est pas là ? demande vivement l'enfant. Tu m'avais promis qu'il rentrerait ! Je veux que papa vienne me dire bonsoir, piaille-t-il. Ça suffit, dors, commande Elsa. Elle sait que la fermeté est le meilleur service qu'elle rend à son fils. Papa viendra te réveiller demain matin, murmure-t-elle en embrassant Arthur.

Elle était pleine de conviction, avec cette inlassable énergie pour border, embrasser, écouter, passer et repasser une main dans les cheveux, embrasser tour à tour la joue, le front, et furtivement la bouche, même du bout des lèvres en faisant le cul de poule.

Et elle se retire doucement avec un brusque pincement au cœur, une fatigue comme l'âne doit avoir de sa charrette. Une famille, et un père qui de cette manière s'évapore ce soir ! Et il faut que quelqu'un soit là ! La colère s'épanouit dans cette idée, attise la rancune d'être femme, attachée par un lien d'or à la chair de ses enfants. De toute façon, je n'ai pas le choix, je ne peux pas rentrer plus tôt, dirait Alexandre s'il était là. C'était la grande phrase, l'excuse appropriée à l'heure des navrantes disputes. Mais il n'y a rien à ressasser ce soir pour Elsa. Il n'est pas là. Il a dit : Je ne rentrerai pas.

Me voilà ! dit la mère à ses enfants qui l'attendent devant l'image fixe de Deborah en colère. Noémie appuie sur la touche Lecture de la télécommande. Deborah Bishop marchait d'un pas alerte – furieux – vers sa voiture.

12 – Age

La mouche de la jalousie avait piqué Deborah. Et c'était sans importance puisqu'elle n'avait – même si bien sûr elle l'ignorait – aucune raison d'être jalouse. Elle reviendrait souriante de sa journée en plein air, espérant un retour de Brad le soir même. Et tout serait oublié, puisqu'ils étaient amoureux. Les femmes sont si bêtes ! commentait la voix off. Et il y avait en effet derrière la voix une féminité stupidement consentante, qui se pliait avec talent autant que docilité et duplicité aux règles du charme, et se réjouissait (pour avoir eu la chance d'être belle) de la fascination des hommes devant les formes et les grâces d'une silhouette. Les femmes sont si bêtes ! Elle parle pour elle ! dit Elsa à sa fille, c'est une de ces séductrices malignes et imbéciles à la fois. Elle voulait dire : habiles à séduire mais sans conscience de ce qui donne de la profondeur à la vie et la lui enlève en venant à manquer. Ces tempéraments-là refusaient d'entrer dans des jours remplis de détails, et dans l'intendance des choses. Les Addie Ross n'entraient que dans les foyers des autres. Elles possédaient une flûte comme le charmeur de rats, elles en jouaient, faisant tourner le sang aux hommes, les entraînaient dans le sillage intime de leur dessein. Personne ne savait ce qu'elles faisaient des proies une fois capturées. Et elles volaient la paix des épouses, si d'aventure cette paix n'est pas un rêve. Deborah Bishop pressentait cette menace, et cela se concentrait – comme dans tout début d'amour – en un sentiment de possession et d'exclusivité jalouse.

Comment la trouves-tu ? demande Elsa à sa fille à propos de Deborah. Pas mal, dit Noémie, mais un peu trop réservée et plate, pas assez piquante. C'était aussi l'avis d'Elsa. Elle est enfantine et agaçante avec ses caprices, dit Elsa. Mais elle est jeune, ajouta-t-elle en penchant la tête de ce geste qu'on a pour accorder et réclamer l'indulgence. Et pas si nouille que ça, puisqu'elle s'est engagée dans l'armée et a fait la guerre, dit Max. Aurais-tu été capable de ça, maman ? J'étais capable de tout ! affirme Elsa. Et maintenant ? Mais je suis vieille quand même ! plaisante-t-elle. Il y a un lièvre sous cette plaisanterie, les enfants sont bien trop jeunes pour le débusquer. Max regarde l'écran et dit : On ne sait pas vraiment leur donner un âge à toutes les trois (il a vu la première image qui rassemble Rita, Lora Mae, et Deborah). C'est Rita la plus vieille à mon avis, dit-il. Et Deborah la plus jeune. C'est aussi mon sentiment, confirme Elsa. Je crois que les actrices ne sont pas toutes jeunes et que c'est perceptible.

Les actrices étaient plus âgées que les personnages qu'elles incarnaient et, par ce décalage, la réalité s'imposant à la fiction créait une confusion dans l'esprit du spectateur : l'âge réel des comédiennes prenait le pas sur celui des personnages. En tout cas, les trois héroïnes commencent leurs vies, dit Elsa, mais c'est vrai qu'elles ont l'air mûres, très femmes dans leur beauté. Elles sont belles toutes les trois, dit Max, mais ma préférée c'est la grande brune !

Elsa Platte venait de passer l'âge de la retraite, du moins celle des danseuses à l'Opéra. Retraite ! Les mots instillent dans l'esprit les idées qu'ils portent et les choses du monde qu'ils capturent. A tort ou à raison, Elsa se sentait avancer vers l'âge fatal des femmes, celui où, en perdant le pouvoir d'enfanter, elles se rapprochaient des hommes. Elle ne fêtait plus ses anniversaires. Tu n'aimes pas tes anniversaires ? lui demandait Max. Elle disait qu'elle ne les avait jamais aimés, qu'ils étaient, déjà dans sa jeunesse, la marque d'un achèvement et les jalons d'un temps qui détruisait. Mais maintenant ce n'était plus plaintes romantiques, supputations et idées vagues, c'était une réalité : elle s'éprouvait à un cap, dans le creux d'une métamorphose inévitable et fatale, et soudain si fragile devant le miroir du matin et du soir. Elle qui avait parfois trouvé de l'allant juste à se savoir capable de créer la beauté. Elle qui avait dansé toutes les envolées du corps jeune. Ce que c'est d'avoir été une belle danseuse… Sa mère le disait souvent : Vieillir est plus facile pour les laides, elles deviennent moins laides, relativement en tout cas, puisque les autres se défont… Et à ces mots cette femme riait avec sa fille, elles en avaient le fou rire. Les laides ! Ce mot était si implacable, et pourtant, comment fallait-il le dire ?

Où était passé le visage habituel ? pensait maintenant Elsa Platte. Ces traits qui lui étaient échus, pourquoi fallait-il que, de surcroît, ils fussent voués à s'altérer sournoisement ? N'était-elle pas méconnaissable ainsi immobile devant une télévision (au lieu de virevolter, de sauter, de tourner comme une toupie blanche et gracieuse) ? Elle avait eu le visage ovale, elle avait l'impression qu'il était devenu carré. Tout le bas s'était élargi, on aurait dit que le haut était tombé dans le bas. Les yeux s'étaient rapetissés jusqu'à devenir deux fentes inégales car l'une des paupières était moins ouverte que l'autre. C'était imperceptible, personne n'y faisait attention, seulement les photographes qui venaient encore la visiter, mais elle aussi était observatrice, elle l'avait noté. La clarté de la peau s'était teintée, comme si la lumière s'était envolée, laissant gagner une ombre un peu terreuse. N'avait-elle pas des taches partout sur la figure ? demandait-elle à son fils. Mais non ! Arrête, maman, disait-il en riant, tu n'es pas vieille ! Mais dans le même temps le plus jeune, Arthur, pur, innocent, et pas aveugle, portant son regard au cou de sa mère, s'exclamait : Tu es vieille, maman ! J'ai pas envie que tu meures, gémissait-il en se blottissant contre sa mère. Arthur riait un peu en parlant ainsi, mais il attrapait la vérité. Tu es jolie, maman, disait Noémie, tu n'as qu'à mettre des jeans troués et tu auras l'air plus jeune ! Et Alexandre quant à lui passait par l'avenir et l'intelligence pour la réconforter : Dans trente ans, disait-il, quand tu regarderas les photos de toi aujourd'hui, tu trouveras que tu étais jeune. Oui, pensait Elsa Platte, je m'exagère la catastrophe. Certains matins pourtant, si la veille par exemple elle s'était couchée tard, ou bien si un souci avait rétréci sa nuit, elle avait l'horrible impression de se dissoudre en une pâte molle : elle fondait, elle se coulait dans un vieux visage. Quel effroi d'imaginer la suite ! Ce n'était pas la peur de vieillir, c'était celle de se perdre, de ne plus se reconnaître, de ne plus donner à voir la personne que l'on a toujours été, d'être méconnaissable, en somme. Elle voulait continuer de se lire elle-même dans son visage. Continuer ! Elle ne voulait que cela : persévérer, épanouir, édifier à partir de l'amour ! Mais le visage change, l'identité est fragile, l'amour se transforme, la maison peut se craqueler, l'éternité est un rêve, la durée un idéal… Parfois les gestes qu'on a eus et les paroles qu'on a proférées, dans la colère ou le dépit, ont détruit au lieu de tisser, pense Elsa.

L'une des grâces accordées aux actrices était celle d'une image éternelle. La pellicule conservait dans les manières vivantes de leur jeu, leur visage enchanté de jeunesse. Linda Darnell, celle qui plaisait à Max, était à ce jour bien plus âgée qu'Elsa, peut-être même était-elle morte. Mais à l'écran, dans le petit salon, et pour la nuit des temps, elle avait la carnation lumineuse et le maintien altier d'une reine de beauté. Malgré cela, si la vieille dame qu'elle était devenue avait souhaité voir ce film, elle aurait reçu comme un coup de fouet le spectacle impétueux de sa jeunesse. La pellicule était à double tranchant, comme la mémoire. Il fallait espérer pour elle que Linda Darnell ne regardât pas ses propres films ou alors qu'elle fût apaisée par la sagesse. Et ce serait les petits-enfants de l'actrice qu'Elsa imagine extasiés devant la beauté insolente de leur grand-mère. Les archives vont aux descendants.

Maman ! Tu n'écoutes pas le film ! A quoi penses-tu ? demande le jeune Max. Il connaît si bien sa mère qu'il peut sentir toute l'échelle harmonique de ses présences (pullulante, concentrée, ou bien torpillée, délayée, intermittente). Tu ne vas pas pleurer ? demande-t-il dans une inquiétude que nourrissent les yeux brillants d'Elsa.

A quoi penses-tu ? Comment répondre ? Inventer une pensée-alibi ? Ou dire la vérité ? Je pense, à propos d'âge, que je suis devenue trop vieille pour ton père. Je pense à papa, je ne sais pas ce qu'il a en ce moment. Je ne sais pas ce qu'il a contre moi en ce moment. Je pense à papa qui était en colère et m'a dit qu'il ne rentrerait pas. Je pense à ton père qui a l'air d'en avoir assez de vivre avec moi. Je pense que je ne sais plus dormir seule. Je me demande si ton père ne s'apprête pas à me quitter. J'attends ton père qui m'a dit qu'il allait habiter ailleurs quelque temps. Je me demande si je ne suis pas devenue trop vieille pour ton père. Ton père… Mon mari. Que fallait-il dire ? Rien. Oui, mon mari, je ne le partage pas avec mes enfants. Je ne dois pas partager ce lien conjugal qui pourrait interférer et menacer le lien filial, l'adoration du père, l'autorité naturelle de la place que je lui donne. On ne dit pas à un enfant le désarroi que cause son père quand il menace : *Demain soir et les soirs suivants, prépare-toi à dormir seule. Je ne rentrerai pas. Je ne rentrerai pas dans une maison où ma femme est installée devant la télévision, voit le même film depuis trois mois, ne se lève pas pour me préparer à dîner, et se couche sans me regarder !* Je me demande si j'ai quelque tort. Je cherche ce que j'ai fait de travers pour mériter cette sentence. Pourquoi a-t-il dit cela ? Pourquoi ? Parce qu'il en avait assez de vivre à côté d'une morte ? On le comprend.

Evaporée dans ce questionnement, dans un état de vigilance aiguë qui ne guette qu'un seul bruit (celui de la porte d'entrée), Elsa revisite chaque détail de la soirée qui s'est hier achevée par cette parole qu'elle a, sur le moment, fait semblant de ne pas entendre. Cette phrase qu'il a dite, au lit, plein d'amertume, fait-elle césure dans leur vie ? Ou bien n'est-elle rien qu'une parole emportée dans la colère et le temps ? Seul le retour chez lui d'Alexandre Platte serait une réponse.

13 – Devoir conjugal

Il était facile à Elsa de se remémorer l'enchaînement fatal. La dispute datait de la veille. Alexandre Platte était rentré tard et avait trouvé son épouse devant la télévision. Je suis là ! lui avait-elle crié sans bouger du canapé. Elle venait de percevoir le bruit de la serrure de la porte d'entrée. Il était près de vingt-deux heures, une heure tardive pour retrouver sa famille, ou pour dîner avec sa femme. L'heure espagnole, disait Alexandre Platte, avec une décontraction qu'Elsa tenait pour un égoïsme désinvolte parce que forcené. Elle n'avait jamais réussi à croire que l'on pût rester efficace aussi tard dans son bureau, elle pensait que c'était s'immoler à une socialité de couloir. Alexandre Platte déposait ses affaires dans l'entrée, toujours les mêmes affaires, les mêmes gestes, le même bruit du cuir lourd de sa veste en équilibre sur un fauteuil en rotin (et qu'Elsa se permettrait de ranger dans la penderie sous l'œil réprobateur de son mari à qui elle dirait : Mais je ne te

demande rien ! J'ai le droit de ranger quand même).
Quelques pas identifiables sur le parquet et il passa
la tête dans l'embrasure de la porte. Au physique, il
était l'exact opposé de sa femme : blond quand elle
était brune, aussi bréviligne et trapu qu'elle était
longue et étroite. Il souriait, son visage rond s'ordonnait autour d'un nez relevé et d'une bouche épaisse,
sous les cheveux fins et déjà clairsemés aux tempes
et au front. Il soupira d'aise. Il apportait la fraîcheur
du dehors. Il fit un signe à sa femme, jeta un coup
d'œil à l'écran, reconnut ce film qu'elle avait déjà
regardé plusieurs fois, et s'exclama en riant : Encore !
Tu n'en as pas assez ? Elle rougit, sourit : non, elle
ne se lassait pas, il le savait, non ? Je ne pensais pas
en te l'offrant que ce film allait te captiver à ce point,
dit-il. Et ajouta : Si j'avais su, je ne sais pas si je
l'aurais acheté ! Et moi qui ne l'ai encore pas regardé !
Je vais m'asseoir avec toi, dit-il.

Il partit enlever sa cravate et sa veste, se chercher
une assiette dans la cuisine. Elle l'attendit. Qu'il se
décidât si spontanément à regarder le film avec elle
était une surprise. Elle l'avait souvent sollicité sans
succès. Et maintenant qu'elle ne demandait rien, il
venait de son plein gré. Cela s'appelait le lâcher-prise.
C'est au moment où, après cent efforts, on renonce,
que justement l'on gagne… Et alors vient l'ivresse
de l'accomplissement quand on ne l'attendait plus.
Fais-moi une place, dit Alexandre Platte à son épouse.
Et ce disant il s'assit à côté d'elle, au lieu de s'installer sur le deuxième canapé, et fit glisser ses doigts

sur le bas clair le long de la cheville. Tu es sexy, souffla-t-il. Sans répondre à ce geste, Elsa Platte appuya sur la touche Lecture. Alors, dit Alexandre, voyons un peu ce qui te fascine dans ce film ! *"Les personnages de cette histoire sont purement fictifs. Toute coïncidence avec des événements réels serait fortuite. Le nom de la ville où se déroule cet épisode est sans importance."*

Alexandre Platte caressait la cheville de son épouse. Ce n'était pas exactement une caresse, plutôt un grattouillement, un signe lascif de connivence, le rappel d'un lien intime et d'une appartenance. Il était plus dans la complicité amusée que dans la sensualité. Mais Elsa savait que ces gestes ne s'arrêtaient pas, dérivaient immanquablement vers leur prolongement érotique. Comme si le désir sexuel était une issue obligée de la caresse. La couture des bas sur l'extrémité des doigts de pieds d'Elsa effleurait la flanelle du pantalon de son mari, elle replia un peu plus ses jambes pour ne plus le toucher. Ne plus le toucher ! C'était un détail qui contenait tout. Ça ne me gênait pas, fit remarquer Alexandre, renonçant dans le même temps à laisser traîner sa main sur les bas, marquant en silence qu'il avait compris la distance qu'en l'instaurant, elle réclamait. D'ailleurs il soupira. Et elle appuya de nouveau ses pieds contre la cuisse, tout en sachant que c'était trop tard et, qu'à sa manière, elle l'avait déjà rejeté hors d'elle (hors de l'amour et hors de lui). Elle l'avait laissé au-dehors quand il s'approchait du dedans. Elle n'avait plus de place pour recevoir un homme. Voilà à peu près ce qu'elle ressentait. Elle éprouvait qu'il était infiniment plus jeune qu'elle-même, jeune par le désir qu'elle avait perdu. Et elle le dit à voix haute :

— Tu es trop jeune pour moi ! J'ai l'impression d'avoir cent ans.

— Arrête de dire des bêtises, dit Alexandre. Crois-tu que ça me fasse plaisir d'entendre ça ?

— Ce ne sont pas des bêtises. La physiologie et la société me donnent raison.

— Ah oui ! Peux-tu m'expliquer ? demanda Alexandre Platte.

— Un homme et une femme qui ont le même âge ne l'ont pas en réalité : la femme est plus vieille, dit Elsa. Nous vieillissons plus vite que vous, et le nombre de nos partenaires potentiels se restreint pendant que le vôtre augmente.

— Tout cela est en train de changer, répliqua Alexandre.

Il secoua la tête pour le dire, pensif, contrarié, fuyant le débat mais affirmant d'un geste que son épouse faisait fausse route. Et elle pensait : les gens appellent bêtise la douleur de l'autre qu'ils ne veulent pas envisager.

— Pourquoi aimes-tu tellement ce film ? Sais-tu ce qui te plaît ? demanda Alexandre pour changer de sujet.

— Je ne sais pas l'expliquer, dit Elsa, il me rend heureuse. C'est un chef-d'œuvre. Mais au-delà, je voudrais comprendre l'effet du cinéma. Par quel canal, par quel mécanisme intérieur, un film peut agir sur mon humeur, me réjouir l'esprit, me mettre à l'aise avec la vie. Tout d'un coup j'ai le moral, je me sens heureuse. Alors que rien n'a changé dans la vie réelle !

— Tu n'as pas le moral ? répondit Alexandre.

Il était si plein d'un étonnement naïf ! Elsa Platte esquiva la question, elle ne voulait pour rien au monde créer une inquiétude chez son mari, lui faire même deviner la mélancolie dans laquelle elle glissait et être obligée de la partager. Est-ce qu'elle savait assez ce qu'elle ressentait pour être capable de le dire ? Ou bien était-elle dans la confusion ? D'ordinaire elle appréciait que les choses fussent dites. Mais dans le couple il fallait souvent se taire. Le silence était préférable. La parole déclenchait des mécanismes qui étaient ensuite incontrôlables. Les mots étaient plombés de tout le poids que leur conféraient le temps, les complicités, les querelles anciennes, toutes les fois où ils avaient été prononcés. Et de toute façon, on ne disait jamais que ce que l'on croyait penser, et on se mentait en premier à soi-même, donc on se trompait sans cesse. Les mots, quel mensonge ils tricotaient, l'air de rien, avec leur bonne volonté !

— Tu savais que c'est un film très connu ? demanda Elsa au lieu de répondre à son mari.

— Non, pas du tout, je n'en avais jamais entendu parler avant de te l'offrir. C'est le titre qui m'a intrigué, dit Alexandre Platte. Je connaissais le nom de Mankiewicz mais c'est tout. J'ai dû voir il y a longtemps *L'Affaire Cicéron.*

— *Le Château du dragon* aussi, dit-elle. Mais qui a beaucoup plus mal vieilli que *Chaînes conjugales*. D'ailleurs le scénario n'est pas de Mankiewicz, il n'en a été que le réalisateur.

— *Chaînes conjugales* ! s'exclama Alexandre Platte, quel titre !

Il s'en amusait, prouvant par là qu'il ne se sentait pas concerné et que son mariage ne le ligotait pas.

— Ça n'est pas une expression toute faite ? remarqua-t-il sur un ton interrogatif.

Et il entreprit la liste de celles qui lui venaient à l'esprit.

— Vie conjugale, amour conjugal, devoir conjugal, énuméra-t-il en regardant sa femme qui ne disait rien.

Il eut un rire bref.

— Qu'est-ce qu'il y a encore comme expressions ? fit-il. Ah oui ! Lit conjugal. Domicile conjugal. Enfin, plutôt abandon du domicile conjugal ! Tu en vois d'autres ?

Elle fit signe de la tête qu'elle ne voyait pas et même, franchement, ne cherchait pas.

— Ça ne t'intéresse pas, dit-il.

C'était plus un reproche qu'une constatation.

— Pas vraiment, convint-elle. Mais je reconnais que c'est marrant, ces expressions toutes faites qui recouvrent des réalités toutes faites qui pourtant restent à inventer.

— A inventer ? dit-il.

— Je ne sais pas, dit Elsa Platte, je dis n'importe quoi parce que je ne sais pas.

Sa voix tomba, ou se déroba, ou frémit d'être si proche des larmes.

— Qu'est-ce que tu as ? demanda Alexandre.

— Rien, dit-elle.

— Tu ne veux pas parler ? demanda-t-il.

— Non. Je veux regarder mon film ! s'amusa-t-elle.

— Excuse-moi ! fit-il.

Et elle pouvait voir qu'il était blessé, peut-être vexé. Alors elle dit avec une ostensible ironie, sans craindre de se déprécier elle-même et sans doute le pouvant parce qu'elle avait la certitude d'être aimée :

— C'est formidable les soirées avec moi, on se tait et on dîne devant la télévision !

— Je t'adore ! dit-il.

Et c'était dit dans un élan joyeux, effet de sa propre volonté pour contrecarrer ce qu'il avait ressenti l'instant d'avant. Il était tourné vers sa femme et la regardait attentivement. Hélas, elle ne lui ferait aucune concession.

— Tu sais que je déteste ce mot, répliqua Elsa.

— Oui mais je m'en fous, dit Alexandre dans un rire, j'ai envie de te contrarier gentiment, c'est tout ce que tu mérites avec ta télévision.

— Tu rentres si tard que nous n'avons pas de soirées, souffla-t-elle.

— Et ça c'est quoi ? demanda-t-il en embrassant sa femme dans le cou.

Elle était si singulière ! pensait-il. Indépendante, autonome, à l'aise pour construire une journée. C'était ce qu'il avait aimé : une femme qui prenait la vie à bras-le-corps, qui voulait une pléiade d'enfants, qui avait un corps (et même à l'époque un sexe), qui ne collait pas son mari, qui ne lui demandait pas d'aller faire des courses avec elle, ou bien son avis sur un objet, un vêtement ou une futilité. Elle n'avait même pas voulu du nom qu'il lui offrait. Et elle avait perdu son alliance pendant leur voyage de noces ! (A Venise. Il ignorait qu'elle avait jeté l'anneau dans le Grand Canal.)

Ces faits étaient exacts, et pas seulement une idée qu'un homme, dans un fantasme sans origine, aurait pu se faire de sa femme. Elle était ainsi : pétrie d'une liberté rayonnante qu'elle savait employer comme elle savait, dans la danse, user de son corps pour la beauté. Il y a ainsi quelque chose d'inatteignable dans les êtres rares qui sont habités par une quête. Alexandre Platte avait fait le siège silencieux de cette chose rare. Il l'avait conquise peu à peu. Les enfants l'avaient amarrée, malgré ces débuts peu prometteurs ! Après son mariage avec Alexandre, Elsa Dautun-Platte avait mis plusieurs années à porter le nom de son mari. Lorsqu'ils sortaient ensemble, dans les dîners, au moment de saluer les hôtes, elle tendait la main, souriait, et se présentait en disant : Elsa Dautun. L'interlocuteur s'inclinait très honoré devant l'artiste qui avait forgé à ce nom une renommée. Alors elle ajoutait : Je suis la femme d'Alexandre. C'était bien ce qu'elle était alors : Elsa qui se sentait Dautun, et épouse d'Alexandre, à qui elle donnait son amour et son corps de danseuse.

Qu'elle appelait au-dedans d'elle dans la chaleur du lit et dont elle allait porter les enfants.

Désormais elle était plus Platte que Dautun. Il avait fallu Noémie, Max, Sarah et Arthur. Tous portaient ce nom, Platte, elle voulait porter le même nom que ses enfants. D'ailleurs Elsa Dautun la danseuse était bel et bien disparue. Elle disait : Bonjour, Elsa Platte. Et lorsqu'ils rentraient chez eux, elle fermait la porte de la salle de bain, puis allait se glisser de son côté du lit (car on finit par avoir son côté), elle se tournait pour dormir sans avoir le désir de faire l'amour. Elle avait pris son nom mais ne lui donnait plus son corps. Depuis que la danse n'était plus la matière de sa vie, son corps n'était plus la matière de son amour. Son corps était éteint, irritable, stupide comme un bout de bois, au lieu d'être chantonnant et profus comme une forêt où un homme vient se perdre. Elle ignorait si c'était la danse qui manquait ou le temps qui avait usé le désir. Car si c'était seulement la danse, pourquoi ne pas danser ? Danser et faire l'amour.

Est-ce que c'était ça l'évolution du mariage : faire un par le nom mais de plus en plus deux par le corps ? Est-ce que ça n'était pas la difficulté secrète de ce contrat : qu'il durât plus longtemps que le désir ? Plus longtemps que l'ensorcellement, que l'enivrement, que les picotements. Bien plus longtemps que l'impulsion qui avait porté à le contresigner ? Il y avait des gens pour le claironner haut et fort, des professionnels de la médecine du cœur qui se foutaient que l'on n'appréciât pas spontanément leurs idées : l'amour est temporaire, en tout cas chez l'homme, et il ne survit pas à la perte du fantasme et de l'image suscitée par une femme. Mesdames, quand vous tombez amoureuses, soyez certaines que vous souffrirez. Elsa Platte avait beaucoup aimé ce psychologue qui parlait sans détour.

Deborah Bishop marchait d'un pas furieux vers sa voiture. Alexandre Platte s'amusa du film : C'est gentillet, mais ça manque un peu de sexe. Il savait que, disant cela, il allait agacer sa femme, et c'était ce qu'il voulait, la soulever de colère comme le vent la mer, lui faire dire qu'il était vulgaire, un crétin qui l'avait tellement déçue, et qui était devenu moche, qui ne l'attirait plus du tout… Mais elle ne dirait rien, elle était bien trop maligne pour cela, elle possédait la finesse des séductrices, et toutes les feintes des manipulatrices. Il pouvait comprendre pourquoi elle aimait ce film. Elle avait cette âme que l'on prétend féminine, fidèle et rouée, manœuvrière et loyale, grandiose dans l'art d'user de ses charmes, et capricieuse comme une qui a trop reçu.

14 – Amitié féminine

Sortie de chez elle en claquant la porte, Deborah Bishop marchait d'un pas furieux vers sa voiture. Ses hanches un peu larges chaloupaient dans sa colère, et ce mélange d'une fureur enfantine et d'une grâce féminine prêtait à sourire. Est-ce qu'elle n'exagérait pas un peu ? Quel était ce numéro de théâtre qu'elle jouait ? Quand on a tout pour être heureuse, on ne fait pas de comédie. Elsa tient pour étrange et bébête, chez ce personnage de femme, pareille oscillation exagérée entre douceur et emportement. Deborah Bishop était une caricature d'épouse gâtée. Oui, pense Elsa, Deborah Bishop faisait des caprices de petite fille. Le mari était le premier à s'en étonner : désemparé et dégagé en même temps, trop calme pour ne pas être stupéfié par le volcan de la féminité jalouse. Si calme qu'il était comme un culbuto : il revenait à sa tranquillité à peine la tempête éloignée. Il avait laissé sa femme s'en aller sans se lever de sa chaise, sans trouver un mot, et c'était le pain grillé apporté par son valet qui l'avait tiré de sa stupeur. En tout cas, Deborah avait bel et bien claqué la porte en ne laissant derrière elle que la trace de sa suspicion et le nom d'Addie Ross. Et maintenant elle ouvrait vivement la portière de sa voiture et jetait son sac à main à l'intérieur avant de s'installer au volant. La voix off avait commenté : *"Elle ne restera pas longtemps fâchée. Elle aime trop Brad. C'est elle qui s'excusera. Les femmes sont si bêtes !"*

Elsa Platte aimait particulièrement ce passage. *Les femmes sont si bêtes* était une phrase d'un autre temps qui l'amusait. Au contraire d'être bête, Deborah ne faisait que réagir par avance à un danger qui, aussi lointain et improbable fût-il à ce moment, n'en

existait pas moins : l'autre femme, imaginée, inconnue, désirante et désirable, disponible, toute neuve
et intouchée, était un péril, un hasard menaçant.
L'autre femme, comme une météorite, pouvait per-
cuter la planète familiale. Alors la température
au-dedans s'élevait, grimpait encore, la vie conjugale devenait insupportable, l'intruse détruisait toute
la joie d'être rassemblés. L'autre femme ? Deborah
pouvait en prononcer le nom, comme pour en conjurer l'apparition, en anéantir la magie, en user le nom.
Addie Ross. Addie Ross. Addie Ross. Et Dieu fasse,
chéri, que tu t'en lasses !

La voiture roulait dans l'avenue large et ombragée.
L'ayant aperçue, Rita faisait un signe de la main.
D'une démarche énergique et vive, dansotant sur
ses escarpins à talons, sans doute parce que sa jupe
était étroite et longue, Rita Phipps descendait l'allée
de sa modeste maison. Elle appartenait à un genre de
femme très identifiable : active, élégante (à la fois
coquette et naturelle, ou spontanée), intelligente,
gaie, et par-dessus tout chaleureuse et attachante.
On dirait aujourd'hui hyperactive mais le mot ne
restituerait pas ce qu'il y avait en Rita Phipps d'harmonie heureuse et d'épanouissement. On pouvait la
sentir plus mature, plus avancée dans la vie que son
amie Deborah. Elle était mère, et d'ailleurs presque
maternelle envers Deborah. Rita Phipps n'était pas
un couple, elle était une famille. Et de fait, la première phrase qu'elle dit, hélant son amie en passant
la tête par la fenêtre de la voiture, fut justement : Je

vais dire au revoir aux enfants et finir de régler ses gages à Sadie, j'en ai pour une seconde. Et elle remonta l'allée, à la même allure rapide, vers sa maison.

Quant à lui, sortant de la même maison, George Phipps – le mari de Rita – avait croisé son épouse dans l'allée sans lui adresser la parole, comme se croisent les voitures, chacune avançant dans son couloir de circulation. Il venait saluer Deborah avec bonne humeur et passa un visage joyeux par la fenêtre ouverte de la voiture où, assise au volant, elle attendait. Les orphelins de cette ville vous sont reconnaissants de ce que vous faites pour eux, nobles dames, dit George Phipps. C'était une phrase qui reléguait les épouses dans les gentils rôles du bénévolat. Tu as un drôle d'air, dit Deborah. L'air bizarre de tous les professeurs, dit George. Il se sentait réellement singulier : un intellectuel dans ce pays. C'est samedi, pourquoi es-tu si élégant ? s'étonna Deborah. La conversation continua sur ce ton à la fois banal et comme tournant autour d'une intrigue. Ce n'était que son costume bleu. Oui, la pêche était ouverte, mais il avait mieux à faire. Et qu'avait-il à faire ? Ah ! Ah ! Mystère et boule de gomme ! Et bonne journée aux femmes qui posaient sans arrêt des questions. Bonne journée aux femmes suspicieuses, bonne journée aux femmes dans la liberté des hommes, bonne journée aux épouses qui se croyaient mariées à des petits oiseaux écervelés qui ne rêvaient que de quitter la cage. Il s'en allait sans explication tandis que la silhouette tressautante de

Rita descendait à nouveau l'allée et s'installait enfin dans la voiture, chargée d'un sac et d'une grande enveloppe. Si ça ne t'ennuie pas, arrête-moi à la gare, je posterai mon article, dit Rita. Posé sur elle, encore le poids de la vie, elle était constamment en train de courir après le temps, c'était la femme du XXe siècle. C'est elle qui nous ressemble, dit Elsa à sa fille.

La femme d'aujourd'hui, Rita, était donc assise à côté de la femme d'hier, Deborah. La voiture roulait doucement et la conversation des deux amies s'était engagée sur George Phipps qui n'allait pas à la pêche et ne voulait pas dire pour quelle raison. Pourquoi George fait-il des mystères ? demanda Deborah. Je ne sais pas, on ne se parle pas, dit Rita. Désolée, dit Deborah. Ce n'est rien, dit Rita, juste une petite scène de ménage. Rita était désinvolte, tout au plaisir d'être avec son amie, elle n'envisageait rien de dramatique. Elle ignorait quelle inquiétude bientôt la soulèverait. C'était pour cette raison que la mère aimait ce dialogue. Rita et George formaient, des trois couples, le plus joli, le plus intéressant, celui où la femme était entreprenante, où le désaccord était envisageable, la querelle acceptée, et l'amour égalitaire. Ils étaient amoureux depuis l'âge de cinq ans : à l'école ils s'échangeaient des scarabées. C'était une de ces histoires d'amour rarissimes. Et pourtant cet équilibre serait bientôt rompu par une simple lettre, et le doute alors serait harcelant.

Pourquoi dis-tu qu'il fait des mystères ? Il t'a semblé bizarre ? demanda Rita. Il m'a paru mystérieux et malicieux, dit Deborah. Et elle énuméra tout ce qu'elle jugeait étonnant dans le comportement de George : il renonce à la pêche. Il se met sur son trente et un. Il sourit et refuse de dire ce qu'il va faire. Elle parlait sans se soucier de ce que pourrait éprouver Rita en l'entendant. Elle parlait comme une idiote qui soulève le doute chez son amie. Elsa ne croyait pas à tant d'indélicatesse mais il fallait l'accepter et poursuivre. Car c'était un peu de manipulation de la part du scénariste. Il était nécessaire que l'on crût possible une éventuelle défection de George Phipps. Il fallait donc créer du mystère, du malentendu, de la tension, si l'on voulait que la rupture fût imaginable dans ce beau couple. Comme si, pensait Elsa, la séparation d'un homme et d'une femme qui se sont aimés avait forcément une logique, ne pouvait jamais être un accident, une erreur, une folie soudaine sans fondement, l'issue contingente d'une défaillance. Elsa Platte croyait que si les amours nécessaires pouvaient finir, du moins leur point final était-il pénible à poser, lent, incertain jusqu'au bout. A l'inverse, les amours contingentes connaissaient des fins nécessaires dont la logique s'enchaînait à partir de l'erreur initiale.

Rita Phipps avait une bonne nature : loyale, énergique, chaleureuse. On est samedi et il ne va pas à la pêche ? se contenta-t-elle de répéter en tripotant le bouton de l'autoradio (puisqu'elle voulait écouter l'émission pour laquelle elle écrivait). La radio est en panne, dit Deborah. Ah ! dit Rita, c'est très bien, je ne les entendrai pas massacrer mon travail. Pourquoi te donnes-tu tant de peine à écrire toutes ces émissions de radio ? demanda Deborah. Tu t'épuises à la tâche. Voilà que Deborah figurait à la perfection l'éternelle question (pourquoi faire quelque chose plutôt que rien ?) à laquelle certains répondraient toujours en se contentant d'être au lieu de s'obliger à faire. Rita Phipps n'était pas de ces tempéraments languides ou velléitaires, elle était vaillante et volontaire. Parce que je suis payée pour cela, dit-elle, et ce travail met du beurre dans mes épinards, comme dit Addie Ross. Laisse Addie tranquille, dit avec une fermeté pincée la bouche de Deborah. Encore Addie… murmura-t-elle. Pourquoi en arrivons-nous toujours à Addie Ross ? Mais l'éventuelle réponse de Rita resterait inconnue. Car c'était ce moment précis qu'avait choisi le scénariste pour révéler au spectateur l'identité inconnue de la narratrice.

"Si vous ne parliez pas de moi, vous n'auriez rien à vous dire, mes mignonnes !" dit la voix off. La femme qui racontait l'histoire d'une blague n'était donc autre qu'Addie Ross, celle qui avait été amoureuse de Brad Bishop, celle dont Deborah le matin même avait été jalouse, celle qui était évoquée à cet instant par les deux amies. *"Si vous ne parliez pas de moi, vous n'auriez rien à vous dire, mes mignonnes !"* disait Addie Ross. Et l'on pouvait savoir à cela

qu'elle ne se prenait pas pour des prunes, qu'elle était sûre de sa prestance dans son monde. Crois-tu qu'elle devine que nous parlons souvent d'elle et ce que nous pensons de ses manières ? dit Deborah à Rita. Une fois encore, ce ne fut pas Rita mais Addie elle-même qui répondit. L'invisible narratrice s'immisçait dans la conversation. Rita aurait pu dire : mais que pensons-nous d'elle ? Car, après tout, ce n'était pas si évident. Qui croyons-nous qu'elle est ? Le spectateur découvrirait vite que les épouses et leurs maris avaient sur Addie Ross des avis très différents. Mais ce fut Addie, en voix off, qui déclara, non sans ironie, comme la joueuse qu'elle était : *"Je le sais très bien, croyez-moi. Mais peu importe. C'est vous qui ne savez pas tout… Et le plus beau vous le découvrirez très bientôt !"*

La voiture de Deborah roulait sous une voûte de feuillage. Est-ce que les femmes mariées parlaient sans cesse d'Addie Ross parce que Addie Ross vivait seule ? Parce que, dans le même temps, Addie Ross plaisait aux hommes ? Est-ce que les femmes mariées parlaient d'Addie Ross parce qu'elles entendaient leurs maris en parler ? Et parce qu'ils ne cessaient pas, d'une manière ou d'une autre, dans la galanterie ou la fascination, d'en faire l'éloge ? Les femmes n'en disaient pas autant de compliments. Mais quelle bonne raison avaient-elles de ne pas le faire ? Aucune, mis à part la jalousie, un instinct de préservation, une crainte sourde devant ce charme nuisible qui traînait autour des couples et cette vacance qui portait le nom d'Addie Ross… Addie Ross, femme libre, attrayante et séduisante. Les épouses n'en pensaient pas du bien comme leurs crétins de maris aguichés. Elles ne s'émerveillaient pas de sa courtoisie, des sourires, et des cadeaux si bien choisis. Et Addie Ross n'était pas dupe de leur politesse : *"Vous ne m'aimez guère. Je le sais très bien, croyez-moi. Mais peu importe. C'est vous qui ne savez pas tout… Et le plus beau vous le découvrirez très bientôt !"* Très bientôt elles sauront. Et preuve sera faite, par malheur, que leur méfiance était légitime. Preuve sera faite que les femmes pouvaient se montrer des guerrières, des pestes qui ne feraient aucune concession : des conquérantes qui convoitent le même territoire.

15 – Les femmes

C'était à ce moment qu'Alexandre Platte avait commencé à s'énerver. Les femmes ! Les femmes ! Qu'est-ce que c'était que cette nouvelle manière de fabriquer des généralités imbéciles ? demanda-t-il ce soir-là à sa femme. Croyait-elle vraiment comprendre quelque chose en parlant de cette manière ? Tu as la manie de généraliser ! disait-il. C'est une maladie ! Pourquoi généralises-tu ? Ce reproche était légitime. Et de surcroît tombait à pic : maintenant qu'il n'avait plus le bonheur de caresser la cheville de son épouse, Alexandre lui faisait des reproches. Il avait raison, pensait Elsa. Les trois épouses du film offraient à elles seules une diversité difficile à rassembler sous le mot *femmes*. Et si l'on ajoutait la mystérieuse Addie, narratrice et reine du complot, cela faisait une quatrième. Et elle-même, Elsa, n'était-elle pas encore d'un autre type ? Rita, Deborah, Lora Mae, Addie, Elsa : une brochette de féminités.

Je ne ressemble à aucune des trois, se disait Elsa. Deborah Bishop était femme-enfant. Apeurée, soumise, inquiète, délicate et fraîche comme une petite fille, et pareillement capricieuse. Ravissante, mais à peine séduisante car si peu séductrice. Elle avait un de ces beaux visages dont la candeur étonne et qui seraient eux-mêmes étonnés de l'effet qu'ils produisent s'ils étaient capables de le percevoir. Si peu sûre d'elle, si effrayée par le beau monde et le passé mondain de son époux, elle n'avait pas encore de regard à elle. Elle avait fait la guerre dans la marine, s'émancipant de sa famille et d'un mode de vie rural ; elle avait épousé un homme riche, elle conduisait seule sa voiture. Malgré cela battait encore en elle un cœur de l'ancien temps où la femme sans son mari ne fait que de très petits pas. C'était Rita qui brisait ce protocole : elle travaillait. Mieux, elle inventait. Pire : elle gagnait de l'argent. Dieu que c'était important ! Et comme cela faisait parler ! George Phipps lui-même en était convenu : il avait dû s'asseoir sur sa fierté de mâle et accepter les dollars de son épouse. Rita incarnait la femme indépendante. Elle avait deux vies : une famille et un métier. Elle avait créé un territoire personnel qui lui appartenait en propre. On pouvait s'apercevoir à travers elle que cet être-là, la femme moderne, possédait le monde : rien ne lui échappait, ni le territoire de l'affection ni celui de l'expression créatrice. Rita était la femme totale. Il restait Lora Mae, qui avait travaillé dur dans sa vie, comme vendeuse dans les magasins de son futur mari millionnaire, mais qui représentait autre chose aussi. Quoi ? Une nature, un don, une puissance. Elle était la femme fatale, la vamp.

Voilà ce qu'étaient les femmes de ce film : enfant, indépendante, fatale. La sujétion à l'homme n'était brisée que par Rita. Même Addie, la célibataire séductrice, était dépendante puisqu'il lui fallait plaire, jouer le jeu, se faire regarder et désirer. Peut-être la plus assujettie des quatre était-elle finalement celle qui n'avait pas de mari et qui en cherchait un. A quoi était-elle prête pour réussir ! A trahir ses amies ! C'était ce que disait la bande-annonce du film : sur une image des trois maris, était posée la question *lequel choisira-t-elle ?* Suspense et frivolité, par un maître du scénario, Joseph Mankiewicz, qui sait que tromper le public est la base d'une bonne comédie.

Addie Ross avait eu un mari. Mais il avait filé. Voilà ce que prétendait Lora Mae. Porter répliquait que c'était l'inverse : Addie Ross avait mis son mari dehors. Porter et Lora Mae se disputaient au sujet d'Addie, comme Deborah et Brad. George et Rita ne tarderaient pas à le faire aussi. Addie, la femme seule, était séparatrice. Les hommes l'encensaient : les épouses la jalousaient. Ce soir-là au club, Lora Mae disait que le mari d'Addie Ross était descendu acheter des cigarettes et n'était jamais revenu (tant vivre avec cette femme était épouvantable). Et Porter, marié à Lora Mae, croyait qu'on ne quitte pas une femme comme Addie. Cette dispute avait lieu lors du dîner d'ouverture de la saison des bals, l'année du mariage de Brad et Deborah, juste après la fin de la guerre. Les amis attablés étaient passés très vite sur le sujet. De même qu'ils s'abstenaient d'évoquer le couple qu'avaient formé avant la guerre Brad et Addie. Elsa aimait beaucoup cette scène du film, un retour en arrière, une remémoration de Deborah : la première soirée où elle se tenait au milieu des amis de Brad. Mankiewicz espérait par là offrir à son spectateur le plaisir d'en savoir davantage à propos des personnages que les personnages eux-mêmes. C'était un tour savant.

Personne n'avait dit à Deborah qu'elle avait supplanté Addie dans le cœur et la vie de Brad. Le passé pouvait être une sombre bulle dont les autres ne vous aideraient pas, bien au contraire, à percer le mystère, dont ils garderaient jalousement le secret. Etait-ce un trésor auquel ils lui interdisaient l'accès ? Etait-ce pour la préserver de tout ce qui, dans cette vie d'avant, ne lui appartiendrait jamais et la blesserait ? Etait-ce pour éviter que le passé et le futur ne s'opposent et ne désunissent le présent qui les reliait ? Etait-ce là un acte de pouvoir ? de dissimulation ?

de pudeur ? de courtoisie ? de délicatesse ? de sollicitude ? Par une chance qu'elle avait provoquée, Deborah était saoule et ne releva aucune des petites notations de la conversation qui eussent pu la mettre sur la voie des formes qu'avait prises le passé sentimental de son époux.

Ne me raconte pas tout ! protesta Alexandre. Crois-tu que tu regarderas la suite ? demanda Elsa. Oui, dit Alexandre, mais pas ce soir. Le visage d'Elsa Platte marqua en même temps mécontentement, réprobation, étonnement, doute. Tu es drôle, lui dit son époux, tu veux toujours que je fasse les choses quand tu le désires ! Mais je ne suis pas ta petite marionnette ! Et je suis trop fatigué ce soir pour goûter comme il faut cette comédie. On critique Hollywood, mais ils savaient travailler. Je suis sûr qu'ils s'y sont mis à plusieurs pour écrire ce scénario, dit-il. Tu as raison, dit Elsa, le projet a d'abord été confié à une équipe de scénaristes, et puis Mankiewicz a fignolé.

Tu viens te coucher ou tu restes ? demanda-t-il en se levant du canapé, et en laissant, dans une fausse inattention, traîner ses doigts sur la cheville de sa femme. Elsa s'émerveilla de capter, sans que rien ne fût dit, que c'était là plus qu'une question : une injonction, l'ordre de l'homme qui voudrait bien n'être pas déçu dans son désir. Et elle allait décevoir ce désir. Cette idée soulevait en elle une peur de plus en plus perforante. La frustration qu'elle créait mettait-elle leur alliance en danger ? Elle n'y pensait jamais longtemps. C'était inutile. Il voulait qu'elle fût couchée près de lui, à disposition, mais il ne suscitait pas ce désir chez elle. Il avait sa part dans ce qui ne se passait pas, mais c'était elle qui en éprouvait une honte mêlée de regret. Non, je reste un peu, répondit-elle, je n'arriverai pas à dormir. Qui te demande de dormir ! répliqua Alexandre. Et il y avait dans le ton de l'ironie autant que du dépit, de l'agacement et de l'impuissance. Qui te demande de dormir ! Il ne pouvait être plus clair avec elle. Mais elle fit comme si elle ne comprenait rien. Car elle n'éprouvait aucun désir d'être touchée, encore moins d'être pénétrée comme une maison ; elle avait cent ans et il n'y avait plus de porte, les gonds étaient rouillés. De la part d'un amant (et même s'il était le mari), elle méprisait cette façon contournée de lui demander de se mettre au lit. S'il avait envie de faire l'amour avec elle, pourquoi ne le lui demandait-il pas franchement, passionnément, comme au début de l'amour ? Pourquoi ne disait-il pas tout simplement : tu es belle, j'ai envie de te faire l'amour, de te caresser, de te regarder ? Mais avait-il envie de la caresser ? Et de la regarder ? Il l'avait assez vue ! Il ne la voyait peut-être même plus… Tant d'années, tant d'enfants, leurs mises au monde partagées, des milliers de soirées et de nuits, et toujours ce même corps, cette même peau, ces mêmes rythmes, et sa voix sempiternellement, on se lasserait à moins. Elsa Platte pensait : la tragédie du mariage, c'est le temps qu'il dure. Et elle s'enfouit dans une rêverie qui commençait le soir de neige où elle avait rencontré Alexandre, et continuait la nuit glacée où elle l'avait embrassé, et ce jour de pluie, en juillet pourtant, où ils avaient prononcé les paroles à la fois usuelles et sacrées. *Voulez-vous prendre pour épouse Elsa ici présente ?* Je le veux. *Jurez-vous de la chérir et de la protéger, dans le bonheur comme dans l'adversité ?* Il avait juré. Alexandre Platte avait juré fidélité, secours et assistance, et donné ce nom à la femme qu'il aimait : Elsa Platte.

Elle pensait souvent au mariage, aussi souvent qu'à la danse. Elle pensait : s'allier ne prend qu'un jour. S'allier ne demande pas d'effort. Pas assez peut-être. Il suffit la plupart du temps de suivre son penchant, dont on ne connaît ni la source, ni le bien-fondé ou le maléfice. Pas plus que le ventre de sa mère ou le visage de son père, on ne choisit qui l'on désire. Et ensuite, une certaine morale, un sens pratique, nous poussent à confondre ou mêler l'amour au désir : on aime (ou l'on s'imagine aimer) qui l'on a désiré. Ainsi n'est-il pas à exclure que le corps à lui seul choisisse, que sa simple envie de toucher la peau de l'autre, son inexplicable appétit de celui-là exclusivement, suffisent à tout écrire et déterminent notre choix amoureux. Pourquoi avait-elle voulu d'une alliance ? Pourquoi était-elle de ceux qui croient que l'on ne prononce qu'une fois, et pour une seule personne, la déclaration nue de l'amour. Je t'aime.

Ils s'étaient mariés, à la mairie et à l'église. Devant le maire et le prêtre, ils avaient contracté les liens sacrés et les devoirs mutuels. *Les époux se doivent mutuellement fidélité, secours et assistance.* Ils étaient époux aux yeux de Dieu, des hommes, et de la loi. La loi d'ailleurs ne protégeait plus rien. Le mariage d'amour c'était le mariage livré à l'amour : il naissait et mourait avec lui. Seul l'amour tenait lieu de navire. Navire et mer et houle en même temps. Ils naviguaient. *Jurez-vous de la chérir et de la protéger, dans le bonheur comme dans l'adversité ?* Etaient-ils entrés dans le temps de l'adversité, celui où il faut quémander les caresses ? *Je le jure.*

Je le jure. Je le jure. Je le jure. Que valaient ces paroles vingt ans après qu'on les eut proférées ? Comment s'étonner que les époux fussent lassés à l'idée de vivre cinquante ou soixante ans ensemble ? Ces questions venaient forcément à l'esprit dans les marées basses du sentiment amoureux. Si je le quittais, il ne ferait pas un geste pour me rappeler, pensait Elsa Platte. Quelle déception ! Pourquoi avait-elle choisi un homme qui ne déclarait pas sa flamme, qui n'avait pas une âme chevaleresque, qui ne se battait pas pour sa bien-aimée ? Avoir autorité sur sa vie, être douée de libre arbitre et reconnue pour telle, Elsa Platte était certaine de ne pas goûter cette situation qui lui était imposée. Elle voulait être précieuse, convoitée. Elle voulait que l'on se battît pour elle, comme Porter dans le film pour conquérir Lora Mae. Au lieu de quoi c'était elle qui avait fait le premier pas. Et quelle alliance trouvait-elle ? Que lui apportait son mariage ? Rien qu'une évidence quotidienne qui n'avait plus besoin de se dire, une coexistence qui allait de soi, un lien que l'on ne discutait plus. Justement elle voulait discuter. Elle voulait être parlée par l'amour de l'autre. Il avait envie de faire l'amour, qu'il le dise alors ! Qu'il le confesse et le murmure, le chantonne et le clame. Un amour muet, qui n'a plus besoin de se dire, quelle sorte de flamboiement et quel réconfort pouvait-il bien vous apporter ? Etre possédée par un homme, se sentir lui appartenir, être son joyau et sa vie, aurait été la forme tendre du réconfort. Elle ne voulait pas être libre. Pourtant, pensa-t-elle, la lassitude et le désir d'être seule auraient pu lui faire tout abandonner. C'est exactement ça la dépression, soufflait alors la petite voix du dedans. Alors bien sûr elle n'abandonnait pas, elle faisait les gestes qu'il fallait, et le soir quand tout était terminé, elle regardait le film en rêvant. Je vais me coucher, disait Alexandre Platte. Bonsoir. Elle ne se leva pas du canapé, le regarda s'en aller vers leur chambre sans se retourner, désincarnée, penaude, fautive, mais il y avait trop de lassitude en elle pour grimper vers lui. Et c'était ainsi qu'ils s'étaient querellés lorsqu'elle était allée le rejoindre, beaucoup plus tard, pour dormir sans caresse.

16 – Premier baiser

La première fois qu'il l'avait embrassée, Elsa Platte (qui s'appelait alors Elsa Dautun) aurait pu deviner qui était son mari. Voilà un garçon rare, qui était fier, peureux dans sa posture d'orgueil, hésitant, circonspect, délicat, indécis, aurait-elle pu se dire aussitôt la scène entamée, ou plus longtemps après, se la remémorant. Car il avait eu une manière étonnante de prendre sans prendre, de susciter sans exaucer, et de laisser l'autre faire le pas décisif.

Elle en conservait le parfait souvenir. Il s'était approché tout près de la jeune fille, il était entré dans le cercle de son intimité, il avait franchi cet espace qui appartient en propre au corps qui l'occupe, le dernier avant que soit pénétré le corps lui-même. Quelques millimètres séparaient leurs lèvres, à la même hauteur (il était aussi petit chez les hommes qu'elle était grande pour une femme) ; elle pouvait sentir son souffle contre sa bouche, mais il était demeuré debout devant elle, bras ballants, sans l'embrasser. Tout en lui avait annoncé le baiser, rien ne l'avait fait advenir. Comme si un écrou intérieur bloquait le geste et l'expression, comme si un rempart retenait la décision. Et c'était elle, gênée et souriante, timide mais simple, qui, sans manières, avait approché ses lèvres et baisé les siennes, comme pour les éveiller. Un immense peureux, un orgueilleux qui ne supportait pas l'idée d'être rabroué ou repoussé, alors même que cette éventualité était de toute évidence hors du propos présent. Parce qu'elle était amoureuse, éblouie, charmée et frémissante de désir. Avait-il manqué de le voir ? C'était de sa part un défaut de lucidité en même temps qu'un refus de tenir son rôle, avec néanmoins une vraie délicatesse, un mouvement qui allait vers l'autre mais lui laissait la décision. Cela pouvait être une jolie manière d'être : ne pas prendre l'autre, le laisser se donner. Mais justement Elsa voulait être prise, conquise, envahie, habitée. Comme une terre, un pays, une ville entière, une maison, une forteresse douce qui mérite un siège. Les femmes sont des maisons, disait Elsa.

Cette scène du baiser orgueilleux s'était passée dans un temps de plus en plus lointain, retranché dans la remémoration. Elsa se rappelait la pulpe particulière des lèvres de son mari, des lèvres charnues, à la peau fine et douce. Se rappelait-elle la déraison de son allégresse (j'aime !) ? Elle n'avait pas un instant envisagé le genre de tempérament que révélait chez un amant pareille façon d'agir. Etait-ce vraiment là l'homme qu'elle voulait dans sa vie ? Un indécis ? Un hésitant ? Un peureux ? Non, elle ne s'était pas posé la question. Et bien sûr elle avait ensuite oublié cet acte significatif, sans y prendre garde, succombant sans réserve à ce baiser dont d'autres ensuite (maintenant que le premier pas était fait) lui feraient oublier la forme. Quand on ne veut pas voir, on ne voit pas. Quand on tombe amoureux, on prend le paquet complet, on ne chipote pas, on ne fait aucune réserve, aucune critique.

Mais ensuite on dépose les indulgentes lunettes de la rencontre et l'on regarde en entier ce que l'on a pêché ! On aperçoit la part de l'autre que l'on n'aimera pas. Il y en a toujours une. On n'en souffle mot. Ensuite on éprouve vivement qu'on ne l'aime pas. On se plaint. Elsa Platte pense au film : la part de Brad que Deborah n'aimait pas, c'était son aisance dans le monde, et le passé qui l'avait forgée. Quant à Rita, dans un élan pragmatique, elle aurait voulu – même si ça n'était pas primordial – que George aimât un peu plus le luxe et l'argent, qu'il fût plus ambitieux et moins dogmatique, prêt à quelques concessions sur ses idéaux pour remplir les caisses familiales. Qu'il ne fût pas si élitiste. Pour Lora Mae les sentiments étaient mêlés. La dame abritait une chose et son contraire : l'argent de Porter, elle l'aimait et le détestait tout ensemble. C'était une arme à double tranchant. Elle avait voulu ce mariage aussi pour la richesse, et maintenant elle avait le sentiment d'avoir été achetée. Son impureté à elle laissait une trace sur l'autre en noyant ses intentions dans la fascination qu'exerçaient ses moyens. Lora Mae n'avait plus de chemin pour vérifier l'amour de son mari. Des trois épouses, elle était la plus vulnérable. Et moi, pense Elsa Platte, qu'est-ce que je n'apprécie pas chez Alexandre ?

17 – Sexe

Tu attends toujours d'être épuisée pour te coucher. Alexandre Platte se tourna vers sa femme (qui venait de se glisser sans bruit dans les draps). Comment se fait-il que tu ne dormes pas ? demanda-t-elle. A sa voix elle avait donné de la douceur, de la sollicitude, comme si elle s'inquiétait pour lui, mais en vérité elle n'avait ressenti que du dépit. Il ne dormait pas ! Je ne sais pas, dit-il, je n'ai pas l'impression d'une insomnie, je rêve. Il dit : Je t'attendais. Oui, c'était bien cela. Sans le savoir il avait attendu sa femme qui ne venait pas, mais sans trépigner, sans l'appeler, sans un mot ; dans le lit il avait réfléchi, démenti, réfléchi à nouveau. Et maintenant, enflée peu à peu par sa rêverie, il y avait en lui une colère ironique qui allait réclamer des comptes. Il pensait : j'ai une femme dans ma vie. Où est-elle ? Il le lui dit : Je vis avec une femme. Mais où est-elle ? La femme en question eut un petit rire amusé : Elle est là, dit-elle. Est-elle bien là ? demanda Alexandre Platte. Tu en doutes ? dit Elsa. Parfois oui, souffla-t-il. Franchement, dit-il, parlons-en. De quoi ? demanda-t-elle. De nous, laissa-t-il tomber.

Il fit face à son épouse, chercha le centre de son regard, s'y planta et, sans le lâcher, dit : Que penses-tu de notre vie sexuelle ? La fenêtre de la chambre à coucher était ouverte. Elsa se leva pour la fermer, comme si la nuit, le ciel ou la lune eussent pu entendre leurs secrets, leur intimité. Que penses-tu de notre vie sexuelle ? Elle eut l'idée que c'était là une de ces fausses questions, celles que l'on pose parce qu'on a la réponse – et qu'elle vous taraude. Alexandre était déjà installé sur sa réponse, campé sur ce doute soulevé quant à l'état du désir et donc (croyait-il) de l'amour. Je ne sais pas, dit-elle, je ne me suis jamais posé la question. Tu ne t'es jamais dit que tu avais moins de désir que moi ? demanda-t-il. Si, mais il me semble que c'est toujours comme ça, dit-elle, les hommes sont disponibles, les femmes traversent des cycles, s'ouvrent et se ferment, protègent peut-être quelque chose en elles. Il eut un rire bref. C'est une façon de voir les choses ! dit-il. L'ironie contenue dans la voix d'Alexandre Platte augmentait. Il était couché sur le dos, la couette remonté sur le poitrail, les deux mains croisées sur le tissu, semblable à un de ces gisants des cathédrales, les yeux au plafond. Oh ! Il gisait dans sa colère, son désir insatisfait, son agacement. Il parlait sans plus regarder sa femme, sans avoir même un regard sur elle à l'instant de laisser s'emballer cette conversation, comme si d'ailleurs ce spectacle d'une femme qu'il jugeait à ce moment diablement engourdie lui avait fait trop mal pour qu'il le contemplât une fois de plus. Il gisait dans sa rancune. Tu ne t'es jamais dit que tu étais souvent fatiguée ? demanda-t-il à sa femme. L'ironie devenait sarcastique. Je l'étais, répliqua Elsa. Et elle répéta encore ce qu'elle avait dit cent fois : c'était la contrepartie du fait que tu me laissais tout faire. Et voilà la ritournelle ! dit-il. Pour que je sois vaillante après vingt-trois heures le soir, il faudrait que tu m'aides davantage à la maison, dit-elle. Je ne vois pas le rapport entre le sexe et les travaux ménagers, dit-il. Tu ne vois rien, dit-elle. Elle entendait par là qu'il n'était pas dans la vie mais au-dessus : dans le ciel, au firmament des idées, là où trônent les maîtres qui commandent aux petites mains obéissantes, serviles, efficaces, apeurées. Elle se tourna sur le côté, pensant : je ne suis pas servile, ni obéissante, ni apeurée, et pourtant je suis efficace comme une petite main. Justement il vit sa main se poser sur l'épaule et sut qu'elle dormirait dans quelques instants. C'était ainsi qu'elle dormait toute la nuit, sans un mouvement, sans un soupir, semblable à une morte, en position de fœtus, sa propre main veillant sur son sommeil. Autrefois il la trouvait adorable. Ce soir-là il n'éprouva que de la rage à la voir fuir dans le sommeil et laisser sans conclusion une conversation cruciale. Il voulait aller au bout, crever l'abcès de son désir frustré. Et le matin, demanda-t-il à sa femme, tu es fatiguée aussi ? Elle ne répondit pas. La nuit laverait la rancune, elle se l'imaginait ainsi, toujours purifiante la nuit, comme un drap blanc d'oubli.

La première fois qu'ils avaient fait l'amour, c'était lui déjà qui avait insisté. Elsa était encore calfeutrée dans la timidité, s'ouvrant au flou délice de la rencontre, en éprouvant le frisson, dans le plaisir intense qui naît d'un rien, juste du regard de l'autre sur soi, de sa convoitise encore inassouvie, de son sourire devant le mystère entier de l'autre. Une distance physique lui était une douceur encore nécessaire. Elle n'aimait pas penser qu'un homme pût l'entendre respirer, voir de près le grain de sa peau, sentir son odeur personnelle. Elle n'eût pas accepté d'être observée de près. Les remparts de la pudeur étaient vivaces. Alexandre Platte au contraire voulait balayer ces barricades et entrer dans le vif du sujet. Elsa Dautun avait donné le premier baiser mais ça n'était pas suffisant. Il entendait bien sans languir devenir son amant. Tandis qu'elle s'attardait à le découvrir, parsemée des baisers qu'elle avait mérités, il piaffait. Quand passons-nous à la vitesse supérieure ? demanda-t-il un jour, accoudé au parapet d'un pont, sous le ciel d'encre d'une nuit dégagée, le haut du bras collé contre celui d'Elsa. Oh tout de même elle avait sursauté, une surprise intérieure qu'elle n'avait pas montrée. Quelle étrange façon de dire les choses ! Mais cette brutalité sans romantisme, presque une grossièreté qu'il avait eue, elle l'avait effacée. Elle la lui avait pardonnée si vite que l'on ne pouvait pas appeler cela un pardon. Non, elle avait juste fermé les yeux. Tomber amoureux semblait n'être rien d'autre que fermer les yeux. Ou bien poser sur le bout de son nez, devant la clairvoyance de son regard, des lunettes roses qui ne laisseraient voir que ce qui était merveilleux.

Il avait exigé de coucher avec elle sans attendre le moment où elle-même l'aurait demandé. Il s'était calé sur son désir à lui. A ce souvenir, elle pensa que le sexe avait toujours été crucial dans la vie d'Alexandre Platte. Et elle était capable aussi de penser : quoi de plus normal ? Le sexe est crucial dans la vie. Mais quitte-t-on une épouse pour un motif sexuel ? Pour une attirance qu'on éprouve au-dehors ? Pour un mécontement chronique dans son couple ? Elsa Platte pensa au film qu'elle regardait. Alexandre n'avait pas tort de noter à quel point le sexe était absent de cette comédie. Etait-ce pourquoi c'était si joli ? Les époux avaient des relations de petites filles et petits garçons ? Non, Lora Mae était véritablement convoitée comme un trophée sexuel et d'ailleurs cette manière de la courtiser était presque indécente dans l'ensemble du film. Mais c'était tout de même Addie Ross qui concentrait sur sa personne invisible le fantasme et le désir qui portent l'amour. Elle était l'objet sexuel fantasmé. Et les autres ne l'ignoraient pas. Mais elles avaient assez confiance pour la fréquenter. Avaient-elles confiance dans leurs maris parce qu'elles étaient des épouses fidèles ? Suspecte-t-on à la mesure de ce qu'on trahit ? Elles étaient loyales et jamais n'auraient quitté leur couple.

Demain soir et les soirs suivants, dit Alexandre à sa femme, prépare-toi à dormir seule. Je ne rentrerai pas. Je ne rentrerai pas dans une maison où ma femme est installée devant la télévision, voit le même film depuis trois mois, ne se lève pas pour me préparer à dîner, et se couche sans me regarder ! Il avait jeté dehors ces paroles d'un trait, emporté par sa fureur mais sans crier. Il ne sut pas si sa femme avait entendu. Elle avait les yeux fermés. C'était assez drôle si l'on y songeait. Elle avait l'air de dormir, elle n'avait eu aucune réaction pendant qu'il proférait sa sentence (car ce n'était pas une menace). Mais peut-être avait-elle entendu, et la meilleure stratégie était de toute évidence de n'en rien montrer, de sorte qu'il ne fût pas prisonnier de sa parole, de sorte que l'on pût faire, demain matin, comme si rien n'avait été dit.

18 – Triple trahison

Amarré au bord du fleuve, le bateau retentissait des cris des enfants montés à bord, comme une nuée bruissante de ses jeux et de ses courses. Une voiture décapotable blanche stationna sur le parking devant le débarcadère. En sortit une grande femme élégante, la taille serrée dans un long manteau blanc. Madame Lora Mae Hollingsway avait une chevelure noire, coiffée derrière en catogan, et pliée (plutôt que tirée) autour du visage, par un gros peigne fiché à l'arrière de la tête. Noire et blanche, un port altier, une sorte de fierté exaltée, elle était à la fois distinguée et voyante. C'était une femme qui, de toute évidence, jouissait de sa vie, de sa beauté, de sa position. Elle fut aussitôt accueillie par l'institutrice responsable des orphelins. La vamp mariée à l'homme le plus riche de la ville venait offrir son temps à la vieille fille en tailleur gris. Le contraste flagrant amplifiait les caractéristiques de chacune. Les autres sont-elles arrivées ? demanda Madame Hollingsway. Non, madame, vous êtes la première, dit l'institutrice. Les yeux sombres de Lora Mae se portèrent au loin. Presque aussitôt déboula la voiture de Deborah, d'où sortirent vivement la conductrice et son amie, s'excusant d'être les dernières : Rita avait dû s'arrêter à la gare.

A la gare, vous n'avez vu personne ? demanda Lora Mae avec un air malicieux. Elles n'avaient croisé que Brad Bishop qui, au dire de son épouse, courait comme un dératé, et maintenant elles s'étonnaient de l'absence de la quatrième accompagnatrice prévue : Addie Ross. Tu ne devais pas venir avec Addie ? Il n'est rien arrivé ? demanda Rita à Lora Mae. Les trois femmes, en un groupe serré, formaient un agglutinement d'élégances et de sourires, et trois styles de charme : timide (Deborah), ravageur (Lora Mae), expansif et chaleureux (Rita). Addie Ross a quitté la ville ce matin, dit Lora Mae avec un sourire triomphant, comme si elle avait l'honneur de faire une annonce. C'était l'heure des révélations. Quitté la ville ? répéta Deborah sans comprendre. Maintenant qu'elle avait parlé, Lora Mae marchait vers le bateau, tournant le dos à ses amies, dans une rêverie balançante, comme si ses paroles avaient rameuté en elle toute une perplexité. Les deux autres la suivaient dans une agitation qui pose des questions. Comment ça quitté la ville ? dit Rita. Elle aurait pu prévenir ! Une ride verticale était apparue entre ses sourcils. Elle est partie définitivement, dit Lora Mae. Précipitamment ? demanda Deborah, décidément lente à se mettre au parfum et à questionner de façon pertinente. Ça veut dire quoi définitivement ? dit Rita. Comment peux-tu le savoir ? Elle a vendu sa voiture hier et trouvé un locataire pour son appartement la semaine dernière, dit Lora Mae sur le ton méthodique de la démonstration. Ayant énuméré les preuves, elle énonça la conclusion : Ça n'était pas précipité. C'est elle tout craché ! Pourquoi n'a-t-elle rien dit ? C'est idiot de faire des secrets ! s'exclama Deborah, dépitée. Elle ne se départait pas de ce côté petite fille, au bord d'être vexée et de faire un caprice en tapant des pieds par terre. Rita haussa les épaules, fit dans l'air avec son bras quelques moulinets amusés. Qui peut deviner ce qu'Addie fait ou ne fait pas, fera ou ne fera pas ? Addie est imprévisible ! dit-elle. Si elle était fâchée du tour que leur jouait cette singulière copine, Rita Phipps ne perdait pas sa fantaisie, ni cet optimisme communicatif qui lui donnait une luminosité particulière. Elle se moquait de ce qu'était ou faisait Addie, il y avait longtemps qu'elle en avait pris son parti, Addie était comme elle était, personne ne la changerait. Rita s'était engagée derrière ses amies sur la passerelle du bateau et secouait ses cheveux dans le vent en même temps que de cette posture d'esprit elle résumait l'essentiel : Addie Ross avait toujours été un cas à part. La caméra attendait sur le pont et proposait ainsi, au premier plan, la belle image des femmes en file indienne. Derrière on apercevait les cars sur le parking, et un kiosque devant la frondaison des arbres, à l'arrière-plan.

Addie Ross avait quitté la ville sans prévenir. Et elle savait depuis longtemps qu'elle le ferait. Et elle n'en avait rien dit à ses amies. Elle était partie comme une voleuse. Qu'avait-elle donc volé ? Et il n'était pas prévu pour sitôt qu'elle revînt. Les trois femmes retournaient dans leurs têtes ces nouvelles fraîches et surprenantes.

C'est alors que la lettre arriva. – Chaque événement du sort advient en un seconde. La vie se retourne comme un gant. La mort peut être instantanée, l'amour immédiat, la fin de l'amour perçue en un éclair. Un cri marque la fin du bonheur autant que le début de la vie. – La lettre arriva ainsi (à l'instant d'embarquer) à la vitesse d'un petit homme sec et léger qui appuyait avec énergie sur les pédales de son vélo. A peine les femmes et le spectateur venaient-ils d'apprendre le départ d'Addie Ross qu'ils allaient découvrir ce qu'elle avait volé.

Le facteur à vélo hélait les trois amies déjà engagées sur la passerelle du bateau (elles seraient bientôt sur la même galère). Elles descendirent à sa rencontre. Rita prit la lettre, Deborah signa le reçu.

Le pli était adressé à Mesdames Bishop, Hollingsway et Phipps. La calligraphie était lisible, d'une écriture penchée, à l'encre noire sur un papier légèrement rosé. De toute évidence, la lettre d'une femme qui possédait un sens du raffinement. Je parie que c'est Addie…, dit Rita. Je reconnais son tact, dit-elle, regardez les noms, elle a respecté l'ordre alphabétique ! Dans l'air il y avait : du mystère, de la gaieté, un amusement (c'était Rita), de la curiosité (c'était

Lora Mae), de l'appréhension, une superstition (c'était Deborah). Ouvre-la ! dit Lora Mae. Non ! attendons, supplia Deborah. Elle était peureuse comme celui qui demeure à la maison et a le sens du danger. Des trois amies, elle était pourtant celle qui connaissait le moins bien Addie Ross (et elle ignorait le baiser de son mari à cette femme). Attendons, demandait-elle. Pourquoi ? s'étonna Rita. Rita Phipps était donc très loin d'imaginer ce que contenait le message. Attendons d'être revenues, dit Deborah, devinant Addie. Pourquoi la laisser gâcher cette journée ? Dans un geste de supplique insistante, ses deux mains serraient l'avant-bras de Rita. Lora Mae regardait, le visage grave, la bouche pincée, tenant des deux mains ses gants de cuir blanc. De taille, elle domi-nait d'une demi-tête ses deux amies. Mais elle ne gâchera pas ma journée ! protesta Rita. Avec assu-rance et révolte, elle secoua la tête : Addie Ross n'arrivera pas à me gâcher cette journée, dit-elle réso-lument. Est-ce bien compris ? demanda-t-elle en décachetant l'enveloppe, d'autorité. Une complicité passait dans les sourires qu'elles s'échangèrent, avant de poser ensemble leurs regards sur la missive et de lire. De lire la lettre de la vraie garce qu'elles avaient pour amie, qu'elles acceptaient dans leur cercle comme un œuf de serpent… et qui donnait maintenant une si terrible idée des amitiés féminines.

La caméra fit un gros plan sur la petite page à l'en-tête élégant, AR, d'un caractère stylisé, et le R légèrement décalé en dessous du A. Les initiales d'Addie Ross. Le spectateur lisait en même temps que les trois héroïnes. La voix off, celle d'Addie Ross, lisait à haute voix le texte de sa propre lettre :

Chères Debbye, Lora Mae et Rita,
Comme vous le savez maintenant, vous allez devoir continuer sans moi. Il ne m'est pas facile de quitter une ville comme la nôtre et de me séparer de vous trois, mes chères amies qui ont tant compté pour moi.

A ce moment, les trois amies levèrent la tête comme on sort sa bouche de l'eau pour prendre sa respiration avant une plongée profonde. Après la première phrase, elles interrompaient déjà leur lecture. C'est dire combien elles étaient alertées. Le réalisateur offrit un plan de leurs trois visages dans une expectative intriguée, suspendus dans l'attente, et doutant de plus en plus de cette déclaration d'amitié, qui ressemblait peut-être à l'hypocrite préalable d'une grande trahison. Depuis que la caméra s'était déplacée, le spectateur ne lisait plus la lettre, il lisait les visages de celles qui lisaient. Ceux de Deborah et Lora Mae étaient parfaitement lisses, impassibles et graves. Celui de Rita exprimait davantage l'inquiétude, une sorte d'effroi devant l'infamie qui se profilait ; elle paraissait à la fois plus âgée et plus affectée (ravagée) par ce qu'elle découvrait. Elle se tenait au centre, droite, face à la caméra, tandis que ses deux amies étaient en partie tournées vers elle et penchées sur la lettre. On pouvait voir surtout les

120

fronts et les paupières baissées au-dessus des yeux qui regardaient vers le bas et décryptaient la calligraphie soignée :

Aussi ai-je beaucoup de chance d'emporter avec moi une sorte de mémento, un souvenir de ma ville et de mes chères amies que je voudrais ne jamais oublier.

C'était le moment de tourner la page. Rita, qui tenait la lettre, fit une petite moue et d'un geste vif malgré ses gants retourna la lettre.

Et je ne les oublierai pas, voyez-vous les filles, puisque je m'en vais avec le mari de l'une d'entre vous. Addie.

Ah la vache ! s'exclame Max. Quelle salope ! Sous le choc de la surprise, il rit, extasié. Elsa est ravie de ce coup de théâtre qu'elle offre à ses enfants. Ensemble la mère et le fils se laissent aller au divertissement du mauvais tour qu'a joué Addie Ross. Noémie voudrait du silence. Son frère poursuit ses commentaires. C'est dégueulasse ! dit-il. Elsa appuie sur la touche Pause de la télécommande. L'image est arrêtée sur la stupéfaction des trois visages.

Deborah, le regard plein de songe, semblait penser : mon Dieu ! Ou encore : Brad ferait-il une chose pareille ? Rita, la bouche ouverte, semblait se dire : ça alors ! Elle n'en revenait pas. Mais de quoi ? De

la lettre elle-même ou bien de ce qu'elle annonçait ?
Et Lora Mae, repliée sur elle-même, le menton dans
son foulard, une moue de dégoût aux lèvres, aurait
pu dire : c'est infect.

En plus de piquer le mari, elle envoie une lettre
qui ne révèle pas tout ! dit Max. C'est ça le plus
moche, affirme le garçon à sa mère. Elsa pense :
faire mariner trois femmes dans l'angoisse serait
plus infâme que séduire un de leurs maris ? C'était
surtout plus pervers. Son fils faisait une confusion
entre immoral et pervers. Elsa dit : Partir avec le
mari d'une amie est immoral et sans scrupules. Le
lui écrire en faisant un mystère est pervers. Tu
comprends ? Taisez-vous, s'il vous plaît ! implore
Noémie. Et ce disant elle appuie sur la touche Lecture. Les trois visages redeviennent mobiles.

La dague d'une traîtresse venait de frapper, mais
on ne savait pas encore qui elle avait blessé. Délais-
sant le texte qu'elles venaient de lire, trois paires
d'yeux se levèrent, non pas au ciel, mais au plus
vague devant soi, dans le vide de l'air. Côte à côte,
et chacune seule pourtant dans son amour, les trois
femmes affrontaient l'aveu fanfaron, la félonie suprême de la femme amie et séductrice. Perplexité,
appréhension, étonnement, doute, consternation,
démenti : un mélange qui les ensorcelait. Est-ce
qu'elles y croyaient à cette fable ? Est-ce qu'elles
avaient compris ? Rita fit bouger tout son cuir che-
velu vers l'arrière comme si elle avait une perruque.

Si c'est une plaisanterie, elle n'est pas drôle du tout, dit-elle aussitôt. Lora Mae imaginait déjà de téléphoner. La caméra s'était portée sur une baraque en bois où était installée une cabine publique. Chéri, m'as-tu quittée ? Chéri, est-ce toi qui t'enfuis avec Addie ? Quelle femme s'imaginerait souffler cela dans le combiné ? La question de toute façon ne se poserait pas : l'institutrice paniquée rapportait aux trois élégantes l'exaspération du capitaine qui les attendait, il fallait embarquer tout de suite. Les trois amies se regardèrent et se sourirent, une bravade en forme de rigolade (ah ! la bonne blague, ça ne prend pas !).

Elles pouvaient sourire, personne n'était mort et elles étaient ensemble, vaillantes et ravissantes, pour un jour de promenade. Les trois silhouettes virevoltèrent, un demi-tour sur elles-mêmes, chaloupant sur leurs talons hauts, elles montaient la passerelle. Les hanches larges de Deborah balançaient. La cheminée du bateau fumait. La sirène retentit. Le troupeau des enfants s'agitait sur les deux ponts. Accoudées au bastingage, les trois épouses pensives regardaient s'éloigner la rive, le débarcadère et la cabine téléphonique. On ne pouvait que remarquer la jeunesse lisse de leurs visages, et combien elles étaient jolies, apprêtées, déjà soucieuses peut-être, mais très loin encore d'une réelle souffrance. Les hostilités déclarées d'une salope ne font pas fondre en un seul jour la confiance que l'on a dans une alliance. Mais jusqu'à quel point peut-on être sûr de quelqu'un ? De son amour ? De sa présence éternelle ? Comment savoir ce qu'à coup sûr il ne ferait jamais ? Existait-il un noyau dur d'identité inaltérable ? Le doute est toujours de mise. Le doute, par l'intermédiaire d'Addie Ross, était devenu un monstre éveillé.

Cette image est extraordinaire, dit la mère à ses enfants en appuyant sur la touche Pause de la télécommande. Maman ! hurla Noémie, on regarde un film ! Elsa était fascinée par cette image des trois visages lisses et retirés dans la pensée intérieure qui se mettait en branle : mon mari est peut-être parti avec Addie Ross. Elle pensa : et le mien, va-t-il rentrer dormir ce soir chez lui ? Je ne le ferai plus, souffla-t-elle à sa fille. C'est bien, maman ! La jeune fille félicitait sa mère avec une ironie gentille. Elle détestait que l'on parlât pendant un film. Chaque parole rompait la magie d'un monde parallèle qui supplante le monde réel. Il ne fallait pas crever la bulle de la fiction. De nouveau Elsa ouvrit la porte aux trois femmes sur le bateau. Entrez, entrez ! Venez nourrir ma pensée, la captiver, la distraire et l'égayer.

19 – Sur la même galère

Le fleuve était large, alangui et dormant, une eau qui s'épandait sans rive mais pourtant sinuait dans le lit invisible d'un paysage plat. L'impression de vastitude, d'un infini qui a fracassé les limites, avait quelque chose de grandiose et d'apaisant. La journée s'engageait dans l'essaim des enfants, il ne s'agissait pas de minauder mais de se rendre utile. Lora Mae s'acquittait de sa tâche avec vivacité. Elle avait enlevé son manteau et était habillée comme une danseuse gitane : ceinture large et jupe virevoltante. D'ailleurs elle virevoltait sur le pont du bateau. Un plateau vide porté au-dessus de la tête (à la manière des serveurs dans les brasseries), elle revenait faire le plein vers la table derrière laquelle Rita, le tablier serré autour de la taille, préparait pains et bouteilles de lait. Rita semblait rêver en occupant ses mains. Addie s'est moquée de l'une de nous, dit Lora Mae. Cette manière de dire effaçait le tracas de l'incertitude qui les tenait toutes trois et se focalisait sur la malheureuse dont le mari avait réellement fugué. Pauvre femme ! Mais nul ne savait encore laquelle des trois était cette pauvre, ainsi les trois l'étaient, ensemble dans le même tourment. A l'heure où parlait Lora Mae, Addie Ross ne se moquait-elle pas de ses trois amies capturées dans le même filet d'angoisse et de doute ? Laisse-moi rire, dit Rita. Voulait-elle croire à une blague ? Eh bien ris, dit Lora Mae, qui quant à elle ne riait pas, grave et belle comme une madone. Elle ne prenait pas les choses à la rigolade. Elle savait qu'Addie avait le pouvoir d'entraîner un homme. Elle n'ignorait pas – pour en avoir usé – l'emprise d'une femme qui a décidé de conquérir un homme. Pourtant ce n'était pas à son mari qu'elle pensait car elle dit : Si c'est une blague, explique-moi pourquoi Brad est allé à New York ? D'ordinaire le samedi il joue au golf, dit-elle à Rita. Et elle retourna servir les enfants, laissant son amie réfléchir à cette question. Les enfants, servez-vous et mangez vite pendant que c'est chaud.

La vie ne s'interrompait pas. Les enfants se jetaient sur les petits déjeuners, les enfants et le monde ignoraient qu'un mari venait de quitter sa femme. Un mari ? Quel mari ? En fait, on ne le savait pas encore et trois femmes étaient entrées dans l'immense songerie de l'amour en danger, dans l'inquiétude, l'imagination et le fantasme. L'autre est-il parti ? L'autre m'aime-t-il ? Dis-moi que tu m'aimes. Encore. Est-ce que tu m'aimes ? Comment m'aimes-tu ? C'est fou tout ce que, dans l'amour, on attend de l'autre ! Et elles se sentaient maintenant si misérables ! Avaient-elles donné assez ? Avaient-elles mérité l'amour de leurs maris ? Deborah devait ressasser qu'elle était partie en claquant la porte. Et Rita devait songer qu'elle et son mari ne se parlaient plus depuis la veille au soir, et qu'elle avait été capable d'oublier l'anniversaire de George à force de penser à son propre travail. Et que Addie, elle, non seulement n'avait pas oublié l'anniversaire de George Phipps mais avait su lui choisir un cadeau qui l'avait réjoui et ému ! N'aurait-il pas fallu se méfier d'Addie Ross bien davantage qu'elles ne l'avaient fait toutes les trois ? Deborah pourtant, dans son inquiétude d'enfant-femme, n'avait-elle pas montré sa clairvoyance en posant les questions les plus malignes : *Y a-t-il un Monsieur Ross ?*

Deborah Bishop avait demandé cela à la première soirée qu'elle avait passée dans cette ville, à peine arrivée et présentée aux amis de Brad. Et c'était à ce moment que Lora Mae et Porter s'étaient disputés : elle disait que Monsieur Ross s'était enfui tandis qu'il soutenait qu'Addie l'avait mis à la porte…. Et ce matin encore Deborah avait demandé à son mari : *Addie, n'y a-t-il pas eu quelque chose entre vous ?* Mais Brad n'avait pas répondu, il avait détourné la question : que venait faire Addie dans cette conversation ?

Ces minuscules événements et ces paroles papillonnantes prenaient une tournure extravagante maintenant qu'Addie Ross avait envoyé cette lettre. Tout cela signifiait que l'on ne peut jamais être sûr de quelqu'un. Que voulait dire d'ailleurs *être sûr de quelqu'un* ? Etre sûr de tout connaître de lui, son désir et sa fidélité par exemple ? Son passé et son avenir ? Sa présence infaillible ? Son amour inaltérable ? La solidité de sa parole donnée ?

Deborah était assise sur un banc au milieu de quelques enfants, souriante à l'excès, et plus paresseuse que ses amies (les jambes croisées comme si elle s'était trouvée installée à une garden-party). Elle n'aidait à rien. Elle ne se distrayait pas dans l'activité fébrile de servir. Lora Mae, qui avait déposé son plateau par terre, se releva et les bras croisés sur la poitrine, décréta : Ce sera une vraie journée de détente, nous ne penserons qu'au pique-nique et aux jeux, et puis à rentrer à la maison. L'ironie en elle le disputait au tourment, et l'on comprenait immédiatement qu'elle disait l'exact contraire de ce qu'elle pensait. Non, ça ne serait pas reposant. Et elles penseraient à tout sauf au pique-nique. Et ce serait épouvantable. Et la maison au retour pourrait bien être déserte et glacée. Mais Deborah n'entra pas dans cette discussion. Assise à côté d'une petite fille, elle dit : Kathleen va nous lire un conte de fées, et elle força son sourire, comme elle savait si bien le faire (je souris mais si vous saviez comme je suis mal). Un conte de fées ? dit Lora Mae. Ce sont mes favoris. J'ai grandi en croyant aux contes. Et j'ai fini par écrire le mien ! conclut-elle d'un air malicieux. Lora Mae Hollingsway avait pour dire ces mots un visage pur, éclairé par un sourire à la fois beau et terrible : sa sagacité soufflait des sous-entendus, des souffrances, une ironie née d'un mélange de réussite et de désabusement. Ainsi sont souvent les manipulateurs qui parviennent à leurs fins : déçus par les autres. Deborah serait-elle capable de faire face ? Non, elle ne l'était certes pas, elle ne voulait même pas penser à ce que disait son amie, et encore moins y répondre. Deborah Bishop dévisagea Lora Mae sans parler. Je commence ? demanda la petite fille, intimidée comme si elle avait deviné l'espace ouvert par les sous-entendus. Si tu es prête, Kathleen, bien sûr, dit Deborah. Il était une fois… lut la fillette. Il était une fois… répéta rêveusement Deborah. Languide, elle se laissa tomber contre son dossier, son regard s'absenta. Il était une fois une petite fille qui était très pauvre et très belle… lisait la fillette. Deborah n'écoutait déjà plus, prise dans son tourment. Les mots du conte s'estompaient dans sa rêverie. Toute la réalité de l'instant s'enfuyait devant la puissance d'un souvenir.

Elle glissa malgré elle dans le filet du rêve et de la remémoration, et dans l'obsession de ce qui est déjà advenu, ne peut pas ne pas avoir été, est passé mais marque le présent et revient avec le doute : te rappelles-tu ta première nuit ici ? Brad et toi fraîchement démobilisés de la marine. C'était aussi un samedi 1er mai. Les yeux de Deborah s'ouvraient grands à ce souvenir. Est-ce Brad qui a suivi la séduisante amie ? Est-ce Brad ? s'interrogeait l'esprit de Deborah Bishop. Sa poitrine était soulevée par un soupir. Son teint, contre le foulard noir à pois blancs, paraissait clair. La courbe dessinée de ses sourcils donnait à son expression un air étonné. Sa bouche était maquillée avec soin, les lèvres légèrement gonflées étaient closes et immobiles. Elégante et belle sans que cela, dans cet instant, apportât le moindre bonheur. Elle était en plein songe, embarquée dans un voyage mental, absente du présent qui suscitait son tourment.

Est-ce Brad qui est parti ce matin avec Addie Ross ? Est-ce lui, mon mari, qui a choisi de me délaisser pour la suivre ? Cela devenait une idée fixe. A-t-il été capable de partir ? de trahir ? de rompre ? Est-ce lui qui a abandonné sa femme et sa maison ? Est-ce cet homme que j'aime qui s'échappe avec une autre femme ? A-t-il prêté sa main à une fascinante créature qui le guettait ? Et moi, Deborah, ai-je commis quelque faute ? Ai-je fait quelque chose qui justifierait qu'il me quittât ? Qui l'expliquerait ? Qui me permettrait de le comprendre ?

Oui. Avait-elle été une épouse qui méritait qu'on la quittât ? Voilà la question obsédante et difficile. L'affronter afin de lui trouver une réponse honnête, c'était envisager de se remettre en cause soi-même et d'accepter sa part de l'échec. C'était ne pas exclure d'emblée que celui qui part a peut-être des raisons. En amour non plus, personne ne faisait un parcours sans faute. L'amoureux éconduit trouvait toujours dans le passé qu'il revisitait la graine noire du désamour de l'autre, de la tromperie, de la défection ultime. Et celui qui faisait défection ajoutait à cela le procès qu'il intentait au partenaire abandonné. En même temps qu'il poignardait celui qui aimait encore, l'infidèle accusait. Comment, sinon, supporter de frapper ? Celui qui prenait ses jambes à son cou et décidait d'écrabouiller son passé et son amour d'autrefois faisait fondre sa culpabilité au chaud de sa rancœur. Je te quitte parce que tu es. Et non pas parce que je suis. Parce que je suis incapable d'être heureux. Parce que je suis de ceux qui partent, se lassent, oublient, aiment le changement, n'affrontent pas le long collier des journées. Accepte le verdict, entends le réquisitoire. Je te condamne, toi, ma femme que je délaisse. Non, je ne suis pas l'assassin mais l'avocat général. Tu comprends la différence : la coupable c'est toi. Tu m'as obligé par tes cent défauts, tes manquements et tes défaillances, à t'abandonner. Crois-moi. Mon amour pour toi est mort. C'est toi qui l'as tué. Tu pleures ? Eh bien pleure ! Je suis désolé. Pardon. Mais je n'y puis plus rien. Chacun de nous deux va désormais continuer sa route seul. Pourquoi je dis seul alors que je pars avec une autre ? Laisse-la tranquille, elle n'y est pour rien, ce n'est pas elle qui me fait partir, c'est toi. Beau discours de la défection.

Comment ne pas y croire ? Deborah pouvait fort bien se souvenir d'avoir commis une terrible faute. N'avait-elle pas causé à son mari, dès le premier temps de leur mariage, une honte irréparable ? Un homme comme Brad… Le jour où il présentait sa femme à ses amis, dans son propre club ! Elle avait été ivre morte, dans une robe démodée, qu'elle avait trouée de ses mains par un coup de ciseaux maladroit, avec des cheveux en broussaille comme la paysanne qu'elle était. Un homme n'a-t-il pas besoin d'être fier de son épouse ? N'a-t-il pas, en lui donnant son bras, le désir intime de l'exhiber, d'en faire son trophée ? Deborah Bishop : piètre trophée !

20 – La fin de l'amour

Lequel des trois maris a bien pu suivre Addie Ross ? demande Max. Le garçon se montre captivé pour faire plaisir à sa mère, dans la complicité qu'il entretient avec elle, et elle s'applique à maintenir le suspense. Tu devineras peut-être, lui dit-elle. Il y en a vraiment un qui part ? réfléchit Max. Tu verras, dit sa mère. Avais-tu trouvé la première fois que tu as vu le film ? demande-t-il. Non, je n'avais rien trouvé du tout, dit Elsa Platte, en prenant la mesure de ce qu'elle dit (n'importe qui a des raisons de partir, donc on ne devine pas). Je ne me suis même pas trompée, je n'avais pas la moindre idée, dit-elle à son fils. Chacune des trois femmes pourrait avoir un soupçon, dit le garçon sur le ton d'une question. Est-ce que chaque femme sait ? répète Elsa. Non, je ne crois pas. Tu as déjà été quittée, maman ? Raconte ! dit le jeune garçon, égayé par l'idée de découvrir un nouvel amoureux à sa mère. Je ne crois pas, dit Elsa. C'était une drôle de réponse, comme si on pouvait ne pas être sûr d'une chose pareille. En tout cas, dit-elle, pas par un garçon que j'aimais.

Mais si on est réellement amoureux, ce doit être difficile, dit Elsa Platte. Comme un deuil. Maintenant c'est pour elle-même que parle Elsa Platte : elle imagine, dérive vers une rêverie. La mort s'accepte sans se comprendre, mais la liberté de celui qui s'en va, ses causes et ses effets, suscite cent questions dont chaque réponse est blessante. Etre quitté, c'est un reniement, une répudiation. Je ne t'aime plus, tu imagines combien c'est douloureux d'entendre cette phrase ! dit Elsa. Est-ce que c'est vrai ? L'autre n'est-il pas en train de se tromper ? Il était si amoureux, comment sait-il qu'il ne l'est plus ? Comment peut-il en être certain ? Qu'aurait-on fait pour mériter ça ? Les questions doivent harceler le jour et la nuit. Et on doit pleurer sans cesse. Surtout toi ! se moque Max. Plus l'histoire a été longue, plus nombreux sont les événements ou les lieux qui engendrent la nostalgie, et la remémoration, et le désespoir. Tu préférerais être veuve ou être divorcée ? demande Max qui n'écoute plus. Il réfléchit et reformule sa question : Tu préférerais que papa meure ou qu'il te quitte ? Je préférerais que papa m'aime ! dit Elsa. Ahhhhhhh ! proteste le garçon, tu triches.

Quel était le mot juste pour dire ce que fait à l'autre celui des époux qui part ? Abandon. Désamour. Nommer permettrait de comprendre et de s'approprier, d'enfermer, de circonscrire et contenir, de posséder ou dominer. Le pullulement de la pensée douloureuse a besoin de ce mot. Trahison ? C'était banal. Désamour ? Le mot n'existait dans aucun dictionnaire. Mais tout le monde le comprenait. Rupture ? Abandon ? Désertion ? Oui. Désertion semblait signifier quelque chose de concret. Peut-être parce que la maison était désertée, pense Elsa Platte. Ce soir la maison lui paraît bel et bien désertée. Et Alexandre lui manque. Mais le mot exact était défection. Défection : n.f. Action d'abandonner une cause, un parti. Fait d'être absent d'un lieu où l'on était attendu. Aucun mot ne disait mieux le préjudice, et la pliure de la vie en deux temps : avant et après la vie avec X. Tout s'y trouvait dit : l'abandon et l'absence.

Peut-être le monde se partageait-il en deux : ceux qui restent et ceux qui voyagent, ceux qui partent et ceux qui attendent, ceux qui sont plantés et ceux qui s'envolent, les sédentaires et les nomades, les fidèles et les polygames, les bâtisseurs et les consommateurs, les ermites et les mondains… Et pour finir, les vivants et les morts. Elsa ne pouvait imaginer quelle force pousse un être à faire défection à sa vie et aux témoins de sa traversée. Suivre Addie Ross était comme se déraciner. Lequel des trois époux, Brad, George ou Porter, était-il capable de cela ? C'était le sujet du film : faire réfléchir le spectateur à cette question, et lui montrer que les choses n'étaient pas si simples, qu'il ne parviendrait pas à discerner lequel des maris avait les forces et les raisons pour s'enfuir avec une autre. Elsa pensait que partir était mourir à soi-même. Un être, oui, pouvait s'effondrer, s'effriter comme une statuette de terre, et – pour survivre – se recomposer. Et s'envoler. Pour se poser ailleurs, et devenir un autre, pense-t-elle.

Celui qui part ne doit pas être heureux de partir, fait remarquer Noémie qui attend la fin de cette conversation pour relancer le film. Alors pourquoi part-il ? réplique Elsa. Il n'a peut-être plus aucun moyen de rester. Il est malheureux de ne plus aimer. Il s'arrache à sa famille simplement pour se libérer d'un amour mort, lui répond sa fille, c'est un supplice qu'il s'inflige à lui-même. Quand on a une famille et qu'on n'aime plus sa femme ou son mari, se l'avouer n'est pas si facile ! dit-elle. Tu devrais être psychologue ! dit Max à sa sœur. Elsa pense : on regarde la cathédrale de sa vie sans vouloir la détruire. Le film n'envisageait pas cet aspect des choses. Il montrait ce que peuvent nous faire les autres quand ils cessent de nous aimer et que nous avons à le comprendre, mais pas ce qu'éprouve celui qui cesse d'aimer. Le point de vue des maris, le cheminement intérieur de celui qui partait, était laissé pour un autre film. Mankiewicz ne nous entraînait que dans la rêverie des femmes : à quoi pense une épouse qui craint d'avoir été délaissée ? La première à se perdre dans ses pensées était Deborah Bishop. Elle avait déjà remonté le temps. Elle se remémorait le soir où Brad l'avait présentée à ses amis. Elle n'avait pas été à la hauteur. Elle avait offert une piètre image d'elle-même. Est-ce que c'était une raison pour être quittée ?

21 – Elle met ses chaussures dorées

Assise devant le miroir de sa coiffeuse, Deborah se brossait rageusement les cheveux : elle n'avait pas la coiffure qu'elle voulait. Il est amusant que chez beaucoup de femmes, les cheveux condensent la souffrance d'être soi (une forme, une couleur, un caractère) et l'envie d'être quelqu'un d'autre. Au bord des larmes, dans une colère d'enfant, Deborah tirait comme une forcenée sur ses splendides boucles pour tenter d'obtenir une coiffure lisse. Mes cheveux ! dit-elle, quel désastre. De toute évidence, Brad Bishop, qui finissait de s'habiller dans la vaste chambre conjugale, ne comprenait pas ce désarroi qui pouvait passer pour un caprice injustifié, puisque sa jeune épouse était ravissante, non seulement à ses yeux à lui, mais selon les canons de leur monde. Il avait cet air dans la lune que le spectateur lui verrait souvent, distrait en même temps qu'étonné par la réalité qui s'imposait avec force. Deborah se lamentait, il l'entendait. Que pouvait faire un mari pour la coiffure de sa femme ? N'était-il pas absurde de gémir pour trois boucles de travers ? Deborah s'enfonçait dans la désolation. Il voulait bien tout de même s'intéresser à ses problèmes, prendre sa part, témoigner sa sollicitude au lieu de lui marteler tu es ravissante ma chérie, quand elle ne parvenait pas à le croire. Qu'est-ce qu'ils ont ces cheveux ? demanda-t-il. Trop crêpés peut-être ? Je ne sais pas ce qu'elle y a mis ! cria Deborah. On dirait du plâtre ! Prends ça, dit Brad, ça arrange toutes les coiffures. Il lui tendait un verre de Martini. Elle le but d'un trait, promptement, avant de s'asseoir à nouveau devant la coiffeuse et de retourner à sa complainte féminine. Brad Bishop était encore à ce moment de la rencontre où l'autre, qui vous a ravi, effare la connaissance que vous pensiez avoir de lui, déchire l'image que vous fabriquiez et fait entrer dans la représentation quelques nouveautés. Il était étonné de voir Deborah vider son verre. Etonné aussi de l'entendre pleurnicher pour une coiffure (elle qu'il avait connue dans l'armée en train de faire la guerre !). Il aurait pu être déçu par cette frivolité. Mais l'amour faisait de lui un spectateur indulgent. Il souriait aux petits malheurs de sa jeune épouse. Tant de patience s'effriterait peut-être un jour, mais pour ce début de vie conjugale il en témoignait sans réserve, prévenant, tendre, rassurant devant des enfantillages qui le touchaient. Après tout, Deborah ne faisait-elle pas par là preuve de bonne volonté, si désireuse de faire honneur à son mari qu'elle s'en rendait malade ! C'était bien de cela qu'il s'agissait, car en effet elle s'exclama : Je ne suis pas assez bien pour toi ! Et voilà que l'essentiel était dit. Tant de doute et de désespoir ombrageaient le bonheur de la jeune femme. J'aurais tellement voulu te faire honneur ce soir, la première fois que nous sortons ensemble en civil. Toi, tu es parfait, dit-elle, encore plus beau qu'en uniforme. Brad Bishop vint s'agenouiller aux pieds de son épouse. Il lui tenait les mains, tentant de calmer son inquiétude. Tu as le trac ! résuma-t-il gentiment. Et il lui trouva aussitôt toutes sortes d'excuses : la journée avait été harassante, tout en une la démobilisation, un nouveau foyer, de nouveaux amis, une nouvelle ville… Il n'eut pas à en dire davantage, elle l'interrompit avec sa colère, comme une enfant. Agrippée à son problème, elle ne pouvait même pas, avec intelligence, regarder en face cet immense jour de sa vie. Moi qui voulais des cheveux lisses ! trépigna-t-elle. Pauvre petite fille qui voulait des cheveux comme ceci et pas comme cela, elle s'était levée et faisait mine de marcher de long en large, se plaignant de n'être qu'elle-même. J'ai l'air d'une paysanne endimanchée. Je ne suis pas présentable à tes amis, disait-elle dans son agitation dégingandée. Elle portait encore sa tenue d'intérieur, qui n'était pas tout à fait une robe de chambre, mais pas habillée non plus. Tu le seras davantage dans une jolie robe, lui dit son mari en souriant. Et il l'embrassa sur les lèvres. Elle avait plongé si vite dans ce baiser, comme s'il était le radeau de sa vie, elle en devenait plus femme et moins enfant. Le baiser la faisait grandir. Il se plaignit que, par sa fougue, elle eût défait son nœud papillon. Tu le referas, dit-elle en approchant de nouveau sa bouche. Brad Bishop était en smoking noir et chemise blanche, les cheveux bien coupés. Il attendait patiemment que son épouse s'habillât. On pensait, en le voyant si bien mis et si à l'aise, que l'élégance était pour lui une chose qui allait de soi, ce qu'on appelle une seconde nature. Il n'imaginait pas que la robe de son épouse pût être démodée ou même tarte, ou tout simplement qu'elle n'eût rien à se mettre, comme, affirme-t-on, disent les femmes quand elles cherchent un vêtement approprié à une occasion. Et c'était peut-être ce qui faisait souffrir Deborah : cette habitude du luxe aveuglante au point qu'il méconnaissait non seulement la difficulté pour elle de changer de condition sociale mais l'identité même de celle qu'il aimait.

Un coup de sonnerie retentit en bas à la porte d'entrée. Brad interrompit aussitôt son étreinte : Les voilà ! dit-il. A l'évidence il était heureux. Heureux de se sentir revenu chez lui, dans sa vie d'avant. Mais Deborah quant à elle était dans une nouvelle existence justement. Brad, dit-elle, ma robe ne va pas te plaire. Mais si, dit-il, ne t'inquiète pas pour ça. Et c'était dit sans attention, avec rapidité, en négligeant l'état d'esprit de celui qui vous parle, parce que l'on est soi-même bien installé dans sa peau et que la souffrance d'un autre ne traverse pas la membrane qui nous sépare de lui. Je n'ai que celle-là et elle est complètement démodée, murmura Deborah. Et ça, c'est démodé ? glissa-t-il en l'embrassant. Toutes les inquiétudes se conjuguaient, se répondaient, s'entremêlaient pour étouffer la petite paysanne intimidée. Parle-moi de tes amis, demanda-t-elle, j'ai besoin de savoir un peu qui ils sont. Il rassembla tout son bonheur et ses amitiés d'enfance dans quelques mots : Rita et George Phipps avaient grandi avec lui dans cette ville. George enseignait maintenant la littérature. Ils avaient des jumeaux. Rita écrivait pour la radio. Il fallait recevoir tout ce paquet de passé et de réussite sans jalousie et sans peur. Il fallait recevoir les femmes d'autrefois... Tu as été amoureux d'elle quand vous étiez jeunes ? demanda Deborah. Et son mari comprit, sans qu'elle en dît davantage, qu'elle parlait de Rita. Il la rassura avec l'humour de sa joie présente : non, Rita n'était pas du tout son genre. D'ailleurs Rita et George étaient amoureux depuis l'âge de cinq ans. Brad Bishop racontait à toute vitesse ce qui revêtait beaucoup moins d'importance pour lui que pour sa femme, et Deborah écoutait en silence.

Ils étaient debout l'un près de l'autre dans l'enca-drement de la porte de leur chambre, au premier étage, lui pressé de descendre accueillir ses amis, elle empressée à tuer sa peur, l'étrangeté des autres trop avides et trop présents, et avec qui il fallait par-tager celui qu'on aimait, celui qu'on ne voulait pas perdre et dont on ignorait encore la résistance et la fidélité, et fiévreuse de le connaître lui son mari, de le maîtriser peut-être, de croire qu'il était à elle. Tu as un genre ? s'étonna-t-elle. C'est quoi, ton genre ? Et son visage était grave, dans une quête, une inquié-tude, un mouvement de doute qui pourrait être per-pétuel en face de la liberté de l'autre. Ils n'étaient pas du tout sur la même longueur d'onde ce soir-là, lui joyeux et léger, elle angoissée et sans confiance. Les grosses brunes à moustache, dit-il en embrassant sa femme, sans le moins du monde percevoir son angoisse, aveugle dans son bonheur. Et d'ailleurs inconscient du poids que pouvaient prendre ses mots, il ajouta : Allez, essaie de redonner un pli à tes cheveux. Ce qui signifiait qu'en effet la coiffure ne convenait pas. Brad Bishop pouvait avoir un air idiot qui s'accordait mal avec les signes extérieurs de réussite dont il jouissait. C'est pourquoi on le prenait pour un héritier falot plutôt que pour un bâtisseur.

Le maître d'hôtel avait fait entrer Rita et George au salon. Ils attendaient, debout, plongés dans la con-templation d'un portrait photographique de Deborah en uniforme, qui était posé sur le piano. L'original descendra dans quelques minutes, dit Brad en ouvrant grands ses bras pour embrasser ses amis. Il fallait penser à ce moment qu'une guerre venait de prendre fin, qui les avait séparés et mis en danger. Ce soir était un grand soir. La vie reprenait le tour heureux qu'elle avait perdu, les cœurs renouaient avec le passé et l'avenir. Et des événements s'étaient produits : rencontre amoureuse, mariage, naissances.

A quoi sait-on qu'un couple est un couple ? Pourquoi certains couples font-ils plus couple que d'autres ? D'où vient que certains donnent une impression d'harmonie, d'inaltérabilité, d'évidence ? Rita et George Phipps étaient de ceux-là. Ils ne se contentaient pas de vivre ensemble, de se tenir l'un à côté de l'autre dans la vie, on aurait dit qu'ils valsaient. Leur amour inaugurait une conversation totale, sourires et mains se répondaient comme l'eussent fait deux virtuoses du lien amoureux. Rien ne démentait qu'ils étaient heureux et accordés : la drôlerie de George, la vivacité de Rita, une manière de se balancer épaule contre épaule, de se tourner autour, de se toucher par mégarde dans une chorégraphie dont émanaient joie et complicité. Un beau couple conjugal, jeune et vivant, sans simagrées, qui avançait dans ses projets, côte à côte. Rita paraissait plus âgée que son mari, plus mûre, femme et mère, mais ce n'était qu'une impression. Plus tard, lorsque George affirmerait ses convictions et l'esprit de ses choix, le spectateur serait bien certain du contraire.

J'ai appris que tu avais eu des jumeaux, dit Brad en embrassant Rita. Mais tu es toujours aussi svelte ! Elle protesta, sans flatterie, sans fausse modestie, mais plutôt sincère et chaleureuse, franche et joyeuse. Elle était élégamment habillée, en tenue de soirée, une robe longue noire près du corps et fermée sous le menton par une grosse broche en or. Quelque chose de sobre et chic. Pas autant qu'elle, dit-elle en désignant la photographie de Deborah. Ils étaient réunis autour de l'image de l'élue qui n'était pas encore apparue : Deborah. Ils étaient un peu confus, embarrassés sans vraiment l'être, émus sans doute : car c'est toujours un moment de tremblement intérieur que celui où l'on présente le choix de son cœur, où le plus intime est livré en pâture au monde du dehors. Voilà qui je chéris et désire, je vous présente l'objet de mon amour. On aurait dit que Rita et George se serreraient l'un contre l'autre pour vivre ce moment délicat. Leur alliance devenait un abri. D'ailleurs la manière dont George tenait Rita avait quelque chose de protecteur. C'était une manière typique, reconnaissable, la forme banale d'une gestuelle conjugale. Pourquoi est-elle typique en fait ? se demande Elsa sans pouvoir trouver la réponse. En quoi est-elle typique ? Et de quoi parle-t-elle en fait ? Elsa pense : ce geste qu'il a envers elle recèle peut-être de l'amour mais surtout il révèle l'attachement et la proximité concrète. Je suis là, je suis près de toi, non je ne t'abandonne pas, ne t'inquiète pas, je te protégerai, nous sommes ensemble, nous partageons ce moment, tu es là, je te touche. Et en effet c'était bien ensemble que Rita et George regardaient la photographie de Deborah.

On ne pouvait que s'extasier de la beauté de ce visage, et c'est ce que fit Rita. Brad ! dit Rita, elle est adorable ! Mon souvenir de la marine ! s'amusa Brad. Ça n'était pas drôle du tout, c'était même une réflexion idiote, mais ni Rita ni George ne parurent y prendre garde. Que nous as-tu raconté ? Elle ne ressemble pas du tout à une fermière ! s'étonna Rita sans méchanceté. Elle s'est arrangée pour la photo ! plaisanta George. Ne dis pas de bêtise ! dit Rita à son mari. D'après la lettre de Brad, j'avais imaginé… elle doit sortir d'une ferme de la Cinquième Avenue, dit Rita. Quel bonheur de vous voir vous disputer ! dit Brad. Ce soir nous avons conclu un armistice par respect pour vous, dit George en prenant Rita dans ses bras. Leur bel amour pétillait. Etait-ce l'évocation de leur longue vie conjugale, des jalons, de tout ce qui entre eux s'était noué, Brad dit : Nous voilà revenus à nouveau samedi 1er mai, tous réunis comme avant, vous, Porter et Lora Mae. Rita tiqua sur l'analogie. Pas tout à fait comme avant…, fit-elle remarquer. Elle avait un sourire mystérieux. Il y a un petit changement, dit-elle. Mais elle n'alla pas plus loin. C'est vrai…, dit Brad, les mêmes à une personne près. Et aussitôt il murmura : Dites-moi. Comment va Addie ? Elsa ne s'y était jamais trompée. Cette question était posée sur le ton anxieux, circonspect et fautif d'un amant qui a fait défection. Tout cet échange se passait très vite, d'une manière furtive, feutrée, comme si l'objet était brûlant, indécent, secret. Les mots furent effleurés, soufflés du bout des lèvres. Après qu'elle eut vu le film plusieurs fois, Elsa Platte jugea que ce moment était un chef-d'œuvre de clarté et de sous-entendus. Le passé devenait limpide : Brad et Addie formaient autrefois le troisième couple. Il l'avait quittée et prenait maintenant de ses nouvelles, comme font souvent les hommes qui un jour se sont envolés. Mais Rita n'eut pas le temps de répondre à Brad, car Deborah était là, dans l'encadrement de la porte, avec son sourire plaqué sur son malaise, et gauche dans sa robe tout à fait tarte.

Elle a l'air d'une vraie gourde ! pouffe Max en regardant sa mère. Il pense à autre chose et demande : Papa et toi, vous étiez du même milieu ? Le film a suscité cette catégorie nouvelle. Faites Pause ! réclame Noémie aux deux bavards. Elle se lève et propose : Quelqu'un veut que je lui rapporte quelque chose de la cuisine ? Non merci. Ils ne veulent rien, ils parlent. Elsa prend la peine de répondre à son fils. Je ne me suis jamais posé la question dans ces termes, papa et moi partagions les mêmes valeurs, un humanisme, l'amour et une vie créatrice. Ce qui donnait du sens à la vie était la même chose pour chacun de nous. Nous voulions tous deux des enfants aussi, dit-elle en souriant à son fils. Même si papa m'a un peu pressée, souffla-t-elle. Elle avait entamé une énumération méthodique. Nous avions tous deux beaucoup travaillé pour être là où nous étions, ajouta-t-elle. Cela était dit pour l'exemple. Ma famille était aisée, pleine de militaires et de héros, la sienne provinciale, plus discrète et militante à la fois. Mais franchement je n'y prêtais pas la moindre importance. Peut-être parce que tu étais celle qui était en haut, fait remarquer Max. Tu n'avais pas à avoir peur. Et puis, ajouta-t-il, plein de fierté pour sa mère, tu étais belle et tu étais célèbre. Regarde la pauvre Deborah, c'est plutôt papa qui aurait pu être angoissé comme elle ! Elsa pense qu'elle n'y a jamais songé, pas une fois elle ne s'est mise à la place d'Alexandre. Elle n'a éprouvé que sa timidité à elle, son envie violente qu'il fût loué par les siens, et accepté dans cette famille. Solitude et finitude, le gros lot de notre humanité.

22 – Le monde de l'autre

Debout, ravi, souriant entre son épouse et ses amis, mais choisissant par sa décontraction le ton de la camaraderie plutôt que celui de la conjugalité intime, Brad Bishop fit les présentations. Il était tout simplement joyeux (ce qui le rapprochait de ses amis qui l'étaient aussi, mais l'éloignait de sa femme qui ne l'était pas). Rita et George, Deborah, dit-il. Enfant, il avait mangé un ver de terre sous les yeux témoins de Rita et George. Il évoqua l'anecdote en jouant sur les homonymes ver et verre. C'était rappeler un passé dont Deborah était exclue, elle n'en fut que plus intimidée. Devant Rita et George, j'ai avalé mon premier ver, dit-il à sa femme. N'écoutez pas cette présentation dégoûtante, dit Rita, Deborah, je suis ravie de vous rencontrer. Et disant cela, elle s'avança vers la jeune mariée, les bras ouverts, s'apprêtant à entourer de sa chaleur généreuse la nouvelle venue, dans un geste d'accueil que venait contrecarrer l'étonnement suscité par l'allure godiche de Deborah. A l'aise dans le monde, évoluée et entreprenante, Rita Phipps était chaleureuse mais pas aveugle. Elle avait admiré le portrait en uniforme, elle ne s'était pas attendue à pareille tarte dans sa robe à volants, se tortillant de timidité en tripotant la fleur de tissu à sa ceinture. Elle voyait ces détails que les hommes ne voient pas, parce que le corps d'une femme compte plus pour eux que sa toilette, alors que tout sera pris en compte par une femme dans ce qui est comme une estimation de la compagne – et même si elle n'est pas une rivale. Son œil alerte et averti fit en une seconde le tour de cette toilette, comprit que Deborah n'appartenait pas au monde de Brad et passa par-dessus. Deborah n'était pas élégante, elle ne savait pas s'habiller, elle avait un air empoté dans sa robe démodée, bien sûr, ça ne l'empêchait pas d'être jolie, ni d'avoir un sacré tempérament en s'étant engagée dans l'armée, mais il lui faudrait apprendre les manières et les codes du monde dans lequel, par son mariage, elle venait d'entrer. Comment allez-vous, Deborah ? demanda George à son tour. Il était plein de naturel, de drôlerie, de gentillesse simple. Arrosons ça tout de suite…, dit Brad en s'empressant d'aller chercher son Martini. Il fallait égayer ce préambule délicat des présentations. A sa manière, George aussi s'y employait. Vous êtes magnifique sur cette photographie, disait-il à Deborah. L'uniforme est flatteur, dit Deborah. C'était spécialement vrai dans son cas et cela reçut un acquiescement singulier. Alors que le visage de Deborah était lisse, uni et harmonieux comme celui d'une statue, malgré sa beauté sans apprêt, on aurait dit que la déception de son style était telle que ces mots trop modestes qu'elle avait étaient tenus pour vrais : oui, la photo était flatteuse, parce que, sur la photo, Deborah n'avait pas l'air gourde comme maintenant. Alors George dit : Moi, sur les photos, j'ai l'air d'avoir une barbe ! Même quand j'étais petit, j'étais barbu ! C'était un parallèle malvenu. Ils étaient maladroits, dans l'étonnement de la rencontre, dans le choc de la découverte. George n'était pas barbu, les photos étaient trompeuses, sur la sienne Deborah était très élégante et raffinée, mais dans la vie ah non elle ne l'était pas, dans la vie elle ressemblait à une paysanne endimanchée. On aurait dit que Deborah recevait sa première leçon : ça n'était pas encore ça, madame Bishop, il allait falloir apprendre la distinction ! Voilà ce que toute cette conversation semblait dire. Peux-tu venir m'aider ? demanda Brad à George. Ils portèrent quatre verres de Martini.

Ils étaient déroutés. Ils ont l'air tellement gênés, pourquoi ! s'amuse Max. C'est une autre époque, essaie d'expliquer la mère au fils. Chut ! dit Noémie, on ne va pas faire pause toutes les cinq minutes. Elsa pense : les codes rendent la rencontre difficile ; paniqués par l'écran de fumée, on se frotte les uns aux autres sans trouver la liberté de se découvrir. Pour cette raison, Elsa Platte ne goûtait pas les dîners en ville. On en restait le plus souvent aux premières paroles, on ne sortait pas du contact pour aller vers le lien. La surface était une croûte trop épaisse à percer. Personne peut-être n'espérait être percé. L'authenticité d'une âme c'était aussi son envie de se donner à lire et d'être aimée pour ce qu'on y lisait.

Vous êtes bien mieux que sur la photographie, mentit Rita en attrapant les deux bras de Deborah. Elle s'était approchée tout près d'elle, à une distance intime, chaleureuse. Vous êtes gentille, dit Deborah. Tout ce qui se jouait dans ce moment échappait à Brad : le doute et la souffrance de sa jeune épouse, la difficulté des rencontres, le choc du présent contre le passé, les idées toutes faites que la réalité fracasse, les souvenirs peut-être. Addie avait aimé Brad, comment ses amis auraient-ils pu ne pas y penser au moment de rencontrer l'élue qui n'était encore rien pour eux ? L'amour et l'amitié obligent à tant de compromis. On fait l'effort d'apprécier celle ou celui qu'aiment nos amis, mais pourquoi les aimerait-on au premier coup d'œil ? Non, c'était bien un effort, et Rita et George s'efforçaient par amitié pour Brad d'aller au-devant de Deborah, aussi tarte fût-elle. Brad porta un toast. A nous, dit Brad, à notre amitié, qu'elle soit longue. Il était si pris par lui-même, par ce plaisir de retrouver ses amis et sa vie, que l'état de sa femme lui échappait : elle était assez enivrée déjà, mais il la faisait boire encore. Une femme ivre, on pouvait aisément deviner que, dans leur monde, c'était une incongruité inconcevable. A nous, répéta Rita. Non, personne décidément ne voyait rien, ou l'on faisait comme si tout était simple et joyeux. Je dois appeler la baby-sitter, dit Rita. Venez téléphoner en haut, dit Deborah, je dois prendre mon sac. Rita Phipps était assez vive et fine pour ne pas manquer de saisir la perche. Bonne idée, dit-elle en entraînant Deborah.

Bras dessus bras dessous, elles montèrent le grand escalier, comme le feraient deux amies de longue date, complices et intimes. Mais ça n'était pas cela. Deborah s'accrochait à Rita comme à une bouée, et Rita n'avait pas laissé passer cette main qui se tendait. Au secours, disait la main. George Phipps rêvait devant la belle photographie de Deborah. A quoi rêvait-il ? Il était impossible de le deviner. Ils avaient dit tellement de bêtises et si peu de ces mots qui réconfortent. On ne fait pas semblant de se rencontrer. Brad continuait de rappeler son passé : allait-il se souvenir comment on se rendait au Club ? Les femmes n'allaient-elles pas traîner comme elles le faisaient de tout temps ? Qu'elles se dépêchent donc ! Qu'elles n'oublient pas qu'ils attendaient dans la voiture… leur cria-t-il.

Elles étaient donc là-haut, dans la chambre de Deborah, ensemble, deux épouses prêtes à sortir, l'une heureuse dans l'exaltation de sa vie construite, l'autre paniquée à l'idée d'y entrer. Rita parlait au téléphone, soucieuse de ses enfants, est-ce que les fenêtres étaient fermées, les enfants débarbouillés, oui, tout irait bien, la mère se rassurait en rassurant. Une vie de famille se disait dans ses paroles. Oui, nous serons au Country Club. Mais Deborah était encore devant sa coiffeuse, face à face avec elle-même, son beau visage qu'elle ne pouvait admirer (qui aime vraiment son propre visage ?), ses cheveux qui n'obéissaient pas à son désir, ce qu'elle avait pu lire dans le regard des autres (et même celui de Brad dont la naïveté avait été interloquée par la robe inattendue). Deborah était désemparée, et agitée. Ça ne va pas ? demanda Rita. Non…, murmura Deborah, et ce fut alors l'écroulement subit. Un coup de klaxon retentit. Les maris déjà s'impatientaient. La voix de son maître, dit Rita. Elle avait un humour joyeux, une façon vive d'entrer dans la moquerie, de rire, d'être en plein centre de la vie. Deborah était hors d'elle-même, propulsée par une peur dans la colère. Elle cria presque, articulant trop : J'ai la migraine, je reste ici. L'alcool lui montait à la tête. Donc ça ne va vraiment pas, dit Rita. Je suis très mal à l'aise, répondit Deborah plus calmement. Avec sollicitude, et une sorte de rectitude qui provenait de son énergie, Rita s'approcha de la coiffeuse où Deborah se laissait tomber. Que se passe-t-il ? demanda Rita. Racontez-moi. Deborah ne se fit pas prier pour se libérer, elle lâcha tout son malheur, presque véhémente. Je suis mal à l'aise avec Brad et avec ses amis. Vous, votre mari, et les autres que je ne connais pas. Aller au Club me terrifie. Toute cette ville me fait peur. J'en suis malade.

Epouser l'autre c'était bel et bien épouser son monde, s'y enfoncer comme dans une eau inconnue dont la faune vous frôlera. Le tête-à-tête amoureux exclusif de la rencontre s'interrompait, les présentations se multipliaient, le cercle des amis venait vous reprendre. Où étais-tu passé ? Tu avais disparu ! Ah ! Quand nous la présentes-tu ? Quand le sors-tu ? Peut-on vous inviter ensemble ? C'était la mise à mort concertée de la première bulle, la bulle de l'idylle et de la rencontre, la bulle du secret et de la découverte. Deborah ne voulait pas crever la membrane, s'immerger dans les autres, affronter la fadeur de l'ouverture après les frissons de l'enfermement. Elle était maintenant affalée sur sa petite coiffeuse. Je vois que quelqu'un a beaucoup bu, commenta Rita en regardant les verres vides. Oui, c'est moi, dit Deborah.

Alors Rita se posa en face de Deborah, tendre, amicale. Elle fit ce que Brad, dans son élan de joie égoïste, n'avait pas fait. Elle ralentit le mouvement de la soirée et livra son sourire et son écoute à la jeune femme perdue qu'elle ne connaissait pas. On pouvait sentir que Rita était heureuse et généreuse. Grâce à cet épanouissement, elle était capable d'aider Deborah. Elsa Platte pensait que l'on ne pouvait donner ce que l'on n'avait pas. A ce moment précis du film, elle le pense une fois de plus. Que craignez-vous donc ? demandait Rita. Que pourrait-il bien vous arriver de si terrible ? Je ne comprends pas. Elle faisait mine de réfléchir, en même temps jouait à l'idiote, se fabriquant une moue imbécile, sur le ton de la plaisanterie. Franchement je ne vois pas. Mais le malaise de Deborah persistait, et puisqu'il était réel, elle trouva des mots à poser sur ce qu'elle éprouvait : Avant d'incorporer la marine, je n'avais jamais quitté la maison de mes parents. Nous vivions en vase clos, vous savez, je n'ai jamais été accoutumée aux mondanités. J'ai l'impression que je ne sais pas me tenir. J'ai honte de moi. Je ne suis pas élégante, disait-elle. Le doute de soi ne s'efface pas si vite et, jeune comme elle l'était, elle en portait encore la souffrance. Mais la marine ? demanda Rita. Ça n'a pas dû être facile. C'était une piste habile pour mettre sous les yeux de Deborah ce qu'elle avait entrepris et réussi. Je ne sais pas, dit Deborah, mais l'uniforme nous mettait tous dans le rang sans distinction sociale. L'uniforme efface tout, c'est magique ! dit-elle. Vous savez, j'étais une fille brillante dans l'armée. Elle suivait timidement la piste et Rita s'en réjouit aussitôt. Eh bien ! fit Rita, vous êtes toujours cette même fille brillante ce soir ! D'ailleurs, pourquoi ne mettez-vous pas votre uniforme si cela vous apaise ? Non, non, dit Deborah, ce n'est plus de mise, je serais ridicule au milieu de vous tous en tenue de soirée. Les meilleures choses ont une fin, soupira-t-elle. Elle était paralysée devant le miroir. Regardez comme vous êtes jolie ! dit Rita. Un visage de Belle au bois dormant ! (Et c'était la réalité.) Vous êtes si gentille, murmura Deborah. Mais pourquoi ne le serais-je pas ? s'exclama Rita. Pour qui nous prenez-vous donc ? Des snobs de la ville ? demanda-t-elle en appuyant sa question. Non, bien sûr que non, bredouilla Deborah embarrassée. Ce n'est pas bien d'avoir des idées ainsi préconçues ! dit Rita. Mais je n'en ai pas, protesta Deborah, j'ai simplement peur parce que j'arrive parmi vous, je ne vous connais pas et vous êtes si proches les uns des autres, j'ai l'impression de venir troubler une vieille alliance. Mais vous ne troublez rien du tout ! dit Rita. Vous êtes la femme de Brad, et nous accueillons avec joie l'épouse qu'a choisie notre ami. C'est vrai ? demanda Deborah comme une petite fille. Elle était émerveillée, mais sans y croire, de ce que les choses eussent pu être aussi simples et douces. Dans sa tête, elles ne l'étaient pas : Ce n'est pas facile d'être *la nouvelle* au milieu de vous qui êtes tous amis d'enfance, dit-elle. Souvenez-vous de votre enfance ! dit Rita, imaginez que vous pourriez m'accueillir pareillement. Non ! dit Deborah, je ne peux pas l'imaginer. Le monde d'où je viens n'a rien de commun avec le vôtre, c'est inconcevable. Si je n'avais pas rencontré Brad dans la marine jamais je ne l'aurais épousé, il n'aurait pas pu m'aimer…, souffla-t-elle. Pourquoi dites-vous cela ? demanda Rita. Vous n'en savez rien, est-ce si important le monde d'où l'on vient, la robe que l'on porte… Oui, c'est important, affirma Deborah, vous ne l'imaginez pas parce que vous avez fait votre vie, vous avez des enfants, un métier… Vous êtes quelqu'un. Et vous, n'êtes-vous pas quelqu'un ? dit Rita en éclatant de rire. Si bien sûr, mais il y a un écart entre qui je suis et où je suis. Je ne sais pas si je pourrai participer à vos conversations, tenir une maison, avoir l'élégance et l'aisance qui conviennent dans le club de Brad. Je devine le genre de conversations atroces : comment est-elle, la nouvelle Madame Bishop ? Est-elle jolie ? Intelligente ? Et sait-on d'où elle vient ? mimait Deborah en agitant la tête. Alors là, Deborah, permettez-moi de vous contredire ! D'où vous viennent de telles idées ? Est-ce ainsi que vous parlez de vous-même ? Avez-vous déjà tenu ou entendu ce genre de conversations ? dit Rita. Vous êtes angoissée comme une adolescente qui se croit la cible de tous les regards ! Allez, Deborah, ne sous-estimez pas notre intelligence, cessez vos enfantillages, prenez votre courage à deux mains et descendons rejoindre nos maris, enjoignit Rita. Comme c'est gentil d'être si patiente et positive avec moi ! dit Deborah.

23 – Au Club

Autour de l'espace réservé à la danse étaient disposées des tables rondes, recouvertes de longues nappes immaculées et amidonnées, mais déjà dans le léger désordre qui vient avec un repas en cours. Les assiettes du plat principal ou peut-être même du dessert (on ne voyait pas très bien) étaient déjà débarrassées, il restait des verres à demi pleins et, par endroits, posées sur la table, les serviettes de ceux qui étaient en train de danser. La soirée était lancée. La salle n'était pas si immense que les danseurs ne pussent l'emplir : les couples chaloupaient les uns près des autres, dans un mouvement de ressac (impression qui venait de ce que les balancements n'allaient pas tous dans le même sens au même instant) où flottaient les robes longues et colorées qui contrastaient avec le noir des smokings. De grandes tentures à fleurs aux fenêtres, des lustres aux plafonds, l'élégance des convives, le genre de musique, l'harmonie d'ensemble donnaient une impression de privilège et d'aisance. C'était un monde en soi, un cercle clos, le soir inaugural d'une saison de dîners dansants qui tisseraient des liens de surface.

Assise à sa place, caressant son verre de ses doigts alanguis, souriante, floue, Deborah ne dansait pas. En sa compagnie, presque en face d'elle, était assis celui des trois maris qui n'était pas encore apparu à l'écran : Porter Hollingsway. Le spectateur le découvrait en même temps qu'il comprenait que les trois couples avaient fini de dîner et que ceux qui manquaient maintenant à la table étaient allés danser. Les autres : Rita et George, Brad et Lora Mae. Deborah regardait les danseurs, continuant de porter fréquemment ses lèvres à son verre. Pas plus que les autres Porter Hollingsway n'avait remarqué qu'elle avait bien trop bu, et il lui proposait souvent de la servir. D'abord elle refusa, puis, gênée comme elle continuait de l'être, pour se donner une contenance, dire quelque chose, elle accepta, de sorte qu'elle pût noyer sa peur dans l'esprit du vin.

Porter et Deborah étaient donc assis, sans leurs conjoints, et ils buvaient ensemble en échangeant quelques paroles. J'ai horreur de danser, dit Porter. Il avait une simplicité de manières et une évidente gentillesse qui étaient touchantes. Pas poseur pour deux sous, droit, viril, il semblait plutôt taciturne, un rien lassé de ces mondanités, pas dupe en tout cas, mais prêt à coopérer et sympathique. C'était un bel homme mûr qui avait dû être irrésistible dans sa jeunesse, qui avait la bonne idée de s'en moquer et ne s'était pas entièrement départi d'une timidité naturelle. Je préfère ne pas faire quelque chose plutôt que le faire mal, continua-t-il. Ma femme est espagnole, elle danse bien. Passait à ce moment, près de la table, le couple que formaient Brad et Lora Mae, l'épouse espagnole en question. Dans le mouvement de la danse, fuselée par une robe noire à l'échancrure douce sous le cou, Lora Mae souriait avec une malice qui lui donnait un air un peu hautain. Son mari la regarda danser. Il pouvait la distinguer dans cette clair-voyance que donne parfois la distance : lorsque l'on se trouve éloigné, lorsque l'on regarde sans être re-gardé et que l'on peut à loisir détailler et rêver, réflé-chir et poser des mots sur ce qu'on voit. Ainsi, d'un œil un peu excédé, comme habitué à ce spectacle, et à cette situation d'elle qui danse et de lui qui ne sait pas danser, Porter Hollingsway appréciait Lora Mae, il l'évaluait. Puis il rendit son verdict à voix haute, avec un mélange singulier de mépris et de décontraction : Elle fait de l'effet, dit-il, on dirait presque qu'elle est distinguée, mais elle ne l'est pas naturellement, c'est juste Brad qui déteint sur elle, comme s'il la transfigurait. Lorsqu'elle est seule, ma femme n'a pas l'air d'une dame, déplora Porter en s'adressant cette fois explicitement à Deborah. Et cela sonna comme un regret profond, et Elsa Platte, qui avait déjà vu le film cent fois, entendait dans cette phrase l'erreur à laquelle cet homme croyait pourtant dur comme fer. Oui, Porter Hollingsway croyait regretter l'origine modeste de son épouse, et finissait par en oublier qu'il l'aimait. Mais il l'aimait, profondément, et plus qu'il ne le savait dans ce moment d'agacement. Il murmura, pour lui-même, coulé dans un songe : J'aime tellement qu'une femme ait de la distinction. Puis, tourné vers sa compagne de table : Pas vous ? demanda-t-il. Deborah ne fut pas réellement prise au dépourvu, elle répondit aussitôt. Oui, beaucoup, dit-elle sans y prendre garde. Cette conversation était l'improbable et superficielle rencontre entre deux êtres perdus dans leur rêverie. Elle : ivre, anxieuse, paniquée. Lui : un peu blasé, esseulé, rude parce que rudoyé. Mais si, jusqu'à ce moment, Porter avait semblé se parler à lui-même, il se consacra vraiment à Deborah et, avec sa bonhomie remarquable et un rien décalée, s'amusa, la complimenta sans détour : Avec Brad, vous avez tiré le gros lot ! Beaucoup de classe et beaucoup d'argent. Les gens comme lui, par ici, ça ne court pas les rues ! A part Brad, qui peut-on citer ? Il cherchait. Je ne vois que…

Addie, sursauta-t-il. Addie ? demanda Deborah qui ne connaissait encore personne dans cette ville. Addie Ross, dit Porter, envolé dans une extase, oui, une extase, souriant aux anges, à l'image que suscitait en lui ce prénom. Il n'était plus là où il parlait, il était vautré dans ce fantasme de la féminité parfaite, Addie Ross, celle de son désir inassouvi. Il en oubliait à qui il parlait autant que ce qu'il disait. Il était empli d'images et de passé. Des souvenirs le prenaient et, avec eux, une pensée qu'il dit à voix haute : Nous avons toujours pensé que Brad et Addie…, marmonna-t-il. Le spectateur comprenait très bien comment la petite bande destinait Brad et Addie à se marier, parce que ces deux-là étaient assortis, peut-être même amoureux. Mais Deborah n'avait pas le recul du spectateur, et elle était enivrée, dans la conversation qui allait vite, procédait par allusions et sous-entendus, reposait sur un passé dont elle ignorait tout et qu'elle ne voulait pas connaître en réalité, du moins qu'elle aurait eu raison de ne pas essayer de découvrir, car cela ne produirait que d'importuns fantômes et des doutes ineffaçables. Pourtant elle écoutait un peu et ce qu'avait suggéré Porter était capable de lui tomber dans l'oreille, de lui donner des idées qui étaient des soupçons, et une tristesse de femme. Quoi Brad et Addie ? demanda-t-elle à Porter qui s'était interrompu (comme si brusquement il se voyait parler à l'épouse de Brad). Et il y avait bel et bien une suspicion, un agacement immédiat dans le ton de sa question (posée vivement) : Quoi Brad et Addie ?

Pourtant, aussi vive et intriguée fût-elle, Deborah n'obtint pas de réponse. Comme suspendu au fil de la gaffe qu'il avait manqué faire, Porter n'achèverait pas, et c'étaient Rita et George, revenus de la piste de danse, se laissant tomber l'un à côté de l'autre sur leurs chaises, à la table de Porter et Deborah, qui interrompaient le tête-à-tête, apportant la douce morsure de leur enjouement. Comme ils s'amusaient ensemble ! Leur alliance semblait une partie de sourires. En les regardant, Elsa Platte pense à ces écureuils qui se poursuivent le long des grands fûts des arbres. Rita et George étaient pareils à eux, couraient aussi vite l'un que l'autre, agiles, rieurs, amoureux, capturés dans leur enjouement réciproque. Leur couple était perpétuellement dans un lien ludique : de l'ironie gentille et de la tendresse. George a peur de froisser son beau costume, dit Rita, souriante malgré le plaisir interrompu de la danse. Mon costume offert par ma femme ! plaisanta George. Mais il ne plaisantait pas, la chose était exacte et, dans cette période de l'après-guerre, peu commune encore. George était un époux moderne dont la femme travaillait à la radio, avait des "millions d'auditeurs", à la santé desquels il buvait maintenant, et elle faisait à son mari des cadeaux qu'il ne pouvait pas s'offrir lui-même. Plus tard, le spectateur, devenu plus familier de ce couple, comprendrait que Rita souscrivait aux usages du monde avec volonté tandis que George était un rebelle intellectuel et qu'elle s'était de la sorte, en lui offrant un smoking, fait à elle-même le cadeau d'un mari bien habillé et conventionnel. Je n'arrive pas à me faire à cette idée qu'une femme offre un smoking à son mari, dit Porter. Tu préférerais l'inverse ? demanda George avec malice. Deborah seule répondit par un rire à ce renversement facétieux. C'était un sujet de débat plus que de divertissement. Porter était un homme à l'ancienne, plus âgé que George, plus riche et plus macho, et galant, prévenant, payant tout et toujours, et trouvant cela normal, n'y voyant rien à redire. Il dit : Dans ce monde qui appartient aux hommes, ils prennent ce qu'ils veulent, ils donnent ce qu'ils veulent et ils subviennent aux besoins du sexe faible. C'est leur rôle et c'est ce qu'il faudrait apprendre aux enfants. Prononçant ces paroles sérieuses, Porter regardait George. C'était au professeur qu'il s'adressait, et George, qui était d'une vivacité et d'une drôlerie remarquables, enchaîna la discussion précisément sur ce point. Tous ces discours étaient bien beaux, mais que faire si les professeurs ne gagnaient pas assez bien leur vie pour subvenir aux besoins de leur famille ? Tant mieux si leurs épouses travaillaient, sans quoi comment feraient-ils pour payer le loyer ? Porter ne cédait pas. Enseigner la grande littérature ne nourrissait pas son homme, disait l'un. L'autre s'amusait de ces revendications salariales : perpétuelles. Le beau visage lisse de Deborah découvrait les joutes de ce monde, tandis qu'étaient venus se rasseoir Brad et Lora Mae qui attrapaient en vol cet échange. Quelle ânerie as-tu encore dite ? demanda Lora Mae à son mari. Elle le prenait de haut, venait le réprimander et le remettre à sa place à peine revenue près de lui, comme s'il avait forcément fait l'idiot en son absence. On aurait dit qu'elle allait lui donner une tape sur la main. Il semblait entendu entre eux qu'il était un rustre. Mais ça n'était pas si entendu que cela, puisque Porter ne se laissa pas faire. Toi, ferme-la, dit-il à sa femme. Tant d'animosité invitait le spectateur à penser aussitôt que les relations de ce couple étaient difficiles. Ne vous disputez pas, intervint Brad en parfait homme du monde, bien peigné, avec sa raie sur le côté et un sourire qui jamais ne faisait défaut. Porter dit toujours des bêtises quand il a trop bu, poursuivit Lora Mae. Si tu pouvais te taire ! répéta Porter exaspéré par son épouse. Et tout cela n'était pas si drôle, plutôt aigre, de vraies oppositions de style déchiraient le groupe, des mécontentements, et des disputes conjugales qui se révélaient dans toute leur violence. Voilà ! dit Rita à Deborah. Elle voulait dire : nous voilà tels que nous sommes, vous nous connaissez maintenant. Et c'était une manière de faire qui était attentionnée et habile : nous voilà ! Comme dans une famille nombreuse... on se chamaille mais on s'aime. Deborah recevait ces séquences avec passivité, dans la relaxation que lui procurait l'alcool, peu présente, posée sur sa chaise telle une grande poupée placide qui ne bouge que les yeux. Le spectateur se demandait comment cette soirée pouvait finir, mais vint une diversion qui tombait à point : un serveur apporta un magnum de champagne, offert à la tablée avec les compliments de Madame Addie Ross.

Le nom et la femme invisible tombèrent sur l'assemblée des amis et dans l'esprit de Deborah, la plus légitimement curieuse. Malgré l'ivresse, l'évocation d'Addie Ross lui rappela tout à coup les propos de Porter. Que vouliez-vous me dire tout à l'heure à propos d'elle et de Brad ? lui demanda-t-elle. La question si délicate passa inaperçue devant l'enthousiasme (feint ?) que témoignait Brad à la généreuse Addie. Et le réalisateur ne montra pas au spectateur le visage de Porter ou celui des convives qui auraient pu entendre ce que disait Deborah. Ces prénoms accolés, Brad et Addie, c'était toute une histoire passée qui était tenue secrète devant Deborah. Le secret d'ailleurs la protégeait moins de ce qu'était ou avait pu être Addie qu'il ne protégeait Addie de la méfiance ou de la jalousie que Deborah, informée, aurait pu lui témoigner. De bons amis auraient prévenu Deborah, pensait toujours Elsa Platte, elle reconnaissait à cela que Porter, Rita et le groupe étaient les amis de Brad. Brad en tout cas, si c'était une réaction, ne sursauta à l'évocation de ces liens passés qu'en s'exclamant joyeusement : Addie ! Il décolla son corps de sa chaise et se souleva en tendant le cou, pour chercher du regard dans la salle la belle femme attentionnée. Mais Addie Ross n'était pas encore arrivée.

Une grande rêverie bavarde tomba sur la tablée : ils parlaient de la mystérieuse absente qui les régalait. Et que c'était généreux de sa part ! disaient les hommes. Et quel tact avait cette femme ! Et de la classe par-dessus tout, répétait Porter sous le regard moqueur de son épouse qui le tenait pour incapable de juger quoi que ce fût en matière d'élégance, de raffinement, de distinction. Elle a surtout du goût, disait George. Chacun y allait de son compliment, assuré de dire vrai, dans une singulière fascination (que forcément Addie Ross voulait susciter, pense Elsa Platte). Brad fut le seul à ne souffler mot, lui qui peut-être avait été le fiancé, et qui maintenant était comme un infidèle heureux, mais en tout cas plein de tact. Addie Ross mettait tous les hommes d'accord et retournait les femmes contre elle. Lora Mae le fit remarquer sans passion, avec un recul qui lui faisait honneur.

Lora Mae pouvait être un modèle. Durant tout le film elle se montrait malicieuse, parlant par sous-entendus, n'étant pas dupe d'elle-même, et finalement manquant de confiance en elle, doutant d'inspirer de l'amour à Porter et ne lui témoignant pas les signes naturels de celui qu'elle éprouvait sans même se le dire. Très fine, intelligente, elle mit fin à la conversation dangereuse, laissant de cette manière à chacun la chance d'un mouvement de repli sur son opinion. Le serveur emplissait des coupes. Raidie par l'ivresse qu'elle devait maîtriser, Deborah demanda d'une voix très distincte : Y a-t-il un Monsieur Ross ? Après quoi elle retint un genre de hoquet d'alcoolique avec un air de madone outragée. Comme elle était drôle ! Elsa aime particulièrement ce passage. Soulevée par la naïveté de Deborah, la question conventionnelle se révélait aussi être la question-clé.

On ne pouvait être certain que Deborah la posait sans malice, mais c'était l'impression qu'avait le spectateur. La jeune mariée, fraîchement arrivée, mettait sans le savoir le doigt sur le feu. D'ailleurs Lora Mae s'empara aussitôt de ce joyau brûlant : Monsieur Ross ? s'étouffa-t-elle de joie. Il s'est envolé de chez lui il y a cinq ans ! Et c'était bel et bien un triomphe de souligner comment la merveilleuse Addie Ross en tout cas n'avait pas fait rêver son époux. D'ailleurs l'attaque fut perçue comme telle, et Porter répliqua : Pas du tout, c'est faux, elle n'en a plus voulu et l'a mis dehors ! Ta ta ta, dit Lora Mae, il lui a dit qu'il sortait et il n'est jamais revenu. Elle martela cela avec une assurance joyeuse. Il lui a dit qu'il sortait chercher le journal et il n'est jamais revenu. Bref il s'est sauvé littéralement devant une sorcière, une prison, une vampeuse terrifiante. Est-ce que les sorcières et les prisons existaient vraiment ? Elsa Platte sent revenir la petite bête dans son ventre : est-ce que ça existait vraiment ce genre d'histoires ? Un homme pouvait-il quitter sa vie comme on quitte un hôtel ? Pas de disputes ! arbitra Brad Bishop. Mesdames, ne soyez pas jalouses. Et cette ombre étant chassée, il porta un toast : Je lève mon verre à Deborah, ma chérie, que nous accueillons. A Deborah, dirent les autres, approchant leurs coupes les unes des autres puis de leurs lèvres, et Deborah avec eux, ajoutant une goutte à ce qui déjà semblait l'emplir jusqu'à l'écœurement. Et à notre chère absente, Addie ! ajouta Brad, mais ce fut sans susciter aucun enthousiasme. Brad était tout simplement heureux, et dans cet élan que provoque l'épanouissement, il se leva, tendit la main à sa femme et l'entraîna vers la piste. Deborah résista mais, dans sa faiblesse, même sa résistance était faible. Elle ne croyait pas qu'elle devrait danser, souffla-t-elle, mais puisqu'il était dans son propre bonheur, peut-être face à l'image qu'il avait de son épouse plutôt qu'à la femme en chair et en os qui chavirait en face de lui, Brad Bishop n'écouta rien et emporta sa belle enivrée dans une valse.

Attablés en cercle, souriants, tout à coup spectateurs d'un couple inattendu qui s'était créé hors de leur cercle, Porter, Lora Mae, Rita et George regardaient valser Brad et Deborah. La danseuse qui tenait à peine debout, abandonnée au bras de son cavalier, leur jetait des regards affolés. Sous l'effet des alcools, son œil n'accommodait pas assez vite, les amis attablés avançaient, reculaient, avançaient, disparaissaient dans le flou. Nets, flous, nets, flous. Ils souriaient. Rita, inquiète et avertie de l'état de sa nouvelle amie, pressa le bras de George, avant de l'entraîner sur la piste, comme si elle avait pu changer avec lui l'issue de la danse. La tête de Deborah ballottait sur l'épaule de Brad qui virevoltait. Deborah avait tout laissé tomber, mais Brad était bon danseur, il dirigeait, souriant à la musique et à la danse, sans percevoir que sa compagne n'en pouvait plus. Brad ! gémissait Deborah. Elsa pense que la pauvre va vomir par terre, au milieu de la piste, sur sa robe, sous les yeux de tous les membres du Club. Brad ! supplia à nouveau

Deborah. Mais Brad ne comprenait rien. Il eût fallu lui dire clairement et fermement : Brad, arrête-toi maintenant ou sinon je vais vomir sur le tapis devant tous tes amis, je suis complètement ivre. Ne l'as-tu pas remarqué ? Phrase qui n'avait vraiment rien à voir avec les faibles suppliques de Deborah. Pourquoi ne parle-t-on pas avec cette clarté ? pense Elsa Platte. Ce fut le moment que choisit Brad pour faire faire à sa femme un tour complet sur elle-même. On ne parle pas de cette manière parce que cette rectitude paraît trop violente. Les autres ne l'acceptent pas. Celui qui parle ainsi se fait mal voir. Il rompt les codes de la bienséance et de la discrétion. On ne dit pas : je vais vomir si tu continues, parce que l'on ne doit pas vomir, ni s'enivrer à ce point, tout cela étant indigne, il faut se taire et ne pas vomir. De même, pense Elsa Platte, que l'on s'éclipse d'un salon en disant : excusez-moi je reviens, non pas : excusez-moi deux minutes je vais faire pipi. On ne le dit pas. Et c'était bien ce que faisait Deborah. Le tournis lui faisait chavirer la tête, elle poussait des soupirs, on eût dit une morte qui tanguait sans volonté propre, au gré des mouvements d'un homme vivant, aveugle à ce qu'il tenait dans ses bras. Mais elle était là. Et la danse persistait, un moment paradisiaque se transformait en supplice : encore un tour complet, dans le mouvement la fleur arrachée de la robe, un trou et une épingle sur le ventre, le sentiment de la honte, une fuite vers les toilettes des dames, Brad les bras ballants d'incompréhension (comme si c'était le lot des maris, en fin de compte, de ne jamais comprendre

166

cette nature subtile et vulnérable de leurs femmes), Rita s'empressant de le rassurer et courant s'occuper de Deborah. Les femmes bien sûr se comprenaient, et Rita était merveilleuse, et l'employée du Club parfaite qui avait recousu la fleur et caché le vilain trou en une minute, que c'était bon d'être dorlotée. Je suis moche, malade et saoule, dit Deborah à Rita, je voudrais rentrer chez moi, me ramènerez vous ? Brad doit être horriblement déçu ! Moi qui voulais être la parfaite épouse, dit-elle. Qu'est-ce que c'est la parfaite épouse ? s'amusa Rita. Le savez-vous ? Moi je n'en ai aucune idée ! dit-elle. En tout cas, ça n'est pas celle qui se rend malade à force de boire, répliqua Deborah. C'est vrai ! concéda Rita, mais c'est le genre de chose qui peut arriver à tout le monde. A moi ! Venez et n'en parlons plus, dit Rita, tout est fini maintenant. Venez rassurer Brad qui doit être très inquiet. Cessez de croire que tous les yeux sont braqués sur vous !

Personne en effet ne les remarqua, lorsqu'elles firent leur entrée dans la salle de bal, bras dessus bras dessous, alliées dans l'amitié dont les femmes sont capables, et qui alors est parfaite parce que mieux ajustée. Personne ne prit garde à leur retour, pas même Brad qui souriait sur la terrasse, accoudé à la balustrade, joyeux. Il n'était pas soucieux, comme le prétendait Rita, et pas si préoccupé de Deborah, pense Elsa Platte. Comme un mari qui peu à peu s'accoutume aux caprices de sa jeune épouse et les dédramatise, il avait oublié tout l'incident, il riait même, et son interlocuteur invisible, camouflé par le feuillage d'un arbuste, eut aussi un rire que le spectateur pouvait entendre. C'était un rire de femme, un peu snob, maniéré. C'était l'éclat d'Addie. On dirait qu'Addie a fini par arriver ! murmura Rita.

Une ravissante épaule, de profil la courbe d'un sein dans un bustier plissé, un bras mince qui se dégage du buste pour écarter la fumée d'une cigarette, voilà ce qui était donné à voir de la belle Addie Ross. Comme c'était habile, pense Elsa Platte, une façon cinématographique de capter et de restituer le fantasme, et le danger aussi, le danger de la femme seule, séductrice et chasseresse. Ce péril charmant hypnotisait Deborah et Rita : elles se figèrent au milieu de la salle de bal, Deborah répétant le prénom empoisonné, Addie Ross, Addie Ross, tandis que Rita souriait en puisant dans la ressource de son beau tempérament. Rita pouvait sourire : ça n'était pas son mari qui était pris à l'hameçon. Tandis que Deborah était plongée dans ce vertige effroyable (qui ne sait s'il a raison d'être) de celle qui observe la complicité entre celui qu'elle aime et une étrangère. Addie Ross. Le plan du cinéaste se concentrait sur le visage fasciné de Deborah. Elle écarquillait ses jolis yeux. Son visage était lisse, large et plat, sa peau sans défaut, sa carnation ravissante. Puis cette image se fondait dans une autre, le visage de Deborah sur le bateau, toujours la même beauté, distraite et lascive au milieu des enfants, assise sur un banc de bois à côté de Kathleen la petite fille qui lui lisait un conte de fées (dont elle n'avait pas capté le moindre mot).

La rêverie de Deborah était sur le point de s'achever, le flash-back était terminé, le souvenir de ce bal était une brûlure. La question était évidente : pouvait-il suffire à justifier qu'un mari quittât une femme qui s'enivrait en public pour une créature racée et carnassière ? Est-ce Brad ? Est-ce Brad ? Oui, est-ce Brad qui s'est envolé avec Addie Ross ? Nul ne le savait. Ni Deborah qui allait ressasser tout le jour. Ni le spectateur qui pouvait bien avoir des intuitions (Brad était très amoureux de sa jeune épouse ou bien Brad avait autrefois aimé Addie Ross) mais qui savait aussi comment la passion commande des folies. N'importe quel homme peut faire une bêtise. N'importe quelle femme (mais ça n'était pas la voie que choisissait d'explorer Mankiewicz). Addie Ross est vraiment belle, murmure Max. On l'imagine magnifique et très distinguée, renchérit Noémie. Mais, murmure Elsa, heureusement que tous les maris ne sont pas des imbéciles ! Et tous les trois ils rient, ils n'en finissent plus de rire.

24 – Portraits des maris

Au bord du fleuve, dans la flânerie d'une pause, Rita et Deborah parlaient à voix douce, rêveuses l'une et l'autre, les yeux tournés vers le passé conjugal, chacune embrassant le tableau qu'elle avait peint touche par touche, et cherchant où le pinceau avait pu déraper. Le bateau avait accosté une île, les enfants s'ébattaient, le déjeuner se préparait, l'impact de la lettre et du doute s'amplifiait. Rita et Deborah gambergeaient, l'esprit progressivement polarisé par cette question : Brad et George seront-ils ce soir à la maison ? Il fallait une réponse. Mais pouvait-on faire l'économie de ce que pensait le mari ? se dit Elsa. Le lien conjugal était tissé par deux personnes et l'avis de l'une ne formait jamais qu'une fraction à demi significative de la réalité. Pour cette raison, la pensée d'Elsa Platte cherche à capter l'état d'esprit de son mari. C'est ce moment que choisit son fils pour demander : Où est papa ? Je ne sais pas, répond Elsa. Elles non plus ne savent pas, dit le garçon en relevant son menton vers l'écran pour désigner Rita et Deborah. Et le spectateur lui non plus n'est pas capable de dire si Brad a une raison de partir avec Addie Ross, dit Noémie. Elsa Platte pense à Alexandre Platte. A-t-il une raison de ne pas rentrer ce soir ? A-t-il une raison de discréditer d'un seul coup ce qu'il trouve dans cette maison ?

Alexandre Platte n'avait pas une nature expansive. Il serait faux de dire qu'il peinait à s'exprimer, c'était plutôt qu'il n'en voyait pas l'utilité, il n'en avait pas même l'idée. Il ne posait aucun mot sur l'ensemble des mouvements qui s'éprouvent au-dedans. L'émotion restait enclose en lui, indicible, le plus souvent imperceptible au-dehors. On eût dit un homme imperméabilisé, inatteignable, en toute circonstance maître de lui-même bien sûr, comme si aucun vent intérieur ni aucune péripétie extérieure n'agitait jamais cette posture réservée. Il figurait un coffre-fort dans lequel les émotions, les sensations, les sentiments, quelle que fût leur envergure, avaient été mis sous clef. C'était du moins ce que s'efforçait de penser son épouse. Elle préférait croire que les choses, pour invisibles qu'elles fussent parfois, avaient néanmoins une existence. Elsa Platte, en effet, évitait de penser que son mari eût pu, tout simplement, n'éprouver aucune émotion. Oui, bien sûr, il était froid, impassible, taciturne, difficile, mais ça ne voulait pas dire qu'il était insensible. Insensible ! Qui pouvait se permettre de juger l'autre si pauvre en sentiments ? De temps à autre, à propos d'un événement, Elsa lui demandait : Ça ne t'émeut pas ? C'était en général à propos d'une musique, d'un livre, d'un film, ou d'une scène de la vie, comme par exemple une fête à l'école, un spectacle des enfants. Non, disait-il, ça me plaît, ça me touche, mais ça ne m'émeut pas. Insensible : glacé, paralysé, frigide, raidi, égoïste, renfermé. On ne dit pas cela. On évite de le penser de la personne avec qui l'on vit ! Mais les manifestations sont là, sous les yeux qu'on a et que l'on pose sur l'autre, tout au long de la vie commune, un matin après un soir, une péripétie après un souvenir, jusqu'à se connaître plus profondément que quiconque. S'endormir ensemble, s'entendre respirer la nuit, se raconter ses rêves… Autant qu'Elsa le connût, son mari lui semblait doux, pacifique, égal d'humeur, mais peu sensible en vérité.

L'un d'ailleurs expliquant l'autre, ou le facilitant : pacifique et sans humeurs parce que pas sensible justement. Non, décidément, elle avait rencontré peu d'hommes aussi intelligents et peu expressifs. Comme si toute l'intelligence se concentrait dans sa forme hypothético-déductive et délaissait le champ intérieur, humain et affectif. Elle avait épousé un cerveau. Un cerveau et un sexe ! Et face à cette unité impassible, Elsa Platte était une fontaine et une éruption. Elle avait ri, parlé et pleuré pour deux en quelque sorte. Et elle avait dansé avec tout ce bagage dans le cœur. Ils formaient une famille heureuse et extravagante. La pierre et le volcan, la pierre et la rivière. Etait-ce comme dans ce jeu de mains auquel jouaient les enfants pendant les voyages en voiture : pierre, feuille, ciseaux, puits ? L'un des deux cassait-il l'autre ?

Et maintenant Alexandre Platte s'était envolé de la maison (est-ce que la maison était une cage ?), et Elsa était réduite à l'appeler sur son téléphone portable, à lui courir après, à le supplier de revenir. Il était inflexible, il ne décrochait pas. Et elle, que ce silence jetait hors d'elle, sans voix, raccrochait le combiné au nez du répondeur. Elle qui voulait parler cessait là toute conversation, s'emportait et faisait le contraire de ce qu'elle voulait.

25 – Ce que Rita n'avait pas fait

Dans un grand pré, en plein soleil, les enfants jouaient : ils couraient et criaient, dans un vacarme de cour de récréation, ils s'amusaient. Lora Mae s'était changée pour être plus à l'aise. Habillée en veste (de style tyrolien) et pantalon, un bâton à la main, elle menait – à un train de randonnée – une bande de garçons en culottes courtes. Quelques-uns trimbalaient des filets à papillons. Le groupe passa devant une grande table à tréteaux sur laquelle Rita, un tablier de cuisine noué à la taille, coupait des chapelets de saucisses. N'espère pas rentrer tôt, lui dit Lora Mae, s'arrêtant, un sourire mi-moqueur mi-amusé, les deux mains sur les hanches, je pars chasser avec les garçons. Tu as toujours été douée pour ça ! dit Rita.

Le scénario et les dialogues, depuis le début du film, étaient ainsi conçus qu'ils faisaient fréquemment allusion à un passé connu de ces deux héroïnes de l'histoire : Rita et Lora Mae. C'était une façon maligne d'intriguer le spectateur, de l'attirer vers des questions relatives à ce qui avait pu se tramer autrefois, d'attiser sa curiosité et son attention, et dans le même temps de souligner l'ignorance de Deborah, qui figurait – comme elle l'avait deviné et en avait souffert – la nouvelle dans un groupe soudé depuis longtemps. Lora Mae avait beaucoup de malice, de sorte qu'elle acceptait les plaisanteries sans monter sur ses grands chevaux. Elle était douée pour la chasse à l'homme, c'était un fait indéniable, elle avait même attrapé le plus gros poisson de la ville. Elle ne se vexa pas du propos de Rita, elle s'en amusa (et d'ailleurs n'était-elle pas flattée que fût ainsi souligné un talent dont elle était fière ?).

Pendant cette saynète, Déborah rêvassait, à demi allongée sur un rocher plat. Elle était d'une paresse remarquable et abandonnait tout le travail à ses amies. En arrière-plan, le lac était brumeux de chaleur. Lasse, retirant son tablier, Rita marcha vers sa compagne. On déjeune bientôt ? demanda Deborah, comme si elle était servie, et cela semblait étonnant de la part d'une ancienne paysanne qui avait dû connaître une maison où chacun apporte sa contribution. Mais non, elle ne se donnait aucun mal pour aider et prendre sa part de cette journée. Je me repose un peu, dit Rita, mes doigts sont des saucisses ! Elle s'installa à côté de Deborah et dit : Lora Mae est déchaînée ! Elle prend très à cœur son rôle d'animatrice. Elle s'agite pour ne pas trop penser. Il suffit de penser à des choses agréables, murmura Deborah. C'était hypocrite de sa part puisqu'elle émergeait elle-même d'une terrible songerie par laquelle elle avait sondé, sans se rassurer aucunement, la possible défection de Brad. Encore faut-il y parvenir quand tant de choses désagréables vous poursuivent l'esprit, dit Rita, comme par exemple pourquoi un mari prend le train un samedi matin sans prévenir sa femme… Tu parles de mon mari ? demanda Deborah. Non, je parle de Porter, dit Rita, il était à la gare ce matin, il ne m'a pas vue tellement il était pressé. Il m'est presque rentré dedans pendant que je mettais ma lettre à la boîte. Je n'ai pas l'impression que Lora Mae était au courant. Rappelletoi : lorsque nous sommes arrivées au débarcadère ce matin, elle a tout de suite demandé si nous n'avions pas rencontré quelqu'un à la gare, mais elle ne pensait pas du tout à Porter. Rita avait raison, en fait Lora Mae pensait à Addie et ignorait alors qu'Addie n'était pas seule. Le spectateur pouvait se demander si Rita Phipps avait ce détail en tête. Pourquoi croyais-tu que je parlais de Brad ? demanda Rita. Pour éviter de te rappeler que George exceptionnellement n'allait pas à la pêche ce matin, dit Deborah. C'était vraiment une remarque de chipie. La tension du doute, la montée imperceptible d'une angoisse les jetaient l'une contre l'autre. La situation d'ailleurs en faisait des compétitrices : si c'est George ce n'est pas Brad, si c'est ton couple qui vacille ce n'est pas le mien… Un agacement titillait les deux femmes. Chacune renvoyait à l'autre le brûlot, dans l'espoir qu'il la concernait davantage. Sans doute Deborah eut-elle l'image déplaisante de deux femmes qui se battent, car elle dit : Ne nous chamaillons pas. Et la conversation s'interrompit. Le silence enveloppa les amies, comme la chaleur sur le lac et la lumière de midi.

Rita alluma une cigarette. La fumée s'enroulait en volutes emportées lentement dans l'air, vers le ciel lumineux, par-delà les cheveux blonds et le visage clair de Rita, dont le songe semblait décoller avec les tourbillons blancs, comme s'il se matérialisait sous ses yeux : pourquoi George avait-il mis son costume bleu ? Où allait-il ? Pourquoi n'était-il pas à la pêche ? Est-ce que l'on savait tout ce qu'il y avait dans la tête d'un mari ? Non ! On rêverait parfois de le savoir et il y avait même des moments où ce décryptage épargnerait bien des peines. Mais non. Et d'ailleurs ils ne se parlaient plus depuis la veille. Alors elle ne risquait pas de savoir grand-chose ! Ils avaient eu une exécrable soirée et, à peine la porte refermée sur les invités, ils s'étaient disputés. Ils s'étaient heurtés sur des questions de fond. George n'avait-il pas dit que sa femme n'était plus la femme qu'il avait choisie et épousée ? Il le lui avait asséné sans même s'emporter, avec le plus grand calme. Il l'avait fait asseoir pour écouter ce procès. Quelle amertume d'entendre cela ! Bien sûr que l'on changeait. La vie vous transformait. Les attentes et les espoirs que l'on formait s'enhardissaient. Mais, pensa Rita avec un désespoir qui lui noua le ventre, il ne fallait pas oublier l'autre. Il ne fallait pas s'éparpiller dans le monde et lâcher la main qui se tendait dans sa propre maison. Dieu, qu'avait-elle fait ! Elle avait fait des courbettes pour complaire aux deux imbéciles qui la faisaient travailler, et de surcroît espéré que son mari, à l'encontre de toutes ses convictions, en fît de même. Et dans cette impulsion impie qui l'entraînait à flatter ses patrons, elle avait oublié l'essentiel : l'anniversaire de George, la fête familiale qu'il lui revenait d'organiser avec ses enfants pour cette occasion, le cadeau qu'une épouse aimante choisit… Rita souffla une bouffée de fumée, mordue par cette inacceptable discordance : qui avait fait à George le cadeau d'anniversaire délicat ? Addie Ross ! Addie Ross avait fait porter à son ami George (qui était aussi le mari d'une autre) l'enregistrement rare d'un disque qu'il aimait ! Maintenant, harcelée par tant de regrets, Rita avait oublié les saucisses, le pique-nique, les enfants, ou même Deborah. L'esprit de Rita était dans la remémoration de cette soirée fatale qu'elle avait imposée à George. Avait-elle tout détruit ? Etait-elle devenue une idiote qui acquiesce à deux crétins incultes ? Ne pensait-elle qu'à l'argent ? Avait-elle donc perdu ce que George aimait en elle ? Etait-il parti ce matin avec Addie Ross qui avait du goût ? Un avenir triste avait-il pris racine dans un passé inattentif ? Joseph Mankiewicz proposait le deuxième flash-back : ce que Rita n'avait pas fait.

26 – Dîner fatal

Dans la cuisine de Rita trônait la radio. La réclame assourdissante et niaise qui était diffusée à ce moment ne semblait pas déranger la cuisinière Sadie, affairée à préparer à dîner. Au contraire, transpirante et collante dans les vapeurs de cuisson, on eût dit qu'elle suivait en rythme les criailleries du poste, et s'essuyait la tête bien bravement quand l'accélération la tuait. Des casseroles sur le feu, des morceaux de pain de mie disposés sur des plateaux : un festin

se préparait. Un foulard sur la tête, en robe d'intérieur, agitée, pressée, Rita entra. On dirait maman
quand elle a un dîner, dit Max, elle est aussi stressée
que toi, maman ! C'est bizarre, en effet, que recevoir
ses amis soit si stressant, dit Elsa. (Elle n'avait jamais
compris pourquoi ça l'était.) Sadie ! Comment sup-
portes-tu ce vacarme ? s'exclama Rita. Et elle étei-
gnit la radio (d'autorité), annonça que les enfants
étaient prêts à se coucher (et cela signifiait surtout
qu'elle était enfin débarrassée d'eux pour cette soirée)
et s'enquit de son menu : Y aura-t-il assez de petits
canapés ? Combien en as-tu fait ? Sadie était de toute
évidence excédée par le surcroît d'attention que sa
maîtresse portait à ce dîner. Pour six personnes, dit
Sadie, je pense qu'il en faudra au moins trois cents.
Un franc soupçon de goguenardise marquait son ton,
une raillerie osée, mais justifiée, on le sentait, par
beaucoup d'obéissance et de travail, et surtout, mêlée
à la sagacité que confère souvent, à ceux dont c'est
le métier, l'activité de servir les autres.

Oui, ce dîner devait être parfait. Et Rita n'avait
cure de ce que Sadie en pensait. L'ironie de sa cuisinière n'entamait en rien ses projets. Rita était
déterminée à ce que sa soirée ressemblât à ce qu'elle
voulait. Aussi, sans plus tarder, elle entreprit de
récapituler ses consignes à Sadie qui, après tout,
aussi familière de la famille fût-elle devenue, était
encore l'employée de maison. Bon, dit Rita. Et elle
commença une liste que Sadie connaissait par cœur
et écouta avec mauvaise grâce : il ne fallait pas dire

la soupe est prête mais *le dîner est servi*. Et encore fallait-il le faire en souriant. Voilà qui était donc une chose dite. Mais Sadie déjà se rebellait. Que de chichis pour deux invités de la ville ! s'exclamat-elle. Elle avait une forte personnalité, elle travaillait mais cela ne l'empêchait pas d'avoir une opinion. Rita ne se démonta pas pour autant. Elle recevait sa patronne à la radio, et c'était important pour elle : oui, Madame Manleigh devait être traitée comme une reine. Une reine de la radio ! Sadie en riait. Ah oui elle aimait bien l'émission de Rita, disait-elle avec ironie. Parce qu'elle comprenait tout ! Et même quand elle était occupée à passer l'aspirateur ! C'était dire ! Ah ! Ah ! Ah ! Rita ne releva pas la moquerie. Elle eut juste une mimique de sourire (un sourire jaune qui trahissait une infime vexation). Derrière sa blondeur aimable et sa rondeur féminine, il y avait une manière de ténacité qui ne lâchait pas. Encore un point important, continua Rita. Sadie devait porter son nouvel uniforme de serveuse, et tant pis si elle ne l'aimait pas. Le tablier d'accord, mais pas la coiffe qui lui donnait l'air idiot, disait Sadie. Si si ! suppliait Rita. Sadie ! Je t'en prie ! Juste pour cette fois ! Et pendant qu'elle suppliait, le téléphone sonna au poste mural de la cuisine. C'était justement la patronne de Rita. Il fallait retravailler le script de la prochaine émission, disait l'importante dame. Mais bien sûr on maintenait le dîner de ce soir, insistait Rita. Si si si, elle y tenait absolument, et Madame Manleigh ne devait pas oublier leur petite affaire concernant George. Tout cela était envisagé avec une fièvre dramatique qui semblait mettre Rita à bout de nerfs, et lui causer une grande fatigue.

Rita se berçait de l'espoir absurde de faire embaucher George (qui n'était même pas au courant et n'avait rien demandé). Elle manigançait avec sa patronne, et à cet effet se pliait au moindre de ses désirs, se mettait en quatre et sa maison au pas, pour la recevoir chez elle. Cela faisait beaucoup sur son dos. La révolte de Sadie, les enfants, le dîner, le stress de plaire à ses patrons, et maintenant le travail à rectifier par-dessus tout cela ! Quand donc allait-elle dormir ? demanda-t-elle à voix haute en soupirant. Mais sa plainte intéressait moins que ses complots. Quelle est cette petite affaire qui concerne George ? demanda Sadie d'un air soupçonneux. Et Rita répliqua : Ça ne te regarde pas, et pas un mot à George. Justement George Phipps arrivait chez lui. Rita avait entendu la voiture de son mari. Sadie était assez émoustillée à la pensée que Rita espérât intriguer dans le dos de son mari. On pouvait sentir qu'elle avait de l'estime et de l'amitié pour le maître de maison. Et qu'il n'était pas homme à se laisser manipuler par sa femme.

Est-ce que toi aussi tu caches des choses à papa ? souffle Max à l'oreille de sa mère. Non, je lui dis tout, répond Elsa. Elle sait qu'elle ment, mais elle est sûre que c'est ce qu'il faut répondre à son fils. Noémie appuie sur la touche Pause de la télécommande. Elle la garde désormais à la main, dans une rage de

soupçon (vous êtes tellement bavards tous les deux !).
Elle ne croit pas un mot de ce que dit sa mère et
s'en amuse : Toutes les femmes complotent et font
des cachotteries à leurs maris ! dit-elle. Parce que
les femmes ont tellement d'idées et sont si imagi-
natives pour construire la vie qu'elles doivent être
habiles pour les faire accepter. D'où sors-tu ça ?
demande Max. Elsa ne se mêle pas de la conversation entre ses enfants. En extase, elle découvre la
merveilleuse assurance de sa fille. Comment crois-
tu qu'elles parviennent à mener de front des carriè-
res et la maternité ? demande la fille à son frère.
Mais la question est une figure de style et elle donne
elle-même sa réponse. Parce qu'elles sont subtiles
et douées ! dit Noémie avec aplomb. Elsa éclate de
rire. Et bien plus diplômées que les hommes, dit
Noémie, c'est statistique. Et pour clore son mono-
logue affirmé, elle relance le film. Max regarde sa
mère en relevant les sourcils.

George Phipps ouvrit la porte de la cuisine. Embrassant sa femme, il donna l'impression de saluer
la maisonnée de sa gaieté et d'une fraîcheur venue
du dehors. Sa vivacité joyeuse contrastait avec l'atmosphère tendue de la cuisine surmenée. Et d'ailleurs,
vivant et vif comme il l'était, il ne manquait pas de
remarquer l'expression d'anxiété sur le visage de son
épouse. Quelle est cette tête d'enterrement ? demanda-
t-il plein d'étonnement. Je vais passer ma nuit à travailler, dit Rita, ma patronne vient de téléphoner.
Et en plus tu l'invites à dîner ! renchérit George. Elle

voulait annuler, dit Rita, faisant comprendre par le ton scandalisé de sa voix qu'il n'en était pas question. Et comment George aurait-il pu comprendre que ce dîner était si important, lui qui n'était pas informé du complot qu'elle tramait ? J'ai des bonnes nouvelles, dit George pour rendre le sourire à sa femme. Mais non, décidément, elle n'entendait rien, elle était lancée sur le circuit des choses à faire, elle s'était emparée du sac de courses qu'il avait rapporté, l'alcool et les cigarettes, et George maintenant devait la suivre jusqu'au salon et remplir avec elle toutes les boîtes à cigarettes de la maison. Et lui aussi, comme Sadie l'instant d'avant, s'étonnait vraiment de tout ce mal qu'il fallait se donner pour deux malheureux invités, nababs de la publicité radiophonique ou pas.

Mais Rita suivait son idée sans faiblir. Où est le scotch ? demanda-t-elle affairée. Et elle s'emporta aussitôt qu'elle comprit. Comment ! il n'en avait pas acheté ! Trop cher, répliqua George. Elle était mécontente : ne le lui avait-elle pas demandé assez clairement ? Et n'était-elle pas capable de payer elle-même ? Si si, il savait bien qu'elle en était capable. Il le lui dit avec une fermeté particulière. Justement. Justement ils allaient en parler ! Et là, tu crois qu'elle est subtile ? demande Max à sa sœur dont il n'avait pas apprécié le plaidoyer féministe et prétentieux. Elle est con, oui ! elle le vexe avec l'argent, dit-il. Chut ! dit Noémie en guise de réponse. On en parlera après, écoutons ce qu'il va dire. Elsa pense que son fils a raison : il faut préserver la susceptibilité des hommes et éviter les blessures d'orgueil. Elle-même, l'a-t-elle fait ? Oh…, pense-t-elle, elle a pris garde à si peu de choses, elle a vécu comme un bolide, fonçant dans la vie. Elle pense qu'on se marie trop jeune, qu'on ignore toutes ces finesses dont il faut faire preuve dans la façon de traiter l'autre, qu'on se tient comme une brute avec son cœur en bandoulière, qui crie, critique, réclame sans cesse des améliorations, avance follement vers son désir. L'autre ne risque-t-il pas d'être écrasé par tant d'énergie ? Mais si, bien sûr qu'il l'est ! Voilà, pense Elsa Platte, elle a écrasé Alexandre avec sa rage de créer, son obsession du mouvement parfait, de l'expression extrême, elle l'a épuisé. Pot de fer, pot de terre. Est-elle un pot de fer ? A cet instant du film, grâce à son fils, elle regrette sa vitalité franche qui lui semble si violente, et elle cesse d'être contente d'elle-même.

C'était le moment pour les Phipps d'avoir une explication. La question de l'argent avait déclenché une mise au point. George Phipps mit les mains dans les poches de sa veste, une veste en tweed qu'il portait avec cravate, dans un style vestimentaire classique et simple. Et élégant parce que l'homme avait une âme haute, un idéal, un cœur fidèle, et un dos large, pense Elsa Platte. George avait une présence imposante parce qu'il restait calme, souriait, savait ce qu'il pensait et à quelles valeurs il tenait. Il ne ballottait pas, ne cherchait pas à plaire, possédait une identité. Chef de famille, dit-il, je ne le suis qu'en théorie. Les choses s'obscurcirent d'un coup. Cette phrase sembla fatale, du moins inacceptable à Rita. Elle révélait en le résumant le problème que représentait l'affront à la virilité du père et mari. Le joli visage de Rita se recomposa dans un sourire aussi charmant qu'embarrassé : Il ne faut pas dire de telles bêtises, dit Rita. Radoucie, s'avançant vers son mari, murmurant *chéri*, mais dans le même temps obstinée à poursuivre cette œuvre qu'elle avait entreprise, ce dîner parfait qui allait servir sa carrière et celle de son mari : une boîte de chocolats dans les bras, s'occupant d'en transférer le contenu sur un plateau. George n'avait pas retiré les mains de ses poches et demeurait dans l'esprit de ses reproches : calme mais sûr d'être lassé par l'obstination de son épouse à améliorer les finances du ménage. D'abord j'ai trouvé cela amusant, dit George (il voulait parler du fait que son épouse travaillât et gagnât de l'argent). J'ai pensé que nous étions un couple moderne. Ça m'a paru extravagant et drôle de me faire offrir un smoking par ma propre femme avec son propre argent. Mais (et son visage, pour dire cela, avait perdu toute sa franche gaieté) maintenant que tu te permets de m'obliger à le porter… c'est une autre aventure ! Quel mal y avait-il à cela ? demandait Rita. Elsa comprend très bien la position de Rita. Rita était une femme moderne qui demandait à son mari la même chose que certains maris demandaient à leur femme : bien recevoir, s'habiller avec élégance, et dire ce qu'il fallait dire pour gagner à tout prix dans le jeu social. Mais, en plus d'appartenir à son époque (qui initiait la symétrie des rôles et l'égalité),

George était un intellectuel hors norme qui se moquait du jeu social et trouvait ces nababs de la radio aussi ridicules que leurs slogans. Comment auraient-ils pu se mettre d'accord ? pense Elsa Platte. Elle aime cette scène, d'abord dispute puis réconciliation. Depuis qu'elle avait découvert le film, elle aimait que le plus intelligent cédât, par amour, avec tendresse. Car George allait être merveilleux, un mari de rêve.

George Phipps défendait calmement son point de vue. Il n'y a aucun mal à cela, dit-il (il était question du smoking). Mais nous vivons dans cette maison de la manière qui nous plaît, nos enfants sont présentables, notre cuisinière aussi, d'ordinaire nous recevons nos amis simplement… alors je me dis : ce soir c'est un dîner prétentieux, et ça ne me plaît pas. Oui, dit Rita, tout cela est vrai. Et elle concéda : Je souhaite faire impression devant mes patrons. Puis elle plaida sa cause : Est-ce que c'est grave ? Est-ce que c'est mal ? J'ai travaillé sans relâche toute la journée, je vais encore travailler cette nuit. A cette idée (sans doute) elle s'emporta : Alors quoi ? Tu sais quoi ? dit Rita excédée. Tu peux te déguiser en chimpanzé je m'en fiche ! Et disant cela elle se jeta sur le canapé. Mais pas pour longtemps ! Car en un éclair elle se releva et se mit à taper les coussins pour leur donner une forme parfaite (en une frénésie d'ordre et de propreté). Mais enfin c'est ridicule, pourquoi faudrait-il que ces canapés aient l'air neuf ! Est-ce que nous ne vivons pas dans ce salon ? s'exclama

George en même temps qu'il pouffait de gaieté. Alors Rita se mit à pleurer (à vrai dire c'était la seule issue). C'en était trop pour elle. Elle craque ! murmure Max, dans son langage familier. Et en effet Rita Phipps ne tenait plus son cap. Elle était énervée par les tracasseries que lui faisaient son mari et sa cuisinière, oui, ils la contrariaient, se moquaient de sa façon de faire, et elle n'avait rien à leur répondre car ils n'avaient pas tort. Oui, devant sa patronne elle se comportait comme une petite fille. Mais ne pouvaient-ils pas lui pardonner de vouloir servir un peu sa carrière ? Comme elle était fatiguée ! Conjuguer la famille, la maison, et le travail, et la vie sociale, et devoir en plus se justifier de la manière dont on configurait les choses, et se faire reprocher son perfectionnisme ! Elle mit son visage dans ses mains et sanglota. Elsa Platte a les larmes aux yeux. Elle connaît si bien cette situation. Elle *est* Rita Phipps qui veut recevoir ses invités et qui se trouve moquée par son mari. Mais il n'y a pas que cela.

C'est aussi par avance qu'elle a les larmes aux yeux. Pas le moins du monde à cause des sanglots de Rita, non, mais parce que la réaction de George Phipps l'émerveille. Quel homme délicieux ! pense-t-elle, à la fois intelligent, exigeant, simple, et tendre, sans orgueil mal placé. Tout cela voué à une même femme ! Elsa regarde Rita et pense : connaît-elle sa chance ? (Non, elle ne la connaît pas, et il y a bien toujours pour chacun une part de son bonheur qu'il ignore.) Aime-t-elle George pour ces qualités-là ou bien même pas ? Elsa Platte sait que les raisons de l'amour sont parfois stupides, superficielles, liées à des images et des manques dont la clairvoyance ne nous est pas donnée, et qu'il nous faudra chercher parfois. Voilà qu'un film lui donnait à contempler ce qu'elle-même n'avait pas eu. George Phipps, pense Elsa Platte, était une merveille de mari. Sa femme pleurait, il venait de lui dire ce qu'il pensait de cette soirée prétentieuse pour laquelle elle se mettait en quatre de façon ridicule. Et maintenant qu'elle pleurait, qu'à cela ne tienne, il oubliait ses reproches ! Il ne voulait pas la voir malheureuse, rien de tout cela n'était grave ou même important. N'étaient cruciaux que la tendresse et l'amour qu'ils partageaient. Cohérence et droiture étaient deux qualités de George Phipps, car il agissait bel et bien de manière à préserver cela, le lien, envers et contre toutes les menaces de la modernité : la bêtise, l'argent, la compromission du monde, la vulgarité, la légèreté. Alors il se mit à rire et prit sa femme dans ses bras. Qui avait tort ou raison n'avait plus aucune importance. L'amour en lui effaçait le débat d'idées. Il terminait là leur dispute. Pas question qu'elle pleurât ! Allons, ma chérie ! disait-il. Repose-toi ! Rita n'avait pas retiré ses mains de son visage et continuait de pleurer doucement. Il la câlina avec des mots : Tu vas te faire belle ? Et te coiffer ? Et moi, dit-il, je vais m'occuper de mettre les enfants au lit et d'acheter du scotch. Ne pleure plus, tu seras toute froissée. Il lui donna un baiser rapide sur la bouche. Elsa Platte reste en extase : il avait cédé sur tous les points. Il exaucerait chaque demande de sa femme. Il avait souri. Il était entré dans le monde futile de la féminité, avait accepté que ce pût être un plaisir de se coiffer, et envisagé qu'une femme se faisait belle comme une fleur, et qu'un époux pouvait la choyer. Cet homme était un ange. Elsa Platte voudrait le même mari ! Le même ! Elle voudrait qu'Alexandre ait pour elle cette tendresse, une pareille indulgence aimante, et une immédiate compassion devant ses larmes. Quel était ce phénomène ? Non pas une identification mais une rêverie. Elle jalouse un personnage de fiction !

Elsa Platte, oubliant même qu'à cet instant elle n'a même pas Alexandre sous la main, éprouve l'enfantin désir d'un mari qui diffère de ce qu'il est. Mais on ne change pas les autres, non ? C'était du moins ce qu'elle se disait le plus souvent, faisant partie de ceux qui cèdent, qui font preuve de souplesse, s'effacent et s'adaptent, pliés mais apaisés par leur pliure qui éteint les conflits. Elle aurait voulu un époux qui la dorlotât. La belle affaire ! Elle ne connaissait rien de cette protection virile et tendre. Pire encore, ce soir elle pleure et elle est seule. Maman, tu pleures ! s'exclame Max, et c'est un reproche car le film n'est pas triste. Elsa en veut à son mari de causer ses larmes inexplicables : première grande rancœur. Un mari qui disparaît comme ça, pense-t-elle, qu'est-ce que c'est ? Et s'il ne revient pas ? S'il ne revient pas, qu'aura-t-il été ? Est-ce l'avenir de cette façon qui délivre la vérité du passé ?

Et qu'avait-il été en effet ? Soudain, dans le brasier qu'attise l'absence, la question affleure comme si de rien n'était : simple, innocente, terrible. Et la réponse s'élève en elle comme un rugissement. Il avait été un époux difficile à vivre, impossible à manier, égoïste à aimer. Difficile ! Inutile de mâcher ses mots : elle était mariée à un emmerdeur. Un de ces hommes qui n'en font qu'à leur tête, vous mettent devant les faits accomplis et, lorsque vous vous permettez de déplorer, d'implorer, d'émettre une réserve ou un reproche, aussitôt, inversant les rôles, oublient résolument ce qu'ils ont fait et s'emportent contre le reproche et la femme qui ose se plaindre. Processus fréquent des relations conjugales, disaient les femmes. Est-ce que tous les hommes ne sont pas comme ça ? C'est très masculin, non ?

Eh bien, pas George Phipps ! pense Elsa. Il la fait rêver. Et dire que la scène n'était pas encore finie ! La pauvre Rita n'était pas au bout de ses peines, ni au bout de sa faute ce soir-là. Ce soir-là, elle aurait tout faux comme on dit, quand on joue à faire de la vie un examen noté (alors qu'elle est bien pire que cela). Rita Phipps aurait de quoi se repentir une journée entière, à se ronger à cause d'une lettre, imaginant que cette soirée fatale a détruit son mariage.

Le sort s'acharnait sur Rita. Car au moment où George s'éloignait de son épouse consolée, au moment même où il s'apprêtait à tenir ses promesses, acheter du scotch pour les invités et coucher les enfants pour laisser respirer leur mère, la sonnette de la porte d'entrée retentissait. Rita s'affolait, faisant volte-face, ne songeant plus à se préparer, appelant Sadie : était-ce déjà ses invités qui arrivaient ? Et elle était encore en robe de chambre !

Ce n'étaient pas ses invités, ils étaient encore chez eux, bien trop conventionnels (mais cela on l'ignorait encore) pour arriver en avance ou en retard d'une quelconque façon. Lorsque Rita fut partie se cacher et que Sadie, toujours en colère contre sa maîtresse, ouvrit la porte d'entrée, ce fut le facteur qui lui tendit un paquet. Familier de la maison (ce qui disait que l'on était en province), sympathique, il fit son compliment sur la délicieuse odeur qui régnait dans la maison. Le colis était adressé à Monsieur George Phipps. La délicieuse odeur était destinée aux invités. Maintenant Rita Phipps, qui avait tant pensé à eux, tenait le paquet avec perplexité : un paquet ? Un paquet pour George. Pourquoi ? Pourquoi ? Elle avait la réponse sur le bout de la langue, cela se susurrait en forme de désastre à la porte de sa conscience. Mais oui, voyons ! c'était aujourd'hui l'anniversaire de George. Le voilà qui se tenait à côté de son épouse (il était descendu pour sortir acheter le scotch). Tiens, c'est pour toi, lui dit-elle, l'air déconfit. Pour moi ? Il faisait mine d'être étonné. Le spectateur n'avait pas la certitude qu'il y avait là quelque duplicité ou délicatesse, peut-être George avait-il réellement oublié son anniversaire. En tout cas il faisait comme si.

L'heureux destinataire l'ouvrit avec curiosité et empressement, puis à la vue de ce qui était un disque, laissa un franc sourire dire sa joie et sa surprise. Le petit mot, délicat et cultivé (une référence à Shakespeare et à la musique), qui accompagnait cet envoi, était écrit de la main même d'Addie Ross (pas encore traîtresse à cette séquence du film, rappelons-le) et nous apprenait que ce jour était l'anniversaire de George. Tout entière dédiée à son dîner, et cela sans doute depuis plusieurs jours, Rita Phipps l'avait tout simplement oublié. La consternation composait maintenant son visage. Oh George ! s'écria-t-elle, j'ai oublié ton anniversaire ! Il lui assura que ça n'était pas grave, il semblait sincère, mais elle n'en croyait pas un mot, il aimait que la famille fît la fête, et elle avait tout raté. Ne te fais pas de souci pour ça, je me moque des anniversaires, disait-il. C'est faux, tu y tiens beaucoup au contraire, dit Rita. Mais aujourd'hui tu as eu une longue journée, dit George. Ce n'est pas une excuse, dit Rita. Il n'y aurait aucune fête, elle s'en voulait affreusement, son visage ne parvenait plus du tout à sourire, lugubre malgré sa clarté et sa beauté, il s'en allait dans d'inexpiables regrets, une préoccupation apparente. George n'était plus attentif comme il l'avait été l'instant d'avant, il était comme captivé par ce cadeau si finement choisi. La perfection d'Addie Ross s'amplifiait de son absence. Quelle mémoire a cette femme ! souffla-t-il. George Phipps parlait tout seul, à côté de son épouse désespérée, à qui il n'accordait à ce moment aucune sollicitude, inconscient des regrets qu'elle couvait, semblable à un jeune enfant avec son jouet. Le concerto en *si* bémol majeur de Brahms. Un enregistrement viennois d'avant la guerre ! Comment Addie a-t-elle trouvé ça ? murmura George. Ça n'était pas une question qu'il posait à sa femme, non, c'était une pensée intérieure exprimée à voix haute. Il s'exclamait : Quelle mémoire ! et se tournant cette fois vers Rita il lui donnait la clef de son admiration : Nous avions parlé de ce disque il y a plus d'un an. Je vais le faire écouter tout de suite aux jumeaux ! dit-il en s'élançant dans l'escalier, laissant Rita à son repentir. Pourrait-elle racheter son oubli en mettant des bougies ce soir sur un gâteau ? Même pas. Car Sadie n'avait pas fait de gâteau mais un clafoutis, comme le lui avait demandé sa patronne. As-tu par chance fait un gâteau ? demanda Rita. Mais Sadie secouait la tête et, dans la musique que le cinéaste avait choisie pour souligner le doute de Rita, celle-là même qui se faisait entendre dans l'île par-dessus la rumeur joueuse des enfants, Rita était assise, affligée, sur la première marche de l'escalier.

Il y a bien longtemps qu'Elsa ne se donne plus autant de mal pour choisir des cadeaux à Alexandre. Cette scène entre George et Rita le lui fait remarquer. Au début de leur amour elle lui faisait souvent des présents minuscules et originaux qui disaient toute l'attention qu'elle lui portait. Y a-t-il une seule chose que le temps n'use pas ? Elle pense que si une femme offrait à Alexandre un cadeau aussi intime et bien choisi que celui d'Addie Ross, elle-même en serait affreusement gênée, jalouse et malheureuse. Pauvre Rita ! Elle était assise sur la première marche de son escalier et contemplait, catastrophée, la carte écrite par Addie Ross.

27 – Une catastrophe

La grande musique, rien de moins, et dans un enregistrement rare s'il vous plaît, tel était le cadeau d'Addie Ross à son ami George. Le petit mot, laconique et subtil, délicatement calligraphié sur un carton aux initiales AR, était dans les mains de Rita comme un objet brûlant. *Si la musique nourrit l'amour, jouez… Addie,* lut Rita. Quelque chose de sulfureux et de sibyllin voletait à ses oreilles et faisait frémir son cœur d'épouse. George était-il une proie ? Fallait-il tenir Addie pour une rivale ? Oui bien sûr, si cela n'avait tenu qu'à elle, Addie Ross aurait jeté tous les hommes à ses pieds. Elle les voulait tous, Brad, sGeorge, Porter et dieu savait qui. Une rivale ? La réponse à cette question, pense Elsa Platte, n'était pas donnée par la rivale, mais bien par l'homme que l'on avait en face de soi. C'est pourquoi Rita Phipps ne se croyait pas menacée : elle se sentait aimée par un homme loyal. Addie Ross une rivale, oui, mais pas sérieuse, et qui n'avait aucune chance. George Phipps ? Comme tous les autres à mes pieds, aurait peut-être ri Addie Ross. Mais Rita sa femme avait confiance en lui, réprimait l'expression d'une quelconque crainte, défiance ou jalousie, ne s'appesantissait pas sur la missive et le cadeau.

Maintenant aux prises avec ses invités de marque, Rita avait oublié la délicatesse dangereuse d'Addie. C'est bien ainsi que la vie nous détourne de nos pensées. Rita Phipps ne pensait qu'au bon déroulement de ce dîner, et à son projet encore secret de faire travailler George pour la radio, moyennant une rétribution qui mettrait la famille plus à l'aise et que jamais il n'obtiendrait dans une carrière de professeur. Elle briguait pour lui cette place sans même penser aux idéaux que défendait George, à sa passion pour son métier et à ce qu'il pensait de ces crétineries radiophoniques. George Phipps avait ce soir une mission qui lui échappait : plaire à qui lui déplaisait, faire forte impression sans brusquer ce envers quoi il n'éprouvait que mépris et colère. Promets-moi de ne pas plaisanter au sujet de la radio, avait demandé Rita, ils n'ont aucun humour. Ils ont raison, avait rétorqué George à sa femme, la radio devient un vrai problème, exactement comme la délinquance juvénile. Comment Rita Phipps avait-elle cru possible d'organiser ce dîner ? Ne connaissait-elle pas l'intégrité de son mari ? pense Elsa. Jamais George ne tiendrait sa langue. Rita s'était mise en quatre pour organiser une catastrophe.

Rita Phipps portait une robe blanche scintillante, comme si elle était une de ces demoiselles d'honneur adultes que l'on ne voit qu'en Amérique, ou bien une princesse dans un conte de fées. Son dîner était pourtant loin d'être une féerie. Les deux rois de la radio étaient assis sur le canapé (celui-là même qui devait rester comme neuf l'instant d'avant) : un minuscule mari freluquet qui tremblait devant une douairière à chignon et lunettes. Elle était péremptoire et idiote, il était couard et stupide ; sans doute s'étaient-ils bien alliés dans cette passion moderne pour la réclame et ses nouveaux miracles. Ils y nouaient une foi qui les réunissait. La radio était à leurs yeux plus importante que n'importe quel dîner, que la politesse ou la plus élémentaire courtoisie, que les autres et la rencontre qu'on en peut faire, que la conversation, la gastronomie et la cuisine de Rita, la musique de Mozart ou la grande culture. La radio était leur divinité. Ils en vantaient les mérites et ne manquaient aucune des émissions qu'ils produisaient.

Pour faire face à ce couple physiquement dépareillé mais rassemblé dans sa bêtise, Rita Phipps avait invité Lora Mae et Porter. Porter Hollinsgway était potentiellement un gros annonceur pour la radio, c'était à ce titre qu'il avait été invité. Ainsi George, qui était la véritable proie de cette soirée, l'était-il à son insu : il croyait que Porter était celui qu'on voulait attraper. Porter buvait et rudoyait Lora Mae, souriante et belle, grande Junon aux cheveux de jais qui, à sa place d'épouse, avait trouvé dans l'humour sa plus belle échappée. Elle était admirable, pense Elsa. C'est à Lora Mae que va sa préférence. Rita était moins émouvante parce qu'elle avait trop de chance. Le bonheur la simplifiait. A Lora Mae, il manquait des enfants, une famille, un écheveau de chairs et de voix qui la fît sortir du face-à-face avec Porter. Le film ne laissait aucune place aux enfants, le scénariste ne se dispersait pas. Il donnait à observer trois face-à-face. L'esprit du doute et de la suspicion en enveloppait la présentation. Il y avait une question à élucider : lequel des trois couples avait pris fin ? Le regard du cinéaste dirigeait celui du spectateur sur le lien conjugal. Le sujet était circonscrit. Chaînes conjugales. Pas chaînes familiales. Celles-là étaient autres. Celles-là pesaient du poids que l'on voulait bien accorder à l'essaim des enfants. L'essaim des enfants avait un effet salvateur (autant que séparateur) sur le lien conjugal. Sans progéniture, les couples étaient guettés par une sorte de confinement marital qui avait quelque chose d'atroce et de dangereux. Au milieu de ses quatre enfants, Elsa Platte préférait l'idée de famille à celle de couple. Peut-être mécontentait-elle ainsi son mari. L'idée lui en vint à l'esprit. Elle plaignait Lora Mae, si seule face à son mari, dans le lien étroit du mariage, lien changeant, fragile, menacé par son étroitesse même. Porter avait sa femme pour lui tout seul. Mari et femme jouaient à deux dans une cage affective. Ils étaient comme chien et chat, ils se contredisaient, se brusquaient, se commandaient, s'intimant l'un l'autre de se taire, car ils n'y connaissaient rien, car ils affirmaient des bêtises… Les Hollingsway, à première vue, tels que les présentait pour l'instant Joseph Mankiewicz, n'étaient pas une publicité pour le mariage. Leur lien était semblable à une ligne brisée, parsemée de duels, de réprobation, de remontrances. La chorégraphie de ces assauts rapides se soldait par le rire de Lora Mae et le silence bourru de Porter. Et ce soir, chez Rita, dans ce dîner prétentieux plus que convivial, ils étaient les amis qu'elle avait choisi de présenter à ses patrons. Ils ne s'étaient pas assis l'un à côté de l'autre, chacun était dans un grand fauteuil confortable. Lora Mae était majestueuse comme à son habitude (c'était son style de beauté), un port de princesse, un visage parfait, élégante, de noir et blanc vêtue, jupe longue blanche comme le chemisier mais couverte d'une autre jupe noire nouée devant à la taille. Sophistiquée dans la coupe et sobre dans la couleur.

Pour commencer le récit de ce dîner mémorable, le plan du cinéaste était fixe. La caméra s'attardait longuement sur le salon de Rita rempli de ces six personnages : Rita assise sur le bord du canapé, droite et guindée (malgré sa nature authentique) entre ses deux rois de la radio. George debout à côté de l'électrophone. Porter confortablement enfoncé dans son fauteuil et Lora Mae occupée à se peindre les lèvres avec un pinceau. La musique de Brahms (le fameux disque offert par Addie) couvrait le silence du groupe, non pas recueilli dans le bonheur de la musique, mais plutôt tendu dans l'attente qu'elle s'achevât. On devinait que George avait imposé cette audition, et que Rita quant à elle s'était imposé de ne pas protester. Il y avait de l'impatience dans sa pause, elle était prête à se lever du canapé, fumant sa cigarette avec une nervosité perceptible, et elle tapotait du doigt la jupe de sa robe. Il était clair que, ne sachant ce que pensaient les deux rois de la radio, elle craignait qu'ils ne fussent mécontents de ce moment. Ils l'étaient. Le cinéaste n'allait pas tarder à nous faire connaître ces deux personnages grotesques et il serait alors facile de deviner leur pensée minuscule.

Le morceau s'achevait, l'intensité du final semblait contenir l'attente, le silence, et la tension qui régnaient dans le salon. Et quand le silence complet fut revenu, George aussitôt le brisa en disant : Je dis merci à la technologie qui amène chez moi des musiciens de génie. On ne s'émerveille pas assez de ce miracle. Avec autant de vivacité que de sécheresse cassante, la grosse douairière répliqua : Quelle marque de phonographe est-ce ? Aucune marque, dit George, mes étudiants ont bricolé ce phonographe pour moi. Liberté de pensée et impertinence joyeuse sonnaient dans la voix de George, si jeune et heureux face à l'esprit de sérieux. Mais la grosse dame ne désarmait pas. Puratone et Sonobelle sont les meilleures marques, assena Madame Manleigh. Elle avait ses lunettes sur le nez, un buste imposant, un chignon au-dessus d'un de ces visages disgracieux qui semblent pleins de verrues même quand ils n'en ont pas. Le son qu'elle produisait n'était pas meilleur que l'image : elle parlait à la manière d'un adjudant colérique, qui aboierait des ordres. Etait-elle encore une femme ? Et sinon, qu'était-elle ? Une personne dénuée du moindre charme, et mal élevée de surcroît, qui se permettait d'élever la voix dans le salon d'une autre, comme si elle s'adressait à des hommes en faute. Elle aurait pu sembler prête à mordre, dressée non pas dans la peur ou sur la défensive après une agression, mais dans sa bêtise et ses certitudes. A côté d'elle son petit mari, aussi fluet qu'elle était importante, répétait en bon perroquet : Puratone et Sonobelle. Il fit claquer ces mots, non pas dans la jubilation de les inventer mais dans l'énergie de l'endoctrinement. Le nouveau monde des marques et l'apologie de la consommation venaient, dans la maison de Rita, se heurter à celui des idées, à George leur chevalier exigeant, amoureux de la pensée et de l'art.

George était très décontracté. Il était possible qu'il fût un brin provocateur à l'égard de Rita qui ne riait pas du tout. Je trouve le son excellent, disait-il à Porter, qu'en penses-tu ? Porter Hollingsway avait souvent l'air distrait, dans la lune, il ne suivait pas les conversations (de même qu'il ne dansait pas), il avait une façon d'être au-dedans de son monde, circonscrit en lui-même, installé là où il aimait l'être, et placide à regarder s'agiter les autres. Ainsi répondit-il sans répondre. Sur le mien je peux mettre des disques de toutes les tailles, dit-il (ce qui n'avait rien à voir avec la question de George). Nous avons aussi la télévision et la radio chinoises, continua-t-il. Il ne s'adressait pas à George, mais à Madame Manleigh, comme s'il s'était laissé happer par leur esprit de consommation. Moqueuse, Lora Mae vint contredire son mari. La télévision ne capte rien, l'émetteur est trop loin… dit-elle. Le chat et le chien jouaient mais ça n'était pas drôle. A la remarque de Lora Mae qui le faisait passer pour un vantard, Porter répliqua violemment. Nous avons le seul poste en ville, voudrais-tu un émetteur personnel, ma chérie, hurla-t-il à sa femme. Vas-y, crie encore plus fort, hurla à son tour Lora Mae. Le ton était celui d'une véritable dispute conjugale, aussi commença-t-il d'incommoder la maîtresse de maison qui ne cessait de bouger sur son canapé. Voudriez-vous quelque chose à boire, madame Manleigh ? demanda Rita. Prévenante, diligente à faire diversion, elle accentuait son sourire, illuminant sa gêne. Un café ? Un scotch ? Malgré tant de charme et de jeunesse chez son hôtesse, la vilaine Madame Manleigh ne souriait pas, raide et sérieuse, campée dans la certitude de bien faire et de savoir. Je ne bois pas d'alcool, dit-elle, péremptoire, condamnatrice et autoritaire puisqu'elle préempta la réponse de son mari en précisant : Et lui non plus ! L'autorité qui se décrétait là mettait fin à tout échange. Le silence ébahi répliqua à la grosse dame.

Le couple ridicule, son imbécillité tranchante et désagréable, offraient un spectacle divertissant pour peu qu'aucun intérêt n'en dépendît. George Phipps s'amusait. Le scotch qu'il était ressorti acheter pour faire plaisir à sa femme ne régalerait que lui et Porter. Il devait y penser, sa femme s'était trompée, et de cette petite victoire sur Rita, il ne se priva pas. Nous nous imaginions que les gens du show-biz avaient une bonne descente ! dit-il. Rita garda les yeux baissés. Elle avait un sourire gracieux, une fraîcheur vive et exquise qui faisait oublier la façon singulière dont elle faisait la cour à ces deux odieux personnages. Moi je prendrais volontiers un autre verre, dit Porter. Voilà une scène qui était drôle pour les spectateurs et pas pour les personnages. L'ambiance était d'une lourdeur irréductible, la conversation inexistante, l'harmonie impossible. Rita déployait son talent dans l'étirement de son sourire et le froissement imperceptible de sa jupe de gala. Porter, pourquoi ne songerais-tu pas à faire de la publicité à la radio ? lança Rita. Se tournant vers sa patronne, elle précisa que Monsieur Hollingsway possédait une chaîne de sept magasins. Il fallait reconnaître cela à Madame Manleigh, c'était une professionnelle : elle n'ignorait rien de ce qui concernait les affaires de ce monsieur assis en face d'elle et susceptible de devenir son client. Tête haute, sûre d'elle-même, elle donna la liste des derniers taux de croissance du chiffre d'affaires de Porter. Il était fier et humble dans le même temps, toujours timide, ne se départant pas d'un air un peu rustre dont le côté positif était une simplicité bon enfant. La grosse dame le flattait. Je me défends, dit-il avec modestie. Madame Manleigh prenait la question très au sérieux.

Vous êtes une grosse structure, disait-elle à Porter. Le compliment faisait rire Lora Mae. Aux femmes, on demandait encore d'assister, en la glorifiant, à la réussite personnelle de leurs époux dans un métier à qui ils donnaient le plus fort de leur vie. Elsa Platte n'est pas sûre que les choses aient tellement changé : les épouses actives de sa génération ne s'en effaçaient pas moins devant les maris. Comme si ceux-là, privés du miracle de l'enfantement, avaient besoin – sans remède possible – de faire les paons : déployer les vaines plumes de leur queue. Quelle sorte d'esprit ou de tempérament fallait-il avoir à cette époque pour être femme, s'extasier de la réussite de son mari et n'avoir le droit de rien entreprendre ? Lora Mae avait travaillé dans le magasin de Porter, mais c'était un temps révolu, elle était désormais son épouse à la maison. Une épouse qui jouissait du confort assuré par la richesse de Porter, qui se faisait rabrouer et qui, à ce moment, moqueuse, demandait de l'aspirine au maître de maison. C'était bel et bien une soirée à nécessiter de l'aspirine. Sadie elle-même, empêtrée dans le paravent, la coiffe en bataille, déguisée en soubrette comme elle ne l'avait jamais été, aurait pu aussi réclamer un comprimé si elle n'avait dû appeler pour le dîner et servir. Vous pourriez devenir un géant de la distribution, susurrait Madame Manleigh. Je couvre trois Etats, disait Porter. Et les quarante-sept autres ? suggérait Rita pour aller dans le sens qui seyait à sa patronne. Madame Manleigh vendit fort bien son métier ; la réclame à la radio ferait entrer le nom de Hollingsway dans les millions de foyers des trois Etats voisins pour commencer. Il ferait mieux déjà de s'occuper de son propre foyer, souffla Lora Mae. Sadie en avait fini de déplacer le paravent qui avait servi à cacher la table. Dans son agacement, elle oublia la formule élégante que Rita avait voulu lui apprendre et dit : La soupe est prête. Rita eut un joli sourire, prit le bras de sa vilaine patronne, et les six invités se rendirent à table en cortège.

Elsa pense qu'il y a une chose à apprendre vite pour ne pas gâcher son mariage. C'est que les époux ne sont pas scotchés l'un à l'autre. Ils peuvent dîner séparément. Ils peuvent faire des rencontres sans en imposer la présence à l'autre, et sans forcément mettre à table tout ce monde étranger. C'est un secret de fabrication.

Le dîner fut aussi inexistant qu'extravagant. A peine les convives étaient-ils assis que l'imposante reine des ondes quitta la table avec précipitation. Avec pertinence et habileté, George venait d'amorcer une conversation à propos de Sadie qui écoutait jour et nuit la radio. Le fait avait de quoi intéresser vivement Madame Manleigh. Mais la demi-heure sonna à l'horloge et aussitôt, sans demander aucune permission, sans s'excuser, la grosse dame courut allumer le poste afin de ne pas manquer une de ses émissions. *Les Confessions de Brenda Brown.* Madame Manleigh s'était transformée en torpille : en une seconde elle avait cassé le disque de George, sonné l'interruption du

repas (Porter restait seul à table à manger sa soupe),
et imposé le silence. Chut ! répercuta George plein
de colère à Rita dont le visage exprimait à la fois
l'embarras et la désolation. La vie n'était jamais
exaltante de la façon qu'on attendait.

Il faut quand même savoir qui l'on invite à dîner !
dit Max. Chut ! fit Noémie en rigolant.

Le cinéaste laissa avancer cette réunion singulière pour se concentrer sur l'issue et la crise conjugale qu'elle allait déclencher. Deux heures s'étaient
donc écoulées depuis que Madame Manleigh avait
eu l'impolitesse d'allumer la radio, et Joseph Mankiewicz revenait filmer le salon où étaient rassemblés
ceux que la grosse dame avait transformés en auditeurs. Rita était assise sur le canapé, sa robe de
princesse étalée autour d'elle, toujours souriante,
un brin épuisée, et dépitée par ce tour inattendu
qu'avait pris son dîner : ils avaient été à table dans
les interstices de temps que laissaient les émissions
de Madame Manleigh. Sadie avait veillé comme
une fée à la cuisson de son canard, la gastronomie
avait ainsi moins souffert que la conversation. Con-
verser est un art qui réclame la liberté et l'impulsion
d'un silence initial. Et mettre le monde de côté est
une politesse préalable que Madame Manleigh, dans
sa passion, n'avait pas eue. Lora Mae somnolait donc
dans son fauteuil, George et Porter jouaient aux
cartes. Le feuilleton s'achevait. *La suite la semaine
prochaine. Cet épisode vous a été proposé par…*

Suivait le nom d'un quelconque annonceur. C'est fini ? demanda Lora Mae avec courtoisie. Oui, dit Manleigh, maintenant il n'y a plus rien, que de la musique. Que de la musique ! On entendait l'ironie du scénariste dans cette seule réplique. Les rois de la radio écoutaient les slogans publicitaires les plus crétins avec religiosité, mais la musique, pour eux, n'était rien. Cela fait déjà deux heures que nous écoutons ! s'exclama Rita. C'est fou ! George s'était levé et, commandé par les injonctions de Rita, tenait son rôle de maître de maison. Voulez-vous une autre tasse de café ? demandait-il poliment. Mais, après l'avoir alourdie et émiettée, Madame Manleigh avait décidé que la soirée était terminée. Le fameux couple rentrait à la maison ! La douairière se leva. Il est temps de rentrer, dit-elle. Merci, ma chère, pour cette belle soirée. Rita était un peu décontenancée tout de même. Après le mal qu'elle s'était donné, elle ne voyait pas bien où était la belle soirée. Mais rien ne perturbait l'assurance vulgaire de Madame Manleigh qui, en matière d'ambition commerciale, n'avait ni gêne ni retenue et décida de harponner Porter Hollingsway. Monsieur Hollingsway, voudriez-vous déjeuner un de ces jours ? demanda-t-elle. Je suis très occupé, bougonna Porter. Voyons, plaisanta Lora Mae, cette dame va faire de toi un géant, détends-toi et cours déjeuner avec elle ! Nous trouverons une date à votre convenance, dit Madame Manleigh. Chacun était affairé à recupérer ses affaires. Rita s'occupait exclusivement de sa patronne. Ne manquez jamais ces épisodes (elle voulait parler des *Confessions de Brenda Brown*), ce sont des leçons d'écriture, ils sont parfaits, lui conseilla la grosse dame. Oui, très bien écrits en effet, confirma Rita. A la perfection, répéta Madame Manleigh. Elle était convaincue, si convaincue qu'elle en avait oublié de parler à George du travail de rédacteur qu'il aimerait peut-être faire à la radio. Mais Rita avait de la suite dans les idées et rappela à sa patronne ce petit projet pour lequel ils avaient dîné ensemble ce soir.

A la suggestion qu'à l'oreille lui fit Rita, Madame Manleigh se tourna vers George. Il était devant la porte d'entrée, avec ses amis, il n'écoutait pas ce que racontait cette vieille bique à sa femme. Qu'en pensez-vous, monsieur Phipps ? demanda la vieille bique à George qui souriait et ignorait de quoi il retournait. Voyons si vous êtes un expert, dit Madame Manleigh, avez-vous aimé ces programmes ? Ou l'un d'entre eux ? Ils se ressemblent tous, dit George Phipps. Rita m'a dit que vous vous y connaissiez en littérature, dit Madame Manleigh. Oui ! renchérit Rita, il enseigne à l'université. Qu'avez-vous pensé ? demanda à nouveau Madame Manleigh. Ne me posez pas cette question, madame Manleigh, demanda George avec autant de clarté que de fermeté, je n'ai pas envie de répondre.

C'est Alceste et Oronte, dit Elsa à Noémie qui avait étudié Molière au lycée. Maman ! dit Noémie agacée.

George Phipps se connaissait lui-même, son exigence et sa sincérité, et son agacement à ce moment de la soirée, et sa patience qui avait des limites. Rita quant à elle était peut-être aveuglée par son désir (George à la radio et un gros salaire à la maison), aussi insista-t-elle pour que George parlât (c'est-à-dire s'emportât dans des paroles irréparables). Elle dit : George, ton avis nous intéresse ! Elle le disait comme si cet avis n'allait pas être sans concession. Et George s'amusa de sa femme si peu clairvoyante : En es-tu sûre ? Elle comprit en une fraction de seconde, approchée de lui et de sa fureur. Cela dépend de ce qu'il est…, murmura-t-elle avec un désespoir craintif. Mais une mécanique s'était enclenchée. Madame Manleigh attendait sa réponse, elle l'obtint. Ce sont des idioties, certainement pas de la littérature, laissa tomber George Phipps. Ce n'était qu'un début mais qui déjà fit son effet.

Elsa Platte ne s'y était pas trompée. C'était la scène du sonnet transposée du *Misanthrope* dans un salon américain. C'était Molière, maître du style, se moquant des pédants qui se piquent d'écrire et ont la fièvre de se faire imprimer. Mon sonnet est-il bon ? Trouvez-vous que mes vers sont excellents ? Exécrables, monsieur ! Comment, monsieur ! Et devant la porte d'entrée de la maison de Rita, ce morceau de sincérité dangereuse devenait dans la bouche de George : ce sont des idioties, certainement pas de la littérature. Et Madame Manleigh ne réagissait pas différemment d'Oronte dans le salon de Célimène, à ceci près qu'elle défendait un autre auteur qu'elle-même. Elle répliqua vivement. Savez-vous que *Linda Gray* a été écrit par Myrtle Tippit ? dit-elle comme si c'était là – et elle le croyait – une référence en littérature. Par qui ? demanda George qui commençait à s'amuser, jubilant de se laisser aller. Myrtle Tippit ! Si vous ne savez pas qui est Myrtle Tippit ! s'exclama Madame Manleigh. Il ne le savait pas et il en était fier, il en était fier parce qu'il connaissait surtout Keats, Shelley, Marlowe et Shakespeare. Trop scolaire ! souffla le freluquet de mari. Les émissions de radio sont populaires, expliqua Madame Manleigh, ce qui tout à coup lui rendait une crédibilité. Les objectifs ne sont pas les mêmes, souffla Rita. Que Dieu aide le peuple ! répliqua George Phipps. Il n'était pas élitiste mais voulait au contraire partager l'art, l'intelligence et la beauté, au lieu de les réserver aux plus chanceux et de gaver le peuple avec des bêtises. De surcroît, il éprouvait la haine de la réclame dont il voyait bien qu'elle était la priorité manipulatrice, la raison d'être de la radio, et son financement d'ailleurs, bien plus encore que ces mauvaises pages de feuilleton. A quoi servent les émissions ? demanda-t-il en réponse au propos de sa femme. Il donna lui-même la réponse, galopant sur sa foi, à l'assaut de l'imbécillité dangereuse : Les émissions servent à faire croire aux gens qu'un déodorant suffira à les rendre séduisants et un laxatif plus romantiques, que le bonheur dépend de ce que l'on achète et qu'en écoutant la radio ils réussiront leur vie ! Du calme, George ! dit Porter. Laisse-le dire, dit Lora Mae, il vaut mieux que toutes ces crétineries. Et George galopait de plus belle, singeant le propos de la radio : Ne pensez pas trop, vous serez plus heureux ! Vous êtes ignares ? Restez-le, ça n'a aucune importance. Jouez à notre jeu. Vous allez gagner un million de dollars ! L'ironie cinglait, le mépris imposait sa tessiture fondamentale. C'était un réquisitoire implacable. George avait trouvé une verve et un débit torrentiels. Assez ! s'écria Rita. Et Porter, qui voulait s'en aller, dit avec un petit air timoré : J'ai mis mon manteau, je vais attraper un chaud et froid. La grosse douairière n'était pas frappée le moins du monde. Elle continuait de dispenser ses conseils. Surtout ne l'écoutez pas, recommandait-elle à Rita, ne le laissez pas vous rendre malade ! Les répliques s'échangeaient très vite. George se permit de corriger le langage de Madame Manleigh. Lora Mae en fit autant avec Porter. C'était la catastrophe. Il ne saurait plus être question de notre petit projet ! dit Madame Manleigh à Rita. Dans cette déconfiture, la pauvre Rita aurait préféré que rien n'en fût évoqué devant George. Qu'allait-il deviner maintenant ?

Enfin ils s'en étaient allés. La porte s'était refermée sur Lora Mae. Bonne nuit, les enfants, avait-elle dit, chaleureuse (et peut-être par ces mots espérant apaiser et adoucir le couple). Après les éclats de voix, la maison était silencieuse. On aurait dit tout à coup qu'une prison enfermait Rita et George pour la nuit. Un mari et une femme étaient enclos dans leur mariage. Aussitôt en tête à tête, George s'empara de l'épineux mystère laissé par Madame Manleigh. Quel était ce "petit projet" ? demanda-t-il à sa femme. Il avait donc entendu ! Ses bras étaient croisés sur sa poitrine, son buste en arrière, son corps campé sur ses deux jambes, raidi dans l'attente d'un éclaircissement, avec ce compte à régler, plus rugissant que tressaillant bien qu'il sût se contenir. Rita se mordit les lèvres. Elle ne daigna pas entrer dans la longue réponse que réclamait forcément cette question si elle voulait ne pas être rabrouée (ce qu'elle espérait encore) et elle entreprit avec ostentation de ranger les reliefs de cette singulière soirée. Laisse tout ça, dit George Phipps à son épouse, je vais ranger, va plutôt travailler. Ça ira très bien, dit Rita en continuant ce qu'elle faisait qu'on ne distinguait pas (mettre des choses sur un plateau). A ce moment, en ramassant tout ce qui n'était pas à sa place, elle trouva les deux morceaux du disque cassé par Madame Manleigh. C'était cet enregistrement rare de Brahms, et c'était aussi le cadeau d'Addie. Oubliant sa déception d'hôtesse et sa crainte d'être questionnée, elle en fut peinée pour son mari. Je sais combien tu l'aimais, dit Rita. N'en parlons plus, dit George, on ne peut plus rien y faire. Quelque chose de doux passa entre eux, et dans cet éclair de complicité Rita oublia le lourd venin de cette mauvaise soirée, elle s'enhardit à dire son regret. Oh George ! déplora-t-elle. Pourquoi n'es-tu pas resté silencieux ? Elle ne se rappelait pas qu'elle avait insisté pour connaître son avis quand il se refusait, si sagement, à le donner. Mais lui-même ne mentionna pas qu'il avait eu cette sagesse de vouloir se taire et dit : C'était au-dessus de mes forces. Puis il ajouta : Elle ne t'en veut de rien, c'est l'essentiel non ? George Phipps méprisait la radio et ses gens, les feuilletons et leurs auteurs, mais il ne voulait pas nuire à son épouse. Je ne pensais pas à moi, dit Rita. Elle parlait comme on avance sur la pointe des pieds, sans se faire entendre. A moi alors ? demanda George, qui avait déjà mis de côté l'histoire du "petit projet" et n'avait toujours aucune idée des ambitions de Rita. Que veux-tu que ça me fasse de l'avoir choquée ? Ils ne te pardonneront jamais d'avoir attaqué la radio, dit Rita. Et alors ? demanda encore George. Rien ! dit Rita en s'en allant vers la cuisine. Enfin il comprit qu'il aurait dû plaire. Quel suspense ! dit-il à sa femme avec colère. Je croyais que Porter était la proie… mais en réalité c'était moi ! Il fallait que, sans même savoir que tu l'espérais, je charme Madame Manleigh. Mais pourquoi donc fallait-il tant lui plaire ? demanda George Phipps à Rita. Il existait une réponse simple et prosaïque que Rita fit dans l'exaspération : Un rédacteur s'en va, tu aurais été parfait pour le poste, et c'est très bien payé. Elle dit même la somme. Et l'argent était là, entre eux. Et George devint grave. Car il y avait aussi une façon profonde et sérieuse de poser cette question et d'envisager la réponse.

Mais pourquoi donc fallait-il tant lui plaire ? voulait dire aussi : pourquoi fallait-il renier ses convictions ?

S'écraser devant la médiocrité ? Mettre sa vie en danger ? Et aussi, maintenant que Rita avait des projets : pourquoi fallait-il perdre sa vie à la gagner ? Pourquoi fallait-il entendre sa propre épouse dire des bêtises, renier ce qu'ils partageaient, et pour de l'argent et du confort imaginer son mari dans un rôle que jamais il ne voudrait tenir ? En somme, l'heure était grave.

Assois-toi, je voudrais te parler, dit George. Inquiète, boudeuse, elle était assise sur le canapé, et lui à ses genoux, lui prit les mains et tendrement lui parla. Ecoute-moi, Ri, dit George Phipps. Le ton qu'il avait pris était plein de bienveillance. Mettons de côté mes goûts ou mes convictions. Oublions que je n'ai pas envie de travailler pour ces gens. J'admets que dans ce pays les intellectuels sont mal lotis et peu estimés, continua-t-il. Tu pourrais élever l'esprit des masses, interrompit Rita. C'était bien ainsi qu'elle avait pensé son projet. Avec de la pub ? s'exclama George Phipps. Et il continua : Je suis professeur. Le prolétariat des intellectuels, commenta-t-il. C'est bien pourquoi la plupart changent de métier, dit Rita. C'est vrai, concéda George. Alors pourquoi ne le fais-tu pas ? demanda aussitôt Rita. Parce que je n'ai aucune envie de faire un autre métier, répondit George. Et il n'éluda pas le sens qu'il accordait à sa mission et à sa vie : Si tous les enseignants démissionnaient, qu'arriverait-il aux enfants ? demanda-t-il gentiment à sa femme. Qui leur ouvrirait l'esprit ? Qui leur ferait découvrir les beautés de l'art et du monde ? Qui les préparerait à l'avenir ? Les spots de publicité et les dessins animés ? Et cela dit, il revint à la question de l'argent. Cette passion pour son métier ne mettait pas en danger le confort de la famille. Nous nous sommes débrouillés sans tes cachets, dit-il. Ça n'a pas été facile ! dit Rita maintenant debout devant son mari. Elle ne ménageait pas l'amour-propre de celui-ci tandis que lui prenait garde à elle en disant : Oui, et ton travail a été précieux. Mon orgueil d'homme en a souffert, mais notre vie à tous les deux en a été plus facile. Etaient-ce les attentions qu'il avait pour elle qui donnaient à Rita un sentiment de supériorité, exaltaient en elle une bouffée de puissance ? Elle s'emporta en une seconde dans la colère et l'ironie, épinglant d'une réplique sa jalousie et celle qui en était la cause et la cible. Et ton goût aussi raffiné que celui d'Addie Ross en a-t-il souffert ? demanda Rita en se moquant de son mari.

Que vient faire Addie dans cette conversation ? s'étonna George Phipps. (Et cela devenait la question des maris.) Il était encore calme, semblable à un boxeur qui n'a pas pris assez de coups pour riposter avec toute sa rage. Mais Rita se laissait dériver dans la plainte agressive. J'en ai plus qu'assez de votre raffinement et de tes airs supérieurs, dit-elle à son mari. Ne dis pas de bêtises ! dit George. Il n'y croyait pas encore. C'était une situation conjugale fréquente : l'un des deux souhaite la dispute, tandis que l'autre, très bien disposé, ne voit pas pourquoi elle aurait lieu, ni même qu'elle pourrait bel et bien advenir. Tu as un mépris souverain pour ce que je fais, poursuivait Rita. Tu dis n'importe quoi, dit George à sa femme. Comme d'habitude, dit-elle.

Doucement la scène de ménage s'engageait. Elle aurait lieu si George Phipps perdait lui aussi le contrôle de sa parole. Ce qui n'était pas certain, pense Elsa Platte. Car il était plein de charme et d'humour, écoutant les récriminations et les injustes accusations de son épouse sans se raidir ni se sentir blessé. Il passait du sérieux de ce qu'il croyait ou de ce qu'elle prétendait, au sourire qui veut arrêter le drame. Il ne prenait pas cette discussion autrement qu'avec un pragmatisme conciliant. Tu es fatiguée, dit-il à Rita, tu en fais trop ! C'était vraiment une phrase de mari, et une vérité profonde, pense Elsa Platte en l'écoutant prononcée, dans le film, de la même manière qu'elle avait pu l'entendre dans sa vie de la part d'Alexandre. Tu en fais trop ! Et c'était un reproche plutôt qu'un remerciement, une excuse éventuellement mais toujours connotée par une injonction : fais-en moins et souris ! Rita Phipps ne souriait pas du tout et n'écoutait pas son mari. Veux-tu que j'arrête ce travail qui met du beurre dans nos épinards ? poursuivait-elle. Tu veux que j'astique ta baraque et que je me cultive, c'est ça ? Dis-le ! explosa-t-elle. Je suis gavée de ton Addie Ross et de votre grande culture !

Où veux-tu en venir ? demanda George Phipps à sa femme. Il devait bien entendre que le propos devenait plus méchant, plus coléreux. Elle cita de mémoire le mot d'Addie qui était une phrase de Shakespeare. *Si la musique nourrit l'amour, jouez…*, susurra Rita, avec une mimique ironique. C'était la jalousie qui parlait et la citation le justifiait. George avait si peu à se reprocher qu'il ne fut pas affecté. *Mais donnez-m'en à l'excès et l'amour s'éteindra*, acheva George Phipps. Il était dans son élément et cita ses sources : *La Nuit des rois*, pièce que nous avons jouée à l'école. C'était subtil de la part d'Addie, dit-il. Et plus qu'un souvenir d'école, dit Rita. C'est possible, admit George (et l'on voyait qu'il se moquait complètement des manœuvres séductrices d'Addie Ross), mais avant de parler de cela, je veux te dire quelque chose, dit-il à Rita. Assois-toi ! Oui, professeur, répliqua-t-elle sans s'asseoir. Il appuya ses deux mains sur les épaules de sa femme pour la faire tomber dans le grand fauteuil. Alors il commença son discours.

Il parlait avec fermeté, c'était réellement un discours, il tenait à ce qu'il disait. Il y a sept ans, j'ai fait le plus heureux des mariages qu'un homme puisse faire. Ma femme était intelligente, indépendante et douce. Nous partagions les mêmes goûts. J'étais fier de toi, dit-il.

A ce moment l'émotion d'Elsa Platte gagnait toujours en intensité. Les larmes emplissaient ses yeux. Elle aurait aimé qu'un homme lui parlât de cette façon. Ce spectacle de l'amour la bouleversait.

Mais depuis que tu t'es entichée de ces deux imbéciles, tu as changé et c'est insupportable. Je n'ai pas aimé te voir ramper devant cette Madame Manleigh et je n'aime pas plus ça aujourd'hui. Je n'ai aucune envie d'être marié à une auteur de romans-feuilletons idiots. Je veux ma femme ! cria-t-il. Qu'on me rende ma femme ! Et à ces mots George Phipps quitta sa maison en claquant la porte.

Rita resta seule, étonnée, perplexe dans le grand fauteuil. Il n'y avait plus à parler, à attaquer. Il y avait à rester dans le silence, devant l'absence, comme une malheureuse, avec une boule de détresse en forme de questions (reviendra-t-il ? Et s'il ne revenait pas ?). Joseph Mankiewicz allait finir son flash-back sur ce doute, il faisait à nouveau entendre la musique qui avait accompagné le commencement des rêveries noires de Rita au bord du lac. Est-ce George qui est parti avec Addie Ross ? Va-t-il revenir ? Même musique. Même nœud que fait autour de votre cou la liberté de l'autre. Pourquoi a-t-il mis son costume bleu ? La dispute ou la séparation rendaient si flagrant le mystère de l'autre, son opacité et les mensonges qu'elle protège. Et le monde du dehors se tenait immobile autour des cœurs séparés. Sous le soleil, le lac frémissait dans une robe de reflets.

Et de deux ! dit Max. Il voulait dire que Rita, après Deborah, rejoignait le clan des épouses navrées qui attendent leur mari. Ont-elles été trop loin ? L'inquiétude les tenaille. Elles s'angoissent pour rien, dit Max. Brad ou George, je ne vois aucun des deux partir avec Addie Ross, dit-il. Qui sait ? fait remarquer Noémie. Elle fait remarquer que le spectateur ne connaissait Addie Ross qu'à travers le fantasme qu'inspirait sa beauté. Mais quel était son désir ? Sur quel mari avait-elle jeté son dévolu ? Et quelle était sa détermination ? Nous ignorons tout. Avec qui s'enfuit un mari ? dit Noémie. Ça n'est pas sans compter. Tu ne dis rien, maman ? Non, je réfléchissais à ce que tu disais. Elsa Platte pousse un long soupir. Je suis fatiguée, dit-elle. En fait, ce film m'épuise. Pourtant tu le regardes tout le temps ! dit son fils. Oui, parce qu'il me bouleverse, et c'est cette émotion qui m'épuise.

28 – Tout va très bien merci

La colonie des enfants, en rang par deux, attendait d'embarquer pour le retour. Rita s'en alla voir si Lora Mae, qui se changeait dans les vestiaires, serait bientôt prête. Tu dois être sur les rotules ! dit Rita en regardant se déchausser son amie. Avec précaution, comme si elle avait très mal aux pieds, Lora Mae délaçait et retirait des bottines de marche. Comparée à celles que je faisais dans le magasin de Porter, c'est une petite journée, dit Lora Mae. Elle était d'une beauté remarquable, un de ces visages au teint de nacre, un regard noir que faisait jaillir cet écrin de clarté, des sourcils dessinés en ailes, l'ensemble encadré par une chevelure brune abondante et légèrement bouclée. Dans ses yeux l'emportait un éclat d'humour et d'intelligence, celui d'un esprit qui n'était dupe de rien, et qui, pour l'avoir gravi comme une montagne infranchissable en suivant des chemins escarpés, connaissait le monde dans ses coins les moins hospitaliers. Elle n'avait pas honte de cette délicate ascension qui avait été la sienne et n'éludait pas son passé d'employée d'un homme qui était devenu son mari. Au contraire elle en parlait volontiers. Es-tu contente que Porter devienne le numéro un des grands magasins ? demanda Rita, puisque Lora Mae avait évoqué Porter. Devine ! Qu'en penses-tu ? dit Lora Mae, avec toujours cette manière malicieuse – et habile – de répondre à une question par une question. Il va avoir ce qu'il attend depuis longtemps, dit Rita. Elle murmura avec un sourire : De la classe. Plus que n'importe quel autre, ce mot – classe – évoquait Addie Ross. Aucune des deux femmes ne l'ignorait. Ce nom commun tintait à l'oreille comme s'il était un nom propre, comme s'il désignait en même temps qu'il appartenait, et qu'il murmurait dans une traînée sonore : Addie Ross, Addie Ross, Addie Ross. Ainsi, la phrase de Rita pouvait signifier : il (Porter) va avoir ce qu'il attend depuis longtemps, Addie.

Lora Mae n'était pas idiote. Non seulement le mot évoquait Addie, mais il avait été employé dans ce seul but. Addie n'était-elle pas l'ombre envahissante de cette journée ? Il était bien normal qu'entre épouses menacées, on en parlât. Pour conjurer le grand souci qu'on en avait ? Pour circonscrire la hantise, enfermer une divagation sans fin dans une parole simple ? Je te vois venir ! dit Lora Mae à son amie. Que cherches-tu à me dire exactement ? Pose ta question ! Je peux te dire tout ce que tu veux savoir, dit en souriant Lora Mae, et tu en parleras avec Debbie. Ainsi créait-elle une connivence dont elle s'excluait, parce que, quant à elle, il ne lui semblait pas souhaitable de s'attarder à parler. Non, elle ne cherchait pas à éluder ou à faire l'autruche, mais sans doute savait-elle que bavarder n'apaise pas une souffrance intime. Bien sûr, Deborah et Rita étaient libres de faire comme elles préféraient, et Lora Mae pouvait même leur donner son avis d'ignorante.

Lora Mae affronta leur angoisse et l'ombre du préjudice que la lettre perverse avait plantée comme un dais noir au-dessus de leurs trois mariages. Sa nature était courageuse et fière. Devançant toute question de Rita, elle dit : Je ne sais pas plus que toi si Porter est parti avec Addie. Mais je m'en fous. J'ai tout ce dont j'ai rêvé. Le beau visage était lisse, imperturbable, l'expression un peu figée et froide. Ah oui ? dit Rita. Le jour où je te parlerai de mes ancêtres, tu comprendras, dit Lora Mae (et l'on pouvait deviner que l'histoire était longue). Mais pour l'instant, dit-elle, je vais me changer. Et c'était une manière polie de congédier son amie pour mettre fin à cette conversation. Rita se redressa pour s'en aller (elle était appuyée contre un de ces hauts casiers métalliques de vestiaires). Mais avant de partir elle ne laissa pas vierge de mots le cœur du sujet. Veux-tu que je te dise ? demanda Rita (c'était une entrée en matière plus qu'une question). Je pense que tu te fais beaucoup de souci, comme nous autres. Lora Mae, de toute évidence, refusait d'en convenir. J'ai tout ce que je veux, répéta-t-elle entre ses dents, tendue, presque paralysée. Rita déploya un sourire complexe dans lequel se mêlaient le refus de ce qu'elle entendait, l'humour féminin, la tendresse d'une amie. Tu peux parler, je n'y crois pas du tout, disait ce sourire. Rita le laissa parler, et quitta le vestiaire sans un mot.

Pourquoi Lora Mae refusait-elle d'avouer son souci, son angoisse ou son trouble ? se demandait immanquablement Elsa Platte après cette scène. Lora Mae était campée dans cette façon d'affirmer *tout va bien je te remercie*, refusant de faire l'aveu d'une blessure ou d'une inquiétude, rejetant la solidarité et la complicité avec ses deux amies. Cherchait-elle à se convaincre elle-même ? Comme une petite fille malheureuse qui répète : je n'ai pas mal. Je n'ai pas du tout mal. Ça ne fait même pas mal. Mais puisque je te dis que je n'ai pas mal ! Qui croyait aux réconforts de l'amitié ? Ni Lora Mae ni Elsa Platte en tout cas. A aucune de ses amies elle ne raconterait le départ de son mari et la solitude dévastée de ce soir passé à l'attendre. Qu'est-ce que tu as ? Tu as l'air fatigué. Tu n'as pas dormi cette nuit ? Quelque chose ne va pas ? Ces phrases qui montrent que les autres nous regardent un peu avaient toujours glissé sur elle comme l'eau sur le plumage des canards. Tout va très bien, je te remercie. Pourquoi ne veut-on pas dire sa peine, et la difficulté d'être, et les violences que l'on subit, et l'intense sentiment d'injustice qui parfois nous poignarde ? Parce que l'on sait que ça ne sert à rien ? Parce qu'on éprouve la déception des autres, leur indifférence que ne submerge la mer d'aucune émotion, et l'impossible communion ? Une danseuse savait comment chacun restait enfermé dans sa peau et ne connaissait vraiment que la seule sensation de son être vivant. C'était une chose navrante. Comme s'il entendait les pensées de sa mère, Max dit : Aucune amie ne lui ramènera son mari si c'est lui qui est parti. Et si elle est triste pendant des mois de l'avoir perdu, elle lassera tous ses amis à force de leur en parler. Donc elle devra se taire si elle veut garder ses copines. Elsa pense : celle qui ne veut pas éloigner les autres devra taire son chagrin. Et si elle vit seule des années durant, dans le regret et la peine, elle devra taire le regret et la peine, parce qu'ils ne sont jamais longtemps audibles à la patience limitée des autres. C'était navrant mais vrai. Et secret.

Restée seule (ayant fait fuir son amie), Lora Mae s'appesantissait sur cette assertion : j'ai tout ce que je veux. J'ai tout ce que je veux. L'un des lavabos du vestiaire fuyait et les gouttes d'eau tombaient dans un seau métallique. Ting Ting Ting Ting, répétition lancinante, presque perforante, d'un même son. Ting Ting Ting Ting. Ce bruit inaugurait une rémémoration. Car il y avait quelque chose de commun entre ce choc des gouttes contre le zinc et le rugissement des trains longeant la maison où habitait Lora Mae lorsqu'elle était jeune fille, secouant comme un arbre la maison et la fille. Les trains et les gouttes martelaient l'oreille de Lora Mae. Présent et passé se fondaient dans un même tintamarre. Ting Ting. Leur emmêlement faisait naître une réflexion. Peut-être en réalité n'as-tu pas tout ce que tu veux… Peut-être en réalité n'as-tu pas tout ce que tu veux… C'était dans le film une pensée dite à voix haute. C'était, de Lora Mae, la voix du dedans révélée au spectateur. Peut-être en réalité n'as-tu pas tout ce que tu veux… Les mots se prononçaient dans les gouttes. Les syllabes se glissaient entre les perforations sonores. Ting Ting. L'esprit de Lora Mae s'en allait dans une rêverie du passé. Le passé affluait en elle. Le réalisateur suivait cet esprit vagabond, entrait dans sa mémoire. Lora Mae était maintenant chez elle au bord de la voie ferrée, dans la petite cuisine avec sa mère et sa tante Sadie. L'image, par le fondu-enchaîné, mimait la pensée intérieure : la caméra de Mankiewicz passa du lavabo qui dégouttait aux mains d'une femme (la mère de Lora Mae) qui tenaient des cartes. Et voilà le spectateur entraîné dans le souvenir, au cœur de la modeste maison où Lora Mae avait vécu avant son beau mariage avec Porter Hollingsway. Ting Ting. Car nous sommes emplis d'images anciennes et de sons entendus, dans le sillage desquels les images et les sons du présent s'enchâssent, provoquent un dédoublement de l'esprit et une démultiplication de l'instant. Lora Mae était la réconciliation en forme de continuité des instants du temps tués les uns par les autres en s'engendrant.

Complices, chaleureuses, de celles à qui une vie sans facilité ni évidence a appris les joies simples, deux femmes (la mère et la tante de Lora Mae) jouaient aux cartes. Elles s'amusaient bien. C'est la Sadie qui travaillait chez Rita, fait remarquer Max en même temps qu'il en fait la découverte. La cuisine était petite. Un gigantesque réfrigérateur trônait, que la mère caressa avec adoration quand elle y prit une bière. Le bruit d'un train encore lointain qui se rapprochait à vive allure augmentait. La maison, secouée par ses soubassements, vibrait de plus en plus fortement. Enfin le convoi passa, ses lumières défilaient par la fenêtre tandis que les femmes, patientes, accoutumées au vacarme et aux vibrations, attendaient qu'il s'éloignât pour reprendre leur partie. Cela disait, en une minute suspendue, que la famille de Lora Mae vivait modestement. Elsa Platte admire tout l'art de Mankiewicz, la manière dont ce film est ciselé, sans une image en excès.

Lora Mae s'appelait Mademoiselle Finney. Elle avait une sœur plus jeune, plus petite et fluette qu'elle, blonde, et moins ambitieuse (ou moins décidée, et moins distinguée). Toutes deux vivaient avec une mère seule (dont on apprendrait plus tard qu'elle était veuve), et dans l'affection de la tante Sadie, employée de maison en ville (et que l'on avait – comme Max – déjà vue servir au fameux dîner chez Rita). Courageuse et drôle, vaillante, Sadie possédait un joli brin de personnalité. Lora Mae travaillait dur dans le magasin de Monsieur Hollinsgway (le même). Elle était une très belle jeune femme, elle ne l'ignorait pas, en était même assurée, comptant de cela faire quelque chose pour elle-même et sa vie. Se bien marier était, semblait-il, son unique objectif. Aussi avait-elle accepté cette invitation à dîner de son patron. Elle n'ignorait pas ce qu'il voulait et comment, des autres employées soumises à la même sollicitation, il l'obtenait toujours. Elle savait ce qu'elle faisait autant que ce qu'elle voulait. Intelligence et volonté, farouches, la protégeaient comme des armes imparables.

En combinaison de satin rose, agacée, la sœur cadette entrait dans la cuisine pour se plaindre à sa mère du temps pendant lequel Lora Mae monopolisait la salle de bain. Sous prétexte que Mademoiselle dînait avec Monsieur Hollingsway elle se croyait toute seule ! disait la sœur. Lora Mae ! hurla aussitôt la mère. Sors de là ! C'était une femme forte, aux cheveux blond décoloré, ramenés en chignon derrière la tête, et sympathique, immédiatement chaleureuse. Moi au moins je suis une fille convenable ! lança la cadette. Je ne sors pas avec des vieux parce qu'ils sont riches ! Tais-toi, dit la mère à sa fille. Mais la jeune fille renchérit de plus belle : Il a au moins trente-cinq ans ! dit-elle. Sa voix haute et son propos lui donnaient un air de pimbêche. Moi je m'en contenterais, souffla Sadie dont les expressions et le visage révélaient un esprit vif et libre. Ta sœur sait ce qu'elle fait, affirma la mère, plus placide que sa fille. Toutes celles qui passent dans le lit de Monsieur Hollingsway savent ce qu'elles font, dit la fille. Et elles arrivent à des postes de surveillantes, finit-elle. Je te signale que l'on commence à jaser sur ma sœur. La mère s'insurgea : Ta sœur est une fille bien, comme tu l'es toi-même, j'espère. Il n'y a pas de mal à dîner avec son patron et à rapporter un peu plus d'argent à la maison. N'est-ce pas, Sadie ? dit la mère. Ah oui ? fit la fille sans laisser à sa tante le temps de répondre. Il ne veut rien de plus que dîner avec Lora Mae ? demandat-elle avec ironie. Tu vas recevoir une gifle si tu continues, dit la mère. Va faire sortir ta sœur de la salle de bain. Mais la chose fut inutile, puisque Lora Mae apparut dans la cuisine. C'était bel et bien une apparition : elle s'était comme enfilée dans une robe noire d'une simplicité irréprochable, aussi éblouissante que distinguée. Hautaine, souriante, souple, et rieuse devant la colère et la suspicion de sa sœur.

On pouvait s'étonner de ce que Lora Mae Finney fût aussi raffinée et élégante dans un monde qui, en dépit d'une chaude humanité, ne l'était pas. Où Lora Mae Finney avait-elle appris à parler doucement, s'habiller sans ostentation, sourire et manigancer ? De qui tenait-elle ses secrets de subtilité ? Ces questions resteraient sans réponse, mais ses manières étaient l'expression manifeste d'une vive intelligence, aux aguets des signes, capable d'apprentissage, d'adaptation, de mimétisme, et de tricherie. Pense un peu aux autres, dit la cadette à sa sœur. Tu es tellement sage que je t'avais oubliée ! plaisanta Lora Mae. Tu peux rire, je continue à trouver indigne ce que tu fais, dit la jeune sœur en s'en allant. Lora Mae fit si peu de cas de cette indignation qu'on pouvait croire qu'elle n'avait pas entendu. Elle était fixée sur son projet secret. Elle était en chasse, concentrée dans sa stratégie.

Est-ce que ça ira ? demanda Lora Mae en faisant tournoyer sa silhouette noire devant sa mère et sa tante afin de leur faire voir sa tenue. Il manque un vrai décolleté, dit Sadie, ou bien des perles. Je n'ai pas besoin de cela, dit Lora Mae avec assurance. Et ta promotion, demanda sa mère, c'est un secret ou on peut en parler ? Cette question traduisait une inquiétude chez la mère. Je commence à me demander si ce que dit ta sœur n'est pas vrai…, dit-elle. Lora Mae s'emporta, sans perdre sa distinction très étudiée, elle parla des avantages qu'elle valait à sa mère, assura qu'elle contrôlait les choses. N'oublie pas de bien te tenir en tout cas ! dit la mère. Laisse-la donc tranquille ! dit Sadie. Un coup de klaxon retentit dehors, les deux femmes sursautèrent. Le voilà ! L'excitation déjà montait. Lora Mae ne bougeait pas. Elle demeura imperturbable, appuyée contre le rebord de l'évier. Il est là ! répéta sa mère.

On dirait, plaisanta Lora Mae. La jeune sœur était accourue, agitée. Il a une voiture du tonnerre ! dit-elle à la cantonade. Lora Mae Finney, longue liane noire, n'avait pas fait un geste. Elle était dans une maîtrise absolue d'elle-même, comme si elle se concentrait sur un calcul difficile (et c'était bien de cela qu'il s'agissait). Qu'attends-tu pour y aller ? demanda la mère. Il klaxonne ! dit-elle encore. Et alors ? dit Lora Mae dans son impassibilité indéchiffrable. Qu'est-ce que tu attends ? demanda une nouvelle fois la mère. La sonnette de la porte d'entrée vibra dans l'appartement. Le visage de Lora Mae exprimait amusement et triomphe. Voilà ce que j'attendais, dit-elle à sa mère. Puis se penchant vers Sadie, elle dit : Veux-tu aller lui ouvrir ? Lora Mae Finney jouait une partie, et tout le monde autour d'elle était inclus dans le jeu. Elle ne négligeait aucun atout, n'éludait aucune vérité, avait l'audace de l'affronter ou de la dévoiler. D'ordinaire on me paie pour ça, dit Sadie. Mais elle y alla. Si on veut me voir on vient me chercher chez moi, expliqua Lora Mae à sa mère et à sa sœur. Quel toupet ! dit la mère. C'est vrai qu'elle est sacrément forte ! dit Max. Elle sait ce qu'elle veut, dit Noémie. Qu'est-ce qu'elle veut ? demande le garçon. Elle le veut lui, dit Noémie en montrant l'homme qui, à la télévision, retirait son chapeau dans l'encadrement de la porte.

Porter Hollingsway, que l'on avait donc déjà vu, au bal avec Deborah et au dîner chez Rita (deux scènes postérieures à celle-ci dans le temps réel),

entra dans la maison en saluant Sadie par son prénom et s'avança vers la cuisine où Lora Mae, telle
une statue qu'il faudrait conquérir, était à la place où
elle s'était tenue déjà pendant qu'il avait klaxonné.
Elle devait penser : je ne suis pas une femme que l'on
sonne. C'était pour elle une telle évidence, et une telle
vulgarité d'imaginer le contraire (comme c'était de
la part de Porter une grossièreté de ne pas descendre
de sa voiture), qu'elle n'aurait pour rien au monde pris
la peine d'en faire la remarque. Son impassibilité était
l'œuvre de tant de pensées ! Sa sœur s'était déjà sau-
vée devant le monsieur lorsque Lora Mae enfin s'avança, exquise, bonsoir monsieur Hollingsway, et elle fit,
avec un accent travaillé, les présentations. Vous connaissiez Mademoiselle Dugan (ainsi s'appelait Sadie),
et je vous présente ma mère. Voulez-vous vous asseoir ?
ajouta-t-elle. Il déclina l'offre peu alléchante (entrer
dans le monde de l'autre quand il se trouve si éloigné
du vôtre) et assura qu'ils étaient en retard pour une
table réservée à dix-neuf heures trente. Vous êtes en
retard ! dit-elle. Cette audace passa inaperçue. Tout
était manigancé et prévu au cheveu près. L'orchestration intime de Lora Mae prévoyait qu'elle se fît attendre par un homme qui était son patron mais qu'elle
allait transformer, par son charme et sa beauté, en
chevalier servant. Voilà pourquoi elle s'en alla chercher
son sac à main dont elle savait pertinemment qu'il
était sur la table de la cuisine.

Joseph Mankiewicz s'amusait à mettre en scène
la rouerie féminine, et la complicité des femmes

entre elles lorsqu'il s'agit de piéger un homme qui arrange la famille. Car Sadie jouait le jeu, arrêtant juste à temps la mère qui allait faire une gaffe (ton sac est sur la table, ne le cherche pas !). Laisse jouer la petite qui sait y faire, devait penser Sadie. Lora Mae ! Elle menait une partie d'échecs, coup après coup, et cette partie-là, contre un matou séducteur habitué à ce qu'on lui cédât et vivement alléché par de naturels appâts, était facile à mener : Porter Hollingsway, pris dans les filets de l'attirance, était plus prévisible que n'importe quel joueur. Et donc bien sûr il attendait poliment dans la cuisine, debout contre le rebord de l'évier, là où se tenait Lora Mae l'instant d'avant, dos à la fenêtre d'où l'on voyait défiler les lumières des trains. D'ailleurs un train approchait et la cuisine entière fut secouée de vibrations énormes tandis qu'un rugissement se déployait qui effraya le visiteur. C'était d'une drôlerie subtile. Pendant un instant, les femmes qui souriaient apparurent plus aguerries et fortes que l'homme riche qui les visitait. Au moment où passait le convoi, Porter se déplaça vivement. Et il se raccrocha in extremis à une chose familière qui lui tira un sourire : le réfrigérateur Hollingsway. Ils parlèrent donc du réfrigérateur. Les deux femmes avaient peur parce qu'il n'était pas payé au magasin. Mais Sadie trouva de bonnes réponses aux questions du patron de Lora Mae. Car c'était bien à un patron qu'elles parlaient, et bien un patron que leur fille et nièce effrontée faisait attendre.

Que fait-elle ! s'impatienta Porter. Complices et témoins, la mère et la tante étaient comme clouées. Sadie n'avait tout de même pas perdu ses moyens et faisait la conversation. Les filles ont toujours quelque chose à faire, dit-elle. A ce moment Lora Mae entra, et vivement attrapa son sac sous l'imperméable qui le cachait sur la table. Ah le voilà ! dit-elle, comme si vraiment elle le découvrait enfin, parfaite comédienne. Elle se fit aider par Porter pour enfiler son manteau, se pencha délicatement vers sa mère pour l'embrasser : Bonsoir, maman chérie, ne m'attends pas. Bonne nuit, Sadie darling, souffla-t-elle à sa tante d'une voix flûtée. La caméra tenait ensemble dans son plan les deux femmes assises à la table de la cuisine et au fond la porte d'entrée où l'on vit Lora Mae attendre que Porter Hollingsway lui ouvrît la porte, comme à une dame un gentleman. Où avait-elle appris les codes de la galanterie ? Le mystère ne serait pas éclairci. C'était en tout cas le début d'un asservissement par le désir. Restées seules, la mère et la tante s'amusèrent de ce petit numéro qu'elles venaient d'admirer. Elles imitèrent la voix de Lora Mae pour dire bonsoir. Bonsoir, maman chérie, ne m'attends pas, répétait la mère en secouant la tête. Bonne nuit, Sadie darling, singea Sadie. Toutes deux riaient. Puis la mère reprit sa grosse voix habituelle et dit : Si elle me parlait vraiment comme ça, je la ferais taire tout de suite.

Elles sont sympas toutes les deux, dit Max. Et elles sont marrantes à taper le carton dans leur petite cuisine. Elles n'avaient pas d'hommes dans leur vie, elles vivaient entre femmes, cultivaient l'amitié, et paraissaient heureuses. C'est ce que pense Elsa. Parfois, la douleur qu'inflige celle ou celui qu'on aime fait chatoyer l'idée de la solitude. Ce moment du film était optimiste. Elsa Platte étend ses jambes, passe sa petite main sur son mollet, regarde ses genoux avec attention, fait glisser un doigt sur un semblant d'accroc à son bas. Elle est bercée par le film, la vraie vie est ailleurs.

29 – Voulez-vous coucher avec moi ?

En tête à tête, dans une alcôve, assise sur une banquette qui faisait le tour de la table, Lora Mae se tenait très droite en face de Porter dont le buste à l'inverse, dans un mouvement d'élan et d'appétit, s'avançait jusqu'au milieu du plateau. Il n'était décidément plus son patron mais un homme attiré. Elle était rayonnante, comme irriguée par l'énergie de sa chasse au mari, sa peau claire jaillissait du noir de sa robe, ses ongles rouges s'agitaient au bout de longs doigts souples, elle souriait à l'homme en face d'elle, à la situation, au succès qu'elle rencontrait, à son propre divertissement. Elle accueillit avec émerveillement un cocktail, minaudant à la perfection, ni trop ni pas assez. C'est fort ? Je n'ai qu'à vous faire confiance… Porter Hollingsway plissa ses yeux comme s'il était captif, envoûté. Mais par quoi ? s'étonne Elsa Platte. Car si Lora Mae était belle, c'était un atout un peu simple, elle n'avait pas de conversation. Assurée d'être convoitée, ainsi libérée du besoin de se faire admirer, elle avait choisi la flatterie : C'est délicieux, disait-elle (à propos de son cocktail), quand je pense à toutes les choses que vous connaissez et que j'ignore ! J'ai de l'avance, répondit Porter Hollingsway, et il voulait dire par là qu'il était beaucoup plus vieux qu'elle. Elle fut habile, comme un écho au dégoût de sa sœur (il a au moins trente-cinq ans !), elle dit : Vous n'êtes pas vieux du tout. Je crois qu'un homme n'a vraiment fini de grandir qu'à trente-cinq ans. La trouvaille donna des ailes à Porter, il glissa sur la banquette jusqu'à se placer non plus en face mais à côté de Lora Mae, approchant son visage tout près du sien, commençant de rêver d'un baiser, tandis qu'elle, maligne, loin d'être disposée à céder tant qu'elle ne le jugerait pas obligatoire, se retirait derrière son verre, suçotant sa paille du bout de ses lèvres éclatantes. Cet endroit est charmant, dit-elle en levant les yeux autour d'elle, je n'y étais jamais venue, évidemment. Il était remarquable qu'elle insistât sur leur différence de classe tandis que lui la gommait tout simplement. J'y viens très souvent, dit Porter. Pour parler avec vos employées de leur promotion ? demanda Lora Mae avec une malice qui ne s'effrayait pas de dire la réalité. Oublions le travail ! dit Porter Hollingsway. N'était-ce pas son intérêt d'ailleurs de l'oublier ? pense Elsa. Mais la malicieuse proie n'avait pas l'intention de se laisser faire, en aucune manière elle ne voulait laisser oublier sa situation de proie et d'employée. Ne m'aviez-vous pas invitée pour me parler de ma promotion ? demanda-t-elle. Nous y viendrons, dit Porter Hollingsway en se coulant vers elle, qui n'était ni farouche ni facile.

Elle ne s'écarta pas physiquement de lui mais mentalement. Elle prit du recul et dit à son patron (car c'était bien de lui et à lui qu'elle parlait) : Vous n'avez pas de chance ! Tout le monde a toujours quelque chose à vous demander ! Il saisit la perche par le bout qui l'intéressait lui. Et vous que faites-vous après votre travail ? demanda-t-il, comme un jeune amoureux jaloux. Elle s'enroula de mystère avec l'étoffe la plus banale : J'ai une famille, des amis. Amis, il sauta sur le mot. Des petits amis ? demanda-t-il. Comme vous êtes indiscret ! fit l'élégante joueuse. Jouer était déjà sa nature en face de Porter Hollingsway. Jouer pour gagner. Jouer pour remporter le gros lot. Que de soupirants vous devez avoir ! dit le soupirant. Il ne pouvait imaginer que ce qui lui plaisait à lui ne plaisait pas à d'autres. Ma vie privée me regarde et je n'en parle à personne, minauda la belle. Il la regardait intensément, elle était sa proie qu'il ne lâchait pas des yeux, chaque parole était tissée de séduction, il en avait des vibrations dans les paupières et cela était d'un bel effet comique que Mankiewicz ne négligeait pas. Les sempiternelles manœuvres masculines, la malignité des femmes, oui, toute cette danse d'amour mise en scène avec talent faisait rire le spectateur, comme cela faisait sourire Lora Mae qui, de toute évidence, s'amusait. Les jolies femmes sont très entraînées à être courtisées, pense Elsa. En ce sens elles étaient plus difficiles à attraper, comme Lora Mae, plus entraînées au jeu, plus ambitieuses en matière de gain, plus assurées de gagner, ayant un choix plus large !

Ils étaient donc dans la bulle d'une galanterie initiée par Porter mais maîtrisée par Lora Mae. Ils étaient seuls, isolés, face à face, comme lui l'avait voulu, comme elle l'avait imaginé. Mais le monde du dehors contrecarre bien des liens, pense Elsa Platte avec mélancolie : le monde du dehors arriva sous la forme bondissante et vive de George Phipps. Surpris en train de courtiser une employée, Porter refit sur la banquette le trajet inverse et se replaça en face de Lora Mae. Ne bouge pas ! lui dit George. (On pouvait croire que Porter se déplaçait pour se lever.) Bonjour, George, dit Porter, tu es seul ? Et l'on sut tout : George était avec Rita bien sûr, ils avaient essayé d'inviter Porter à ce dîner improvisé, mais Porter était déjà sorti. Addie est là aussi, dit George. Les yeux de Porter s'élargirent en répétant le prénom de la créature. Addie, répéta Porter, et ce prénom semblait fracasser toute sa tranquillité. Il avait pivoté pour regarder vers l'endroit qu'avait indiqué George et tournait le dos à Lora Mae. Son attention pour elle s'était envolée. Nous avons improvisé ça à la dernière minute, en pensant que tu étais déjà pris, dit George. Qui nous ? demanda Porter. Addie ? Son désarroi était ravageur, tuait sa gaieté autant que sa présence d'esprit en ce lieu, émiettait son plaisir avec Lora Mae. Distraite son attention pour elle, et oublié son désir. Le mirage d'Addie Ross avait tout balayé. Mais George ne répondit pas.

Lora Mae ne manqua pas de sentir le danger, danger de perdre son soupirant, danger de l'autre femme. Il en allait de l'homme comme du poisson, à la pêche prendre à l'hameçon n'est pas ferrer. La proie se détournait ? Aussitôt Lora Mae fit diversion. Cela signifiait interrompre la conversation, distraire Porter de cette Addie, réclamer pour soi sollicitude et regard. Puis-je avoir une cigarette ? demanda-t-elle à Porter, mais ce fut George qui la lui offrit. Merci, monsieur… ? dit Lora Mae. George Phipps se présenta lui-même et cela souligna combien Porter était si éperdu qu'il ne se conduisait plus en homme du monde. Pauvre Porter, secoué par son fantasme ! Son désarroi était immense. Une panique intérieure le désunissait. Addie Addie Addie… Pourquoi ne dînait-il pas avec elle ? Il était comme un petit garçon qui a manqué ou perdu une chose importante. Je te présente Mademoiselle Finney, dit-il enfin à George, mais avec l'expression d'une contrariété insurmontable. Je te présente Mademoiselle Finney que j'aimerais bien m'emballer rapidement, dit Elsa pour faire rire ses enfants. (Ils rirent.) Lora Mae avait ce terrible statut de la fille que l'on veut mettre dans son lit et certainement pas présenter à ses amis. Elle subissait cela avec élégance. Elle n'ignorait pas ce que voulait Porter Hollingsway, mais elle savait aussi (ce dont il n'avait pas encore idée) qu'elle ne le lui donnerait jamais. Et elle savait ce qu'elle voulait.

Mais pour l'instant Porter ne pensait qu'à l'autre (l'autre valait mieux dans son désir que Lora Mae)… Dans ce singulier état hypnotique où le plongeait un charme qu'elle avait pour lui, il posait à George des questions idiotes. Vous êtes là depuis longtemps ? demanda-t-il. Nous venons d'arriver, dit George, qui ne semblait pas s'apercevoir du trouble de son ami, c'est curieux que tu n'aies pas vu passer Rita et Addie, elles t'ont vu. Tu ne devais pas regarder dans leur direction, et je te comprends, finit George en souriant et s'inclinant très galamment devant Lora Mae. Porter Hollingsway ne releva pas le compliment ou la malice. Il était dans l'obsession d'Addie. Pourquoi avait-il manqué une occasion de la côtoyer ? Et pour qui ? C'était bien cette question qui, d'un seul coup, dévaluait Lora Mae. Porter Hollingsway était comme un ours qui a lâché son poisson ! Passez nous dire au revoir avant de partir, proposa George, négligeant qu'une rencontre rapide blesse le cœur d'un amoureux, ou plutôt ignorant que Porter fût amoureux. Comment Porter irait-il saluer sa princesse au bras de Lora Mae ? Quelle désinvolture et quelle indélicatesse cela serait ! Il n'irait pas. Lora Mae au contraire adorerait répondre à cette invite. J'en serai ravie, dit Lora Mae. Rembruni, Porter ne disait rien. Il regarda George s'éloigner. A nouveau il tournait le dos à sa compagne, dont la beauté claire continuait de jaillir de la robe noire, et qui, souriante dans l'affront, s'extasia. Votre ami est délicieux, dit-elle. C'est un professeur sans argent, dit Porter. On ne savait comment comprendre la raison et l'idée de ces mots, et Lora Mae resta interdite et silencieuse. Oh, fit-elle, presque gênée, délicate, essayant de détourner la conversation, de rappeler dans le présent l'allant du début. Et cet autre verre ? demanda-t-elle. Mais la soirée était gâchée. Porter en avait brisé la magie fragile. Addie Ross avait ce pouvoir sur lui (de lui casser ses jouets, pense Elsa Platte). Addie Ross rôdait en ce lieu. Porter Hollingsway n'avait plus qu'une envie : partir d'ici. Allons plutôt faire une promenade, proposa-t-il. Lora Mae prit son sac, son manteau, se leva avec un visage grave. Elle ne souriait plus, elle devait bien sentir que Porter était emporté par une obsession amoureuse. Elle attendit qu'il réglât l'addition. Bizarrement il ne semblait pas pressé de le faire. Inviter une femme à dîner... Elsa se souvient comment un de ses amis, séducteur invétéré, lui avait confié un jour combien cela finissait par lasser. Payer, payer, payer, pour des sourires et la perspective de déshabiller la belle. La routine de la séduction existe bel et bien et pèse tout le poids de ce qu'elle désenchante. Elle semblait à tout le moins peser sur Porter qui se dissipait dans une rêverie plus romantique autour d'une femme plus inaccessible.

C'était violent : il sortait une jeune femme au restaurant et tout à coup se trouvait entêté par une autre. Debout dans l'entrée, attendant que Porter prît son manteau, Lora Mae, rêveuse, regardait avec mélancolie la salle et peut-être au loin la table où dînaient Rita, Addie et George. Porter lui prit le bras et ils filèrent en hâte, presque à l'anglaise, ouvrant les grandes portes au décor médiocre et s'engouffrant au-dehors, se sauvant devant Addie Ross.

C'est lui ! s'écrie Max. C'est sûr que c'est lui qui est parti avec Addie Ross. Il l'idolâtre. Il est hypnotisé. Lora Mae ne lui est rien à côté d'Addie Ross.

Elle ne lui est rien ! Elle ne lui est rien ! Qu'est-elle pour lui ? Que lui apporte-t-elle ? Que lui apportera-t-elle ? Qu'attend-il d'elle ? De quoi demain sera-t-il fait avec elle ? Elsa voudrait bien que se calme le tourbillon des pensées, et que les questions s'interrompent.

30 – Voulez-vous m'épouser ?

Il faisait une nuit sombre que la pellicule noir et blanc accentuait. La grosse voiture noire de Porter Hollingsway roulait maintenant à vitesse lente sur un chemin de terre surplombant le lac dont on apercevait, en arrière-plan, le miroitement sous la lune. L'imposant véhicule s'arrêta face à ce décor et la caméra revint à l'intérieur de l'habitacle. Un homme et une femme étaient seuls dans une voiture, la nuit, dans un endroit complètement à l'écart et désert. L'homme coupa le contact et mit le frein à main, et une gêne s'installa. Pourquoi ? pense Elsa. Pouvait-on mettre des mots sur l'imperceptible tension de cet instant ? C'est que la manœuvre était apparente. Voilà le genre de lieu où vous mène le désir d'enlacer une femme qui n'est pas encore vôtre, ou de s'adonner à une passion secrète, ou d'étrangler sa victime.

Lora Mae Finney alluma une cigarette qu'elle prit dans son sac et Porter ne manqua pas de remarquer que tout à l'heure, juste pour la diversion, elle avait fait mine d'en manquer. N'étiez-vous pas à court de cigarettes tout à l'heure ? dit-il. L'étais-je ? répondit malicieusement Lora Mae. Elsa avait remarqué que Lora Mae rendait question pour question. Lora Mae Finney était l'intelligence faite femme : esprit, vivacité, perspicacité, décision, raison, toute une armée de malices qui entend séduire. C'était amusant à regarder et elle s'amusait. Vous êtes drôlement futée, dit Porter. Merci, dit-elle. Et si nous revenions aux affaires ? proposa-t-elle. Admirons plutôt la vue un moment, répliqua Porter, et disant cela il s'approcha tout près d'elle, à la distance d'un baiser. Il y avait de l'ironie dans sa phrase, outre le lac sous la lune, la vue – dans la position où il se trouvait maintenant – pouvait aussi bien être le décolleté de Lora Mae, ou sa beauté tout simplement. Porter la fixa effrontément, son visage, sa bouche, ses yeux. Il était gourmand et chauffé par ce spectacle, frémissant. Pourtant elle n'eut pas un tressaillement, pas un mouvement de recul, ses joues ne

rougirent pas, elle soutint ce regard et cette proximité physique, et elle dit, sans lâcher le fil de ses
idées : Votre assistante s'en va la semaine prochaine,
il vous faudra une remplaçante. C'était évidemment
très prosaïque. Et très éloigné de ce qu'espérait
l'interlocuteur amoureux.

Porter Hollingsway n'écoutait pas et suivait lui
aussi le fil (moins maîtrisé) de ses pensées. Aussi
répondit-il à côté : Vos soupirants doivent en baver,
dit-il. Il la dévisagea. Ce n'est toujours pas oublié !
dit Lora Mae. Non, je veux en parler encore, dit
Porter. Et pourquoi donc ? fit mine de s'étonner Lora
Mae. Vous ne devinez pas ? dit Porter en approchant
ses lèvres. Il était si près ! Elsa Platte admirait
chaque fois l'extraordinaire sang-froid de Lora Mae.
Et de fait Noémie s'exclame en riant : Elle n'est pas
timide ! Lora Mae souriait comme si Porter Hollingsway (à la fois son patron et un soupirant qu'elle
n'avait jamais vu) avait été à un mètre d'elle quand
il était à un centimètre ! Avez-vous un cendrier ?
demanda Lora Mae en se détournant pour le chercher. Ça n'était pas romantique, cela demandait une
réponse et un mouvement, cela disait : non, je ne
vous embrasse pas… Les lèvres de Porter Hollingsway se pincèrent. Combien de temps allait-il attendre ce foutu baiser ! Que de complications ! Elle
voulait une promotion, il voulait un baiser, pas
besoin de parler autant. C'était ce que l'on pouvait
imaginer qu'il pensait. Pourtant, à ce moment, tandis que Lora Mae se penchait en avant pour tapoter

sa cigarette au-dessus du cendrier, Porter Hollingsway était en retrait et la regardait (elle lui tournait le dos), il avait une expression attendrie, un regard romantique et triste. Peut-être après tout le jugeait-on mal parce qu'il était le patron ? Peut-être était-il sincèrement épris ? Et charmé. Et plus qu'il ne le savait lui-même.

D'ailleurs Max dit : Il a l'air gentil. Sans doute le jeune garçon est-il, comme sa mère, sensible à l'expression du visage, fugace mais réelle.

Enfin, attendrissement ou non, rien ne coupait sa route à Lora Mae. Etait-elle là pour s'émouvoir ? Pas exactement. Aurait-elle pu s'émouvoir ? Pas moyen de le savoir. Elle entreprit d'exposer ses principes (qui faisaient partie de sa stratégie, faire comprendre dès à présent à cet homme sûr de lui qu'il n'avait aucune option en dehors du mariage). J'ai des idées très précises, dit-elle pour commencer. Par exemple ? demanda Porter. Par exemple, dit-elle, je n'ai jamais eu de petit ami, personne en particulier. Pas parce que vous manquiez d'occasions, j'imagine ? dit Porter. Il voulait sans doute des certitudes, elle le faisait danser sur la corde des sous-entendus et des questions. Qu'en pensez-vous ? demanda-t-elle à son tour, fidèle à ce mode de réponse en miroir. Vous attendez l'homme parfait qui viendra seul vous séduire ? dit-il. Elle répéta : J'ai une idée très précise de ce que je veux. Que voulez-vous ? Comment devra-t-il être, cet homme chanceux ?

demanda Porter, un peu excédé sans doute, mais ne le montrant pas trop, et captivé néanmoins, attendant une réponse qui lui laisserait sa chance à lui, ou du moins lui donnerait une piste. Lora Mae lâcha enfin le morceau : Il faudra qu'il ait d'abord envie de m'épouser, plus que toute autre chose au monde, dit-elle, rêveuse.

Voilà. C'était dit. Elle voulait le mariage ! A nouveau les lèvres de Porter se serrèrent. Il était tombé sur une fille à principes ! Elle voulait justement la chose qu'il n'offrait pas ! Il se réinstalla sur son siège de façon à reprendre le volant, se pencha pour mettre le contact. Le mariage, c'était certain, ne l'intéressait pas du tout pour l'instant. Il dit : C'est une drôle d'idée que vous avez là ! Vous pourriez bien avoir tort de voir les choses comme ça… Elle était placide, décidée : J'ai peut-être tort, dit-elle, mais c'est comme ça que je les vois.

Elsa Platte pense que Lora Mae non seulement n'avait pas tort, mais qu'elle était aussi fine qu'adaptée à sa situation. Elle était belle et pauvre, à la merci de son patron, si peu protégée par qui que ce soit en dehors d'elle-même. Si elle n'y prenait pas garde (comme sa mère le lui recommandait), elle pouvait devenir une fille facile que l'on prend et jette et qui, comme l'œuf d'un oiseau que l'homme a touché, se trouve ne plus rien valoir au cœur de personne. Nous rentrons ? demanda-t-elle, demain il faut travailler… Oui, fit Porter avec cette moue de la bouche (lèvres pincées) qui disait son dépit. Il entreprit, avec toutes sortes de grimaces, de desserrer le frein à main et de faire la manœuvre. Lora Mae le regardait, assise, souriante, avec dans ce sourire une tonalité narquoise, car si c'était elle la proie, d'évidence elle le savait et s'en sortait plutôt bien. Elle avait dit ce qu'elle avait à dire. Sa détermination lui tenait lieu de grandeur. A cet instant du film, et lorsqu'on le regardait pour la première fois, pense Elsa Platte, on ignorait encore le prodigieux sens tactique que possédait Lora Mae. Oui, sa stratégie – exiger le mariage et ne pas coucher – était fixée à jamais. La tactique – attiser par de petites révélations, tisser le désir de l'autre sans lui céder – dansotait autour de cet axe inexpugnable.

La voiture fit une marche arrière puis fila de nouveau sur le chemin terreux, dans la nuit devenue plus noire, et cela soulignait combien ce coin était reculé, oui, un de ces endroits scabreux où l'on retrouve les filles assassinées par les maniaques qui ont eu l'heur de leur plaire avant la cruauté de les étrangler. La nuit se fondit entre les images : s'estompèrent le lac, l'ombre intime de l'habitacle, et se profila la maison de Lora Mae, sa petite barrière de bois, son minuscule jardin, une fenêtre allumée. Porter s'arrêta devant la porte du jardinet, mit le frein à main, et se détendit contre le dossier de son fauteuil. Il semblait soulagé. Ce moment de voir ses avances repoussées allait enfin finir. Voilà, mademoiselle, vous êtes chez vous, descendez et laissez-moi tranquille, je ne vais plus vous avoir sous les yeux comme un gâteau que je ne peux manger... Le soupirant éconduit ne soufflait mot, le silence entre eux était étrange, comme courroucé. Il portait la trace de la guerre souterraine que se livraient leurs deux désirs contradictoires. Lora Mae dit avec élégance et une courtoisie charmante : Me voilà à nouveau chez moi. Je voudrais vous remercier pour cette merveilleuse soirée, monsieur Hollingsway. Ce n'est rien, dit-il, bourru, accroché à son volant, attendant de toute évidence qu'elle descendît de cette voiture. Mademoiselle, vous êtes chez vous, descendez et laissez-moi tranquille, je ne veux plus avoir sous les yeux vos attraits, ni subir ce charme que vous me faites sans m'emmener nulle part...

Mais non ! il n'était pas tranquille encore. Elle le regardait avec un sourire qui disait : j'attends. L'expression de son beau visage dans la clarté lunaire semblait douce mais elle était surtout déterminée (on pouvait déceler que la douceur était l'effet d'un travail). Mademoiselle Finney ne descendait pas de la voiture, elle voulait quelque chose. Quoi ? avait pensé Elsa Platte la première fois qu'elle avait regardé le film. La galanterie s'étant vraiment perdue, Elsa Platte n'avait même pas idée qu'un homme descend de sa voiture pour aller ouvrir la portière d'une dame. Mais Porter Hollingsway ne l'ignorait pas. Il ne le comprenait pas dans l'instant (on pouvait se demander pourquoi. Etait-ce qu'il ne tenait pas Lora Mae pour une dame ?), mais il allait se le rappeler et descendre de sa voiture. Voilà ! ça y était ! La chose lui revenait : il est d'usage d'ouvrir la portière à une dame pour l'aider à descendre de voiture, il y a même un geste pour cela, on lui donne la main et elle s'appuie dessus, et c'est une jolie figure de la silhouette et des jambes parfois quand la femme est gracieuse. Ses lèvres se serrèrent. Que pensait-il ? Que cette petite exagérait ? Qu'elle ne manquait pas d'aplomb ? En tout cas, il sortit, c'est-à-dire obéit, se plia à la farouche volonté de Lora Mae d'être traitée d'une certaine façon, comme une femme du monde et non comme une fille.

Porter mit le frein à main, s'extirpa de son fauteuil, claqua sa portière et contourna la voiture. Dans le temps qu'il prit, Lora Mae s'empressa de passer à l'étape suivante de son programme. Chaque détail de sa stratégie semblait prévu. En une seconde elle releva sa jupe, déchira son bas et fit courir cet accroc tout le long de sa jambe. Quelle rouerie ! Elle était prête et rajustée quand la portière s'ouvrit, ses gants à la main, glissant ses pieds dehors et faisant mine alors de découvrir l'accroc qu'elle venait de faire elle-même. Oh ! mon bas ! s'écria-t-elle, étendant ses longues jambes sous les yeux de Porter. Et tout cela n'était pas du tout crédible car, sa robe étant à la cheville, elle n'avait aucune possibilité d'avoir découvert la déchirure. Mais elle jouait à la perfection, et Porter était dans le chamboulement intérieur que provoque en nous le désir. La minutie imparable du mécanisme de séduction commandé par Lora

Mae se dévoilait. Quelle malchance, se contenta de dire Porter. J'ai dû l'accrocher au restaurant, dit Lora Mae.

Ils marchaient ensemble jusqu'à la porte de sa maison, il la ramenait, cette fois il se tenait comme il convenait de le faire avec la dame de son cœur. Elle en profita, parla de sa promotion, surtout qu'il n'oublie pas. Lui continuait sur l'autre mode, celui de la séduction et de la familiarité intime, encore cette fois s'approchant à distance de baiser, évidemment attiré : Et demain soir, êtes-vous libre ? demanda-t-il. Si vous avez envie, répondit Lora Mae, camouflant sûrement sa jubilation, l'entortillant dans une coquetterie gracieuse et une fausse soumission. J'en ai envie, dit-il avec fermeté. A dix-neuf heures trente, souffla Lora Mae en s'éclipsant dans la maison (à peine entrouvrant sa porte et s'y glissant) à l'instant précis où Porter Hollingsway allait l'embrasser. Il se retrouva nez à nez avec la porte.

La chasse continuait donc, dès le lendemain soir il remettait ça, elle acquiesçait au rendez-vous, au dîner, en tout bien tout honneur, comme on dit. C'était une partie où chaque chasseur était aussi la proie de l'autre. Le rythme en était vif, hardi. C'était celui que Porter Hollingsway imprimait à la vie, celui d'un décideur, celui de son désir, le désir d'un homme d'action qui ne tergiversait pas. Porter Hollingsway n'y allait pas par quatre chemins. Le metteur en scène avait l'habileté de bien le montrer. Joseph

Mankiewicz prenait un raccourci, optait pour une ellipse qui soulignait la manière dont les situations se répètent et s'enlisent. L'un voulait une maîtresse, l'autre voulait un mari. Voilà qui ne permettait aucune entente. L'histoire entre eux ne pouvait progresser. Et de fait, elle n'avançait pas. Ils avaient donc dîné ensemble comme la veille, peut-être dans un autre endroit élégant de la ville qu'elle découvrait avec lui, Porter avait dû quémander des baisers sans les obtenir, elle tenait à ses principes, et – comme la veille, en pire – il piaffait. Toute la soirée étant semblable à celle de la veille, Mankiewicz en faisait l'économie et reprenait le récit là où montait l'impatience : au moment du retour.

La partie était jouée. Porter Hollingsway n'avait rien obtenu. Lora Mae Finney non plus (mais elle était moins pressée, ce qu'elle voulait réclamait un investissement plus long). La voiture s'arrêtait (de nouveau) devant la petite barrière du jardinet de Lora Mae. Le freinage nerveux disait à quel point l'était le conducteur. Elsa Platte peut entendre distinctement, malgré le rire que chez elle il suscite, le crissement des pneus.

A l'intérieur de la voiture, ils semblaient bien ennuyés : elle de ne pas donner ce qu'il réclamait et qu'à l'évidence il en fût mécontent, lui de ne pas obtenir les faveurs qu'il espérait. L'épisode était si crûment conté qu'il amusait plus qu'il ne choquait. C'était un choix de la mise en scène. Il s'agissait pourtant du comportement mufle d'un homme qui n'admettait pas d'échouer à conquérir une de ses employées. Qu'aurait souhaité Porter Hollingsway ? Passer au lit dès le premier dîner ? Son visage faisait maintenant toutes sortes de grimaces, se pinçait, se plissait, exposait son dépit comme un type qui commence à en avoir assez. Lora Mae gardait les yeux baissés. Elle était gênée, à force le spectateur l'était avec elle. Le spectacle d'un désir aussi insistant que pressant était vulgaire et Porter Hollingsway décevant. Coléreux, énervé, cette fois il ne sortit pas de sa voiture. Au contraire, d'une façon désagréable, se penchant sur le côté et passant son bras droit devant Lora Mae, il lui ouvrit la portière de l'intérieur pour qu'elle sortît. Il restait assis au volant, ne faisait pas le tour jusqu'à sa compagne ainsi qu'elle l'avait exigé la veille. C'était exactement comme s'il l'invitait sèchement à dégager. Comme si, sans ménagement, il mettait dehors la demoiselle qui ne cédait pas à ses avances. Allez, ouste ! Voilà de quelle manière je traite les pucelles insolentes.

Lora Mae résistait avec grandeur à tous les traitements dégradants. Avant d'obéir à cette façon qu'avait Porter de la congédier, elle prit un air contrit, très convenable, pour le remercier, non pas du dîner cette fois, mais des jolis bas qu'il lui avait offerts (il avait donc remplacé ceux qu'elle avait filés). Ça n'était pas nécessaire, souffla-t-elle. N'en parlons plus, dit-il. Et l'on pouvait sentir qu'il était un décideur qui ne s'attardait pas dans les mots. Elle n'était pas encore descendue de la voiture, il attendait, ne la regardait pas, obstiné devant son volant, fixant droit devant lui la nuit. Fulminant en grimaces silencieuses, il ne cachait ni son agacement ni son impatience. Le jeu de ses expressions, rictus, pincements de lèvres, était minimal et suggestif dans le dépit. Elle semblait ennuyée mais c'était une impression erronée qu'elle donnait. Le spectateur n'allait pas tarder à comprendre que Lora Mae Finney jouait sa partie sans interruption. Paraître ennuyée faisait partie du jeu. Elle faisait face à la frustration qu'elle provoquait chez un homme qui la désirait, ce n'était pour elle rien qu'une situation à maîtriser, et elle la maîtrisait. Elle avait une obstination inébranlable et de la suite dans les idées ; l'émotion n'avait pas de prise sur elle. Aidée par la certitude de sa beauté et des effets qu'elle produisait, la demoiselle était aux commandes. D'ailleurs, Porter Hollingsway avait ouvert la portière et sa voisine n'avait toujours pas bougé de son siège. Elle descendrait quand elle aurait dit ce qu'elle avait à dire. Voici donc qu'elle lui servit son petit couplet. Avant que nous nous quittions, permettez-moi de vous dire combien compte pour moi votre amitié, dit-elle. Et nos soirées ensemble ont été charmantes. Et je suis juste désolée que… Elle n'acheva pas sa phrase, les mots restant suspendus dans l'air entre eux, comme le dépit du soupirant, et limpides comme lui. Je suis juste désolée de ne pas pouvoir coucher avec vous et que vous le preniez si mal, et que vous ne le compreniez pas, et que vous en soyez si furieux.

Phrase interrompue, jamais dite et pourtant claire. Bonsoir, finit-elle en travaillant à la perfection la suavité de sa voix. Bonsoir, fit-il, sans tourner la tête, comme si oui décidément il la congédiait, aussi buté qu'inélégant à cet instant.

Il fallait s'accrocher pour croire à une possible romance avec cet homme si vite contrarié. C'était ce que faisait Lora Mae Finney. Le moment était délicat. Le mécontentement de Porter pesait. Lora Mae allait devoir jouer serré. Elle ne perdait ni son sang-froid, ni sa détermination invisible, ni sa grâce. Travaillait-elle chacune de ses expressions ? C'était envisageable. Son visage eut une moue de petite fille qui se retient de pleurer, puis elle sortit de la voiture.

Porter Hollingsway démarra aussi vivement qu'il avait freiné. Mademoiselle Finney n'était pas entrée dans son jardinet, elle attendait devant la petite barrière. Elle avait sciemment (encore) laissé sur le siège arrière la paire de bas reçue en cadeau. Monsieur Hollingsway ! cria-t-elle, quand il fut à une quinzaine de mètres de la maison. Il stoppa net, toujours dans le bruit des pneus. En quelque sorte elle le sifflait et il s'arrêtait aussitôt. Légère, elle accourut, ouvrant la portière, se penchant vers lui, offrant son beau visage et son sourire. Je suis confuse, disait-elle, à force de parler j'ai oublié mes bas. Ils sont derrière, bougonna Porter Hollingsway. Elle grimpa à genoux sur le siège avant, se pencha vers l'arrière pour attraper les bas en haussant sa croupe de sorte que Porter en fût le spectateur excité. Elsa Platte s'amuse : il n'y avait rien d'indécent mais Lora Mae remontait ses fesses pour attiser le désir de ce chevalier servant qui piaffait. Elle se trémoussait devant lui à dessein, et de fait le spectateur voyait le regard en biais que coulait Porter pour la regarder sans détourner le visage de la direction vers laquelle il était tourné : droit devant lui. Bonsoir, dit-elle quand elle eut attrapé la paire de bas. Mais il ne changeait pas d'air, renfrogné, dépité. Elle ne le dégèlerait pas sans lui accorder quelque chose ! Il fallait raviver l'espérance… C'était là que le sens tactique, l'orchestration subtile du jeu, étaient remarquables chez Lora Mae. Porter se dérobait dans la colère, il ne voulait plus jouer, elle allait jeter un petit appât et le prendre à nouveau à l'hameçon.

Elle donna ainsi son premier baiser : elle lui prit le menton, attira son visage tout près du sien, et l'embrassa à pleine bouche. Elle lui concédait un baiser. Sa mauvaise humeur de mâle frustré le lui valait. Mais elle allait utiliser le délice de ce contact comme une amorce. L'embrassé ne prononçait pas un mot. Il se laissait embrasser sans laisser éclater sa joie. Ses yeux regardaient dans le vague (comme si rien ne valait, et qu'il avait abandonné). Bonsoir, Porter, murmura doucement Lora Mae (sans doute était-ce la première fois qu'elle l'appelait par son prénom). Il ne répondit pas davantage. Il songeait. On pouvait voir qu'il songeait dans un vertige. Lora Mae s'en alla. Seul au volant, Porter alluma une cigarette, distrait, emporté, arraché à lui-même, envolé dans un rêve, si chamboulé qu'il jeta l'allume-cigarettes par la fenêtre comme s'il s'agissait d'une allumette. Mademoiselle Lora Mae Finney n'avait pas quitté le pas de son jardin et avait observé toute la scène. Quand la voiture eut démarré, elle tourna les talons et s'en alla vers sa maison, souriant à la nuit, à son jeu, contente d'elle. Ses casiers étaient bien posés pour la pêche au mari. Elle avait soufflé sur Porter Hollingsway comme sur un feu qui allait s'éteindre. Rien n'était perdu. Une attirance inassouvie se réveille plus vite encore que les braises noyées d'un foyer.

Elle est maligne, elle est habile, pense Elsa Platte, et les hommes sont des imbéciles. Devant les femmes, ils sont semblables aux grenouilles devant le petit chiffon de couleur qui s'agite. La naissance de leurs sentiments se produit à la surface de l'être. La couleur d'une peau, la courbe d'un dos, une cheville fragile, des manières flûtées de parler ou de secouer ses boucles d'oreilles, et hop, les voilà partis dans un fantasme qui les habite… Comme cela semblait mesquin et ridicule, et si peu approprié à la gravité de l'avenir. Et c'est avec ces crétins que l'on fait des enfants, pense la danseuse. Elle ne dit rien. Elle s'abîme dans le silence du mari absent. Il n'est pas gêné de laisser ses enfants seuls avec leur mère. C'est étonnant que Porter Hollingsway soit si naïf, fait remarquer Noémie. Il croit être le chat et il est l'oiseau déjà sous les griffes. As-tu vu un chat jouer avec un

oiseau vivant ? C'est exactement ça. Est-il amoureux,
d'après vous ? demande Elsa à ses enfants. Peut-être
l'est-il sans le savoir, dit Noémie, en tout cas il est
captivé, séduit, charmé. Il a envie de coucher avec
elle, dit Max. Pour le reste, dit-il, je ne sais pas. C'est
quoi le reste ? demande la mère, précise, empressée
à faire penser son fils. L'amour, le mariage ! dit le
garçon avec un adorable sourire embarrassé.

Observant son fils à la dérobée, Elsa Platte pense
aux femmes qu'il aimera et – si cela se fait encore – à
l'épouse qu'il choisira. Elle se demande en quoi les
mères et les sœurs, dans le brouillage de l'inconscient,
influencent le goût amoureux des fils. Elle craint
qu'il se fasse harponner par une drôlesse. Elle sait
qu'elle répétera : choisis une fille gentille. Elle sait qu'il
n'y a pas de conseils à donner. Quels conseils a-t-elle
écoutés ? Et Alexandre, a-t-il écouté sa mère ? Suis-
je une fille gentille ? pense Elsa Platte. Que répondrait
à cela sa belle-mère ? Une danseuse ! Quelle épouse
cela peut-il faire ? La danse est très jalouse. Tu as
raison de la quitter, murmure Elsa Platte. Tu as raison de la quitter, elle ne t'a pas rendu heureux. Est-
ce forcément ce que dit une mère à son fils volage ?
Elle ne t'a pas rendu heureux !

31 – Une maison de rêve

Alors bien sûr, le cirque de la séduction entre eux
continuait. Enchantements, assauts, sourires, roueries,

baisers, capitulations minuscules, ravissements, reculs, dépits. Porter Hollingsway n'avait pas ce qu'il voulait, était de plus en plus captif (épris ?), et Lora Mae Finney gagnait du terrain. Voilà que, cette fois, ils n'étaient plus dans un restaurant ou dans la voiture, mais dans le salon de Porter Hollingsway. Il avait emmené la jeune femme – son employée – chez lui. Elle pouvait découvrir le faste de sa grande demeure. Voilà qu'elle jouissait pleinement d'une prérogative que lui valaient sa beauté et sa résistance silencieuse. Elle entrait dans le clan de ceux qui sont servis : un domestique apportait un plateau de cocktails. Merci, dit Porter, et cela voulait dire : merci, laissez-nous. Porter Hollingsway commandait et congédiait. Lora Mae savait qu'il avait ce pouvoir et ce pouvoir, dans une journée ordinaire, au magasin, s'appliquait aussi à elle. Ces soirées étaient le seul moment où elle y échappait. La femme alors supplantait l'employée. Sa beauté, sa grâce et son maintien lui donnaient de l'empire sur Porter Hollingsway.

Un air de piano emplissait la pièce, bien qu'il y eût un piano il s'agissait là d'un disque. Lora Mae portait une blouse blanche à jabot et une jupe longue noire. C'était le temps de Noël. Elle marcha vers une fenêtre, écarta l'épaisse tenture et regarda dehors. Il neige, dit-elle. Porter dit : Cette chanson (qui était en fait une composition musicale) a rapporté un million de dollars à son compositeur. Elle était émue (par la neige et le soir) et il parlait d'argent. Il n'y avait pas d'échange entre eux à ce moment, pense

Elsa Platte. Ils n'étaient pas sur la même longueur d'onde : Porter Hollingsway était installé dans sa vie, Lora Mae était suspendue à un rêve. Elle chassait mais ne vivait pas. Il arrive ainsi que l'on soit côte à côte seulement physiquement. Lora Mae ne pouvait rien entendre. Elle était à cet instant éperdue de bonheur et d'admiration devant ce salon, cette maison, en prise soudain avec la réalité tangible de la richesse, et profitant pour la première fois de ses effets. Elle serra ses deux mains l'une dans l'autre, ravie, comme une petite fille émouvante qui ne cache rien de ce qu'elle ressent devant la chance de l'autre : C'est la plus belle maison que j'aie jamais vu ! s'écria-t-elle. Elsa avait eu souvent le sentiment qu'à ce moment précis le spectateur avait sous les yeux une femme authentique. C'est la plus belle maison que j'aie jamais vue. Cette phrase-là n'était ni un jeu ni un calcul. Voilà tout ce dont rêve n'importe quelle personne, dit Lora Mae, détaillant chaque objet, jetant des regards partout, faisant, en une seconde et en cachette, le tour du propriétaire. Dites-moi ce dont vous rêvez et je vous l'obtiendrai, répondit Porter. C'était encore sa manière de brandir avec orgueil son pragmatisme et sa réussite comme une identité et l'étendard de son amour. Il voulait dire par là qu'il lui offrait tout ce qu'elle voulait (et aussi qu'il était en situation de pouvoir le faire). Il oubliait qu'elle ne voulait que le mariage.

Les deux coudes sur le piano, devant le grand cadre en argent qui y trônait, Lora Mae était en arrêt

– plantée de toute sa stature. La photographie qu'elle regarde ne sera pas montrée, dit Elsa Platte à ses enfants. Devinaient-ils déjà de quel portrait il s'agissait ? Elle ne leur posa pas la question. Le réalisateur avait décidé qu'Addie Ross resterait une présence fantasmée dont le spectateur ne découvrirait jamais le visage. Le spectateur ne voyait donc que Lora Mae plongée dans la contemplation de celle qu'elle devinait être sa rivale dans le cœur de Porter. Vous avez été marié ? demanda Lora Mae. Porter Hollingsway, dans son rôle de chevalier servant, lui apportait à ce moment un cocktail préparé par ses soins. Dites-moi si cela vous convient ? Il voulait dire : est-ce assez sucré ? C'est très bien, dit-elle, sans y accorder aucune importance, trempant distraitement ses lèvres. Elsa s'amuse de cette obstination à ne pas lâcher son idée. Lora Mae voulait tout savoir de la vie de Porter, comme n'importe quelle femme amoureuse souhaite posséder son amant par la connaissance de son monde, et qu'ainsi rien ne lui échappe de ce qu'il est ni de qui il est. Illusion, illusion nuisible à l'amour, qui porte atteinte autant à la confiance qu'à la liberté. Lora Mae poursuivait donc son idée. C'est votre ex-femme ? demandait-elle en désignant le portrait dans le cadre. Sans le savoir, elle était très loin de la vérité et confondait d'une amusante manière le fantasme inaccessible avec une réalité prosaïque et passée. Ma femme ? Ah non pas du tout ! s'exclama Porter Hollingsway amusé. Et il marmonna une phrase inaudible dont Elsa Platte construit le sens : si j'avais été si bien marié, je ne serais pas divorcé. Si j'avais épousé cette fée, je l'aimerais encore passionnément... etc, autant de pensées qui révélaient l'état de fascination dans lequel l'avait plongé cette déesse. Si ça n'est pas votre femme, qui est-ce ? demanda Lora Mae, et la question était légitime puisque la photographie trônait comme celle de la maîtresse des lieux. Une amie, dit Porter. C'était une réponse évasive, mystérieuse, de nature à aviver la curiosité de Lora Mae. Mais Mademoiselle Finney était futée. Depuis le premier soir sans doute savait-elle qui était la maîtressse du cœur de Porter Hollingsway. Voilà que l'intuition allait se trouver confirmée. Alors je sais qui c'est, dit Lora Mae du tac au tac. Et elle prononça le nom que le film auréolait, le nom magique, le nom maudit, le nom de la femme et de l'envoûtement. Addie Ross.

Oui, c'est elle, convint Porter Hollingsway, plongé dans une mélancolie brutale. C'était extravagant : la tonalité de sa vie était malheureuse à cause de cette femme. Lui qui était de ces hommes fiables, hautement pragmatiques, que rien ne fait paniquer, voilà qu'il devenait comme un petit garçon malheureux à l'idée de cette Addie Ross. La voilà donc ! s'amusa Lora Mae. Ce n'est qu'une photographie, elle est beaucoup plus belle que cela, dit Porter. Ce n'était de sa part ni courtois ni malin. Aucune femme amoureuse n'aimait entendre ainsi vanter la beauté d'une rivale. Mais, à cet instant, Porter était bel et bien happé dans le précipice de son amour déçu, dans le fantasme d'Addie Ross. Il était donc inatteignable, irraisonnable, maladroit. Il ne cherchait plus à gagner Lora Mae, il s'abîmait dans la fascination d'Addie Ross. Elle est très belle, dit Lora Mae, on dirait une reine. Porter Hollingsway n'émergeait pas de sa rêverie. Une reine devrait se tenir comme elle, souffla-t-il. Lora Mae le regarda, non pas lui, mais sa fascination. Elle prenait la mesure du pouvoir de sa rivale, et cela ne la faisait pas sourire du tout. Elle ne pouvait pas ignorer à quel point l'homme qu'elle entendait conquérir était conquis par cette femme, Addie Ross. Addie Ross, il avait suffi de cette évocation pour emporter Porter. Lora Mae pouvait voir comme il était loin, incapable maintenant de la regarder. Il ne voyait donc ni comment elle serrait les lèvres (comme lui, plusieurs fois, de dépit l'avait fait), ni combien elle était ennuyée. Elle redressa la tête, elle essayait de se dégager de la longue morsure que lui infligeait ce lien avec une autre.

Elsa Platte ne l'oublie pas, Lora Mae était une femme qui avait un plan. Et voilà que la bonne marche des choses butait sur l'obstacle imprévu d'une autre séductrice, absente et rêvée. Lora Mae marcha vers la grande cheminée, pensive, sérieuse. Elle était ligotée dans la tension de son dépit, mais aussi tenue par son plan et donc œuvrant à s'apaiser, s'assouplissant pour sourire encore et recomposer ce visage qui avait été défait par la rivalité inattendue, et être alors capable de dire à son hôte (qui était aussi sa proie), d'une façon très agréable : J'imagine que vous êtes très bons amis. Est-ce que l'on met la photographie de n'importe qui sur son piano ? Non ! Elle savait bien que non. On met la photographie de son épouse, ou de son mari, ou de ses enfants… La contrariété de Lora Mae aurait pu l'emporter sans le motif intérieur qui la guidait. Porter Hollingsway continuait de rêver, il n'avait pas attrapé son rêve, la réalité était moins douce que ne le pensait Lora Mae. Il expliqua : Je lui ai donné des conseils pour investir, elle m'a offert cette photographie à Noël pour me remercier. Quel cadeau ! Quelle perversité de la part d'une femme ! pense Elsa Platte. Et quelle vanité ! Oui, qu'est-ce que c'était que ce cadeau qui disait : je vous offre mon image, admirez-moi, je sais que vous me trouvez remarquable, laissez-moi vous nourrir encore ! Porter était mélancolique, on le serait à moins. Elsa Platte le comprend : une femme qui se refuse à un homme en même temps qu'elle lui offre un sublime portrait d'elle est une manipulatrice. Quelle salope ! dit Max, avec les mots de la modernité, mots qui n'avaient pas cours, ni dans la pensée, ni dans l'usage, à l'époque où filmait Mankiewicz. Porter Hollingsway était le jouet d'une manipulation amoureuse. Et Lora Mae Finney qui voulait faire de lui son époux était bien désespérée de ce qu'elle découvrait : un homme pris dans le filet d'une attente. C'était un peu comme si ses casiers à elle s'emmêlaient soudain à ceux d'une autre dont la manœuvre était bien plus avancée. Car Lora Mae observait Porter de biais, et percevait la gravité de son mal : cette attente durait depuis Noël.

Depuis Noël (c'est-à-dire l'année précédente), il regardait cette photographie dans son salon, le soir, la nuit, le matin avant de partir travailler, tout seul. L'année dernière…, souffla-t-elle en observant Porter. Oui, souffla-t-il, mais c'en est resté là. Il voulait dire que la manipulatrice n'avait fait que lui offrir ce portrait, rien de plus. Elle n'avait donné que sa présence en papier, juste de quoi alimenter à distance un sentiment qui devait la flatter. Et lui maintenant, proie de ce sentiment amoureux, disait son regret que les choses ne fussent pas allées plus loin. Cette maladresse, et le tumulte étouffé de son cœur qu'il ne pouvait dissimuler, disaient la forme immense et l'ampleur de son rêve autour de cette femme. Souffrait-il ? La virilité en lui le cachait, mais un espoir était planté dans son être. Addie Ross attisait cet espoir.

Le spectateur pouvait alors se dire : c'est lui qui est parti avec Addie Ross, il est des trois maris celui qui a été piégé. La première fois qu'elle avait vu le film, Elsa n'avait pas réfléchi jusque-là, elle était arrivée à la fin de l'histoire sans savoir lequel de Brad, George ou Porter, avait bien pu quitter sa femme. Mais ensuite elle avait pensé : Porter Hollingsway a réalisé ce rêve qui précédait son mariage. Il avait été rattrapé par son fantasme ancien. C'était ce qu'avait dû s'imaginer Lora Mae dans la remémoration après la lettre d'Addie Ross, elle avait dû se dire que Porter avait cette femme dans la peau.

Dans le salon de Porter, Lora Mae resta silencieuse et grave. Il n'y avait rien à dire, rien à objecter, peut-être rien à faire. Elle devait être très ennuyée ou très désespérée, selon la nature de ce qu'elle éprouvait elle-même (chasseresse ou amoureuse). Elsa Platte ne saurait dire. Lora Mae Finney avait été séductrice, manipulatrice, et cela la rendait indéchiffrable. Ses sentiments véritables pouvaient se cacher derrière son désir de capturer cet homme, de jouer avec ses avances et de l'emmener beaucoup plus loin qu'il ne l'avait prévu. Lequel des deux était sincère ? Lora Mae qui voulait se marier ? Ou bien Porter qui espérait la mettre dans son lit ?

Devant la cheminée, Lora Mae demeurait rêveuse, pensive, dans la trace de sa rivale, tenant conciliabule avec elle-même et – malgré son dessein contrecarré, ce qu'elle n'obtenait pas et ce qu'elle découvrait – impassible. Elle marcha doucement dans le salon. C'était si cruel d'être là sans être rien. Porter vint derrière elle et l'enlaça. Il y a bien des nuances et des tons dans la conversation entre un homme et une femme, voilà que Porter venait dans la tendresse. Il plongeait son visage dans la grande chevelure brune, ses bras enserraient la taille fine de Lora Mae, ses mains étaient posées juste sous les seins. Il semblait la saisir, la retenir, et la bercer tout ensemble. Elle se laissa aller contre lui et murmura son nom, un peu sur le ton d'une question. Porter ? Il dit ce qui lui parut la juste réponse à cet appel, il murmura : Vous savez ce que j'éprouve pour vous, Lora

Mae… Ainsi glissait-il un reproche dans cette déclaration. Et ce reproche disait : pourquoi ne pas répondre à mon amour ? Pourquoi laisser mon désir si loin de vous ? Vous savez, répéta-t-il. Elle faisait l'innocente, la fille qui n'a pas reçu assez et qui réclame davantage, davantage de preuves bien sûr, et d'hommages, et de révérences, mais pas seulement, elle faisait celle qui considère, si elle n'obtient pas le mariage, qu'elle n'a rien à faire là, qu'il n'y a qu'à passer son chemin d'amoureuse. Si vous m'épousez, je serai amoureuse… Est-ce que ça n'était pas absurde, l'amour à l'envers ?

Que voyait Lora Mae Finney dans le mariage ? pense Elsa. Un exorcisme ? (celui du désir). Un salut ? (celui de la pauvre fille qui ne possède rien qu'elle-même). Un paradis ? (celui de la richesse). Une rédemption ? (celle de ne pas céder à son désir hors de la loi). Forcer le mariage, quel sens positif cela pouvait-il bien avoir ? Elsa aurait été bien en peine de dire si Lora Mae était éprise et jusqu'à quel point. La suite du film donnait l'idée qu'elle aimait Porter, mais pas ces scènes de la conquête, pas cette manière d'expertise dont elle usait pour mener cet homme à l'épouser.

Quant à Porter, pourquoi le mariage lui semblait-il si peu envisageable ? En avait-il une aversion ? Entretenait-il l'espoir secret d'épouser un jour Addie Ross ? La femme qui pouvait être son épouse, la parait-il de qualités supérieures et irréelles ? Ou bien tout simplement, pense Elsa, fuyait-il les complications, la socialisation de l'amour ? Porter Hollingsway n'était pas homme à tergiverser, mais à vivre. Quel besoin avait-on du mariage pour s'aimer ? Voilà peut-être ce qu'il pensait (avant l'heure). Qu'un bel amour illicite et secret vaut mieux qu'un mauvais mariage. Mais à quel mariage songeait Lora Mae ? Peut-être imaginait-elle le plus beau : un mariage d'amour heureux. Evidemment, sa façon de se tenir dans ce salon, impassible et distinguée, et froide et grave, comme dans une négociation, ne lui donnait pas l'air d'une grande amoureuse qui flambait. Ses ambitions n'étaient pas brumeuses. Elle ne cédait pas un pouce de terrain à la passion, elle ne lâchait pas des yeux son objectif.

Vous connaissez mon cœur, disait Porter à Lora Mae. Mais elle voulait lui faire comprendre que seul le mariage était en mesure de révéler ce cœur. Le mariage était l'ampleur de l'amour tel qu'elle le réclamait. Le seul amour que de lui elle accepterait était l'amour conjugal. Non, je n'en sais rien, qu'éprouvez-vous ? demanda-t-elle, provocatrice, ironique, pivotant sur elle-même au cœur des bras qui la serraient, pour lui faire face dans cette question. Leurs visages étaient proches, graves et tendres, comme ceux de deux amants. Amants, ils ne l'étaient pas, puisqu'elle voulait qu'ils fussent époux. Et c'était sans alternative, sans demi-mesure, sans autre issue. Aussi, d'un écart brusque, elle interrompit cette communion en se retirant, stoppa ce baiser qui commençait entre eux et qui s'étirait sans un lieu d'amour où aller. Elle fit celle pour qui résister au désir qu'attisait ce baiser était trop cruel. Cela disait : vous me tentez, ne me tentez pas puisque vous ne m'offrez rien de sérieux. N'était-ce pas absurde de l'embrasser et de s'en tenir là, de s'embrasser sans que la vie ne changeât, de ne rien recevoir en tant que femme en échange du corps que l'on donne, en échange de cette manière qu'ont les femmes de se livrer, de s'abandonner, de devenir des poupées pour l'amour, et d'être possédées comme telles ? Elle s'écarta donc, esquissant la vivacité d'une fuite, oui, mimant qu'elle se sauvait du désir physique affleurant en elle (et il était impossible de savoir si elle mentait, jouait, ou si réellement elle était troublée). Que croyez-vous ? dit-elle. Moi aussi je suis soumise à la tentation. Je n'en suis pas si sûr, répondit Porter Hollingsway du tac au tac. C'était la réponse la plus précise et exacte qu'il pouvait faire. N'était-il pas dans une situation proche de celle du spectateur ? Il ne connaissait pas le cœur de Lora Mae. Il avait affaire à une très fine joueuse et le loisir ne lui avait pas manqué de le découvrir. Mais hormis ce talent, que voyait-il ? Lora Mae Finney était en armure, aucun déferlement d'aucun sentiment ne pouvait tremper son cœur en chasse et défaire cette carapace impassible qui le défendait. C'était ce que pouvait penser Porter Hollingsway. Bien sûr, elle se défendait d'être en armure. Ah ? fit Lora Mae, je suis donc en bois…

Vous êtes très maligne, dit Porter. Il le lui avait déjà dit tant de fois ! Elle répliqua : On ne risque pas de l'oublier. Mais moi aussi je suis malin, dit-il. Je sais, dit-elle. Et j'ai vécu, dit-il, vous n'allez pas me piéger ainsi.

C'est horrible de voir les choses comme ça ! dit Max. Oui, ils sont mal partis, dit Noémie.

Oui, vous êtes plus malin que tout le monde, dit Lora Mae. C'est seulement que je connais tous vos tours, dit-il. Alors pourquoi vous être intéressé à moi ? demanda-t-elle. Ce n'est pas moi qui suis venue vous chercher ! C'est vous qui m'avez tourné autour. Bonjour, mademoiselle Finney, je vous ai vue travailler, c'est bien ! Vous méritez de l'avancement. Dînons ensemble pour en parler !!! Elle l'imitait, avec une certaine vulgarité, parce qu'elle éprouvait de la hargne envers lui, sans doute celle d'être soumise à ce manège ou tout simplement d'être encore une fille autour de qui l'on tourne plutôt qu'une princesse interdite. Vous croyez que je ne savais pas ce que ça voulait dire ? demanda-t-elle, encore plus vulgaire dans la véhémence qui montait. Vous n'aviez qu'à me ficher la paix si vous n'êtes pas content. Je n'attendais rien de vous. Les filles ne manquent pas ! Les filles comme vous si, dit-il, il n'y en a pas. C'était un triomphe pour Lora Mae, c'était l'éloge de son tempérament et de sa force de volonté. Elle seule avait été capable de résister aux avances de son patron et de désirer s'en faire épouser. Une folie ?

Elle se moquait bien de le savoir. Elle triomphait à ce moment par cette folie singulière. Vous pouvez le dire, dit-elle. Les autres ne sont pas comme moi et elles ne veulent pas ce que je veux. Son visage portait le masque grave de la détermination. Que voulez-vous ? demanda-t-il, peut-être excédé de jouer et de perdre et en plus d'en parler, ou tout simplement pragmatique, traitant les affaires sans différer quand elles se présentaient. Quelque chose dans sa question le disait prêt à tout : que voulez vous – je vous le donne, je vous veux – je vous le donne. Expéditif, fougueux, ayant assez tourné dans le manège, et demandant les grands espaces de la promenade amoureuse.

Elle n'était pas pressée, pas fiévreuse, pas lassée comme il l'était, elle s'amusait, ne perdait pas des yeux son objectif, restait bien ancrée à sa méthode. Oui, méthodique, elle répondit en énumérant d'abord ce que les autres acceptaient, ce qui les faisait plier, et dont elle-même ne voulait pas, qui ne lui aurait pas suffi. Elle dit : Je ne veux pas une promotion. Ni bijoux, ni fourrure, ni croisières sur des yachts. Elle le regarda avec hauteur : Ce que je veux ne se vend dans aucun de vos sept grands magasins, monsieur Hollingsway. Et cela voulait dire : ne croyez pas que vous m'achèterez à si bon prix, sans mettre votre peau ou votre vie dans la balance. Il possédait, elle était. Et il la désirait. Alors elle lui tenait la dragée haute, elle lui faisait la leçon. Comme à un enfant trop gâté à qui on dit que ce gros cadeau, non, il ne l'aura pas. Mais lui la regardait avec sérieux et gravité, et comme s'il traitait une affaire, lui dit : Dites-moi ce que c'est. Que voulez-vous exactement ? Et cela sous-entendait : je vous le donnerai.

Lora Mae parla dans sa rêverie. Disons que sa rêverie l'entraîna. Elle se raconta son conte de fées préféré. Elle tournait le dos à celui à qui s'adressaient ses paroles et sa demande, comme si tout ce dont elle allait parler maintenant était inaccessible, et invraisemblable même. Rebondissant sur sa rivale, elle dit : Je veux être en photo dans un cadre en argent sur un piano. Mon propre piano, dans ma propre maison. Le soupirant ne fut pas long à comprendre : Vous voulez dire que vous voulez vous marier, dit-il, presque avec un sanglot dans la gorge, d'une voix étouffée par une émotion qui devait venir du sentiment d'un drame (alors je ne peux pas lui donner ce qu'elle demande), ou bien de celui d'être mis en échec (elle me demande l'impossible), ou de la peur (elle me demande de m'engager). Est-ce que cela fait de moi un monstre ? demanda Lora Mae.

Comme ils étaient sérieux tous les deux ! pense Elsa Platte. Et désespérés l'un et l'autre, chacun à sa façon, se tournant le dos, leurs désirs incapables de se rencontrer et de communier. Il se tenait loin d'elle. Elle était comme hypnotisée par la photographie d'Addie Ross. Vouloir le mariage, est-ce si terrifiant ? demanda Lora Mae. Son entêtement lui donnait un côté mystérieux : éprouvait-elle le moindre amour ?

Aimait-elle Porter ? Qui poursuivait-elle en vérité ? L'homme riche et respectable, et respecté ? C'est-à-dire qui il était dans le monde, aux yeux des autres ? Ou bien Porter lui-même, l'homme, son visage, ses mains, sa façon d'être ? C'est-à-dire la façon dont il se tenait lui-même en face d'elle ? Elsa Platte est émerveillée à l'idée qu'elle est incapable de répondre à ces questions : Lora Mae, chasseresse, orfèvre en matière de séduction, était indécryptable.

Porter Hollingsway n'était pas terrifié, il en avait juste soupé du mariage. Voilà ce qu'il voulut expliquer à la belle. Je me suis déjà marié une fois, dit-il, vous le savez. Une fois c'est assez. Pour un homme comme moi en tout cas. Peut-être ne suis-je pas fait pour le mariage, dit-il. Revenu devant elle, il regardait avec ce sérieux grave, triste, et une intensité nouvelle dans les yeux, celle qui essayait de la convaincre. Peut-être n'aviez-vous pas la bonne épouse ? rétorqua-t-elle. Mais il ne le croyait pas, il croyait que la vie conjugale était la chose la plus délicate à réussir, à rendre agréable. Elsa Platte est du même avis. C'est dans un acquiescement silencieux qu'elle l'écoute. Vivre avec quelqu'un, dans la même maison, c'est trop difficile, disait Porter Hollingsway. Il fit son autocritique, il voulut dire que tout était de sa faute. Il se rendait peu désirable. Je ne suis pas facile à vivre, je veux faire ce que je veux quand je veux, le problème n'est pas de trouver la bonne épouse…, disait-il. Elsa Platte le juge très émouvant. Il avait presque l'air d'un enfant qui s'excuse. Porter Hollingsway n'était pas ce qu'on appelle communément un gentleman, il avait un abord un peu ours, un côté ancien boxeur, mais il était une personnalité authentique, et un homme d'action à qui l'action avait réussi. Ainsi avait-il trouvé son poids d'homme, non pas en faisant des manières, mais en travaillant. Alors il disait les choses comme il devait traiter ses affaires : sans tourner autour du pot, avec rectitude et un esprit très pragmatique.

Il doit se trouver des quantités d'hommes pour vous épouser ! dit-il à Lora Mae. Cette réplique amuse énormément Elsa Platte. Etait-il ainsi seulement pragmatique à tout crin et gommant résolument les détours et finesses psychologiques ? Que voulait-il dire ? Que Lora Mae aurait dû se faire épouser par n'importe qui et prendre Porter pour amant ? Et qu'est-ce que ça voulait dire ? La trouille de Porter devant le mariage ? Ou sinon son peu d'amour pour une femme qu'il était prêt à livrer pour la vie à un autre du moment qu'il la mettait dans son lit ? Tenait-il si peu à elle ? Ou bien lui conseillait-il le mariage en étant bon perdant ? Lora Mae répondit en ancrant son propos sur le problème de Porter. Oui, certes… Mais pas s'ils espèrent épouser leur Addie Ross, dit-elle avec perspicacité, sérénité. Son visage, dans cette gravité, était d'une beauté pure, il lui aurait manqué des épingles d'or dans les cheveux tant elle semblait royale. Et elle ajouta, toujours tenue par son dessein et le sachant : Je ne connais peut-être pas toutes les réponses, mais j'en devine certaines.

A ces mots Lora Mae Finney, très droite, élégante dans sa jupe longue fuselée, rapide, quitta le salon et marcha vers la porte.

Elsa Platte, les enfants, le spectateur en général, pouvaient entendre la porte se refermer sur la jeune femme. Porter resta seul un temps long, le temps pour la caméra de faire remarquer les boiseries du salon, les objets, les étagères sans livres. Il endurait un songe. Un long plan fixe le capturait debout dans cette pièce imposante, un verre à la main, prêt à s'asseoir sur son canapé, mais ne s'asseyant pas, retenu par quelque chose en lui qui frémissait, le regard suspendu au portrait d'Addie Ross sur le piano. Pensait-il qu'il l'aimait ? Pensait-il qu'elle venait de lui faire perdre une femme ?

A ce moment il était possible de s'imaginer qu'il était des trois maris (Brad, George et Porter) le plus susceptible de se sauver avec Addie Ross, d'abandonner sa maison et son épouse, son épouse qui l'avait forcé au mariage, sa maison déjà vouée à Addie Ross. Addie Ross avait réussi à devenir son fantasme. S'il épousait Lora Mae (et il l'avait épousée) il conserverait en lui ce fantasme, et ce serait la graine noire de l'avenir. Et son départ n'aurait rien à voir avec Lora Mae, pense Elsa Platte. Et Lora Mae aurait pu anticiper cette issue.

La fascination était immense, et étonnante chez un homme comme Porter qui semblait se nourrir de réalité. Il ne s'assit pas sur le canapé, il posa son verre sur la table basse, et s'approcha lentement du piano, de la photographie. Il se planta tout devant, la main sur le cadre, et la contempla. Addie Ross. Son fantasme. Il était triste, rêveur, affecté, absent. C'est dans cette tonalité très précise que la porte s'ouvrit sur Lora Mae, en manteau, prête à s'en aller dans la nuit, avec son écharpe multicolore autour du cou, quittant ostensiblement cette maison et cet homme. Elle avait soudain l'air d'une collégienne, avec son écharpe dont on pensait qu'elle avait été tricotée par sa mère ou sa tante, et qui était plus simple, moins sophistiquée que ses toilettes habituelles. Il est tard, je vais rentrer, dit-elle d'une voix douce mais décidée.

Ce moment témoignait de l'impassibilité formidable de Lora Mae. Elle avait forcément vu Porter abîmé dans la contemplation du portrait. Elle l'avait surpris en flagrant délit d'adoration. Et maintenant qu'elle lui parlait, il n'avait pas quitté son poste de fascination et disait, lui qui l'avait toujours raccompagnée : Ça vous va si je vous appelle un taxi ? Sa fascination l'éloignait tellement de Lora Mae qu'il n'avait plus l'énergie de la raccompagner. Une langueur paresseuse le prenait. Oui, ça me va très bien, dit Lora Mae, c'est mieux que de marcher dans la neige. Il neigeait dehors, c'était quelques jours avant la Saint-Sylvestre. Lora Mae avait un ton un peu lassé. Maintenant elle croisait ses mains qui tenaient le sac sur son ventre, et elle attendait qu'il eût appelé le taxi, songeuse (j'ai encore une fois perdu cette partie). Porter Hollingsway, viril, installé dans sa maison, composait le numéro de téléphone, rapide, agacé peut-être, mais cela ne transparaissait pas. Il faisait raccompagner chez elle une femme qu'il aurait voulu garder chez lui. C'était aussi une raison de ne pas se déranger. La femme en question attendait, elle avait toujours ce beau visage clair, ses grands yeux noirs vagues, presque noyés. Comme si l'amour rendait songeur. Porter Hollingsway à l'appareil, dit-il dans le combiné. Dans combien de temps pouvez-vous envoyer un taxi chez moi ? Parfait. Mettez-le sur mon compte. Merci. Il raccrocha. Votre taxi sera là dans quelques minutes, dit-il à Lora Mae. Il était distant, un peu glacial, triste. Elle marcha vers lui, ondulante, chaloupante dans son ample manteau qui flottait, et narquoise soudain, comme une dernière joute dans cette bataille fine qui les avait opposés. En tout cas on dirait que vous avez l'habitude d'appeler des taxis ! dit-elle. Il comprenait bien que cela voulait dire : on dirait que vous avez l'habitude de faire raccompagner des filles. Je les appelle pour mes affaires, dit-il avec fermeté, mécontentement, les deux poings sur les hanches, bien décidé tout de même à ne pas s'en laisser conter par cette demoiselle intraitable. Ne vous énervez pas ! dit la demoiselle. C'était un peu facile, et il ne tomba pas dans le panneau, il ne fit pas comme si de rien n'était. Bien sûr que je m'énerve, dit-il, vous me provoquez !

Lora Mae poursuivait une idée qui avait dû creuser sa place dans son dessein mais ne s'était pas encore révélée à Porter. Lora Mae pensait à l'avenir. Je ne devrais pas vous laisser payer le taxi, dit-elle en tripotant le bouton de son manteau, mais dès demain un sou sera un sou. Il ne comprenait pas et demanda pour quelle raison. Que se passait-il ? Parce que je serai au chômage, continua-t-elle (comme si c'était une évidence). Mais vous n'êtes pas renvoyée ! s'exclama-t-il. Oui, mais je vais démissionner, dit-elle. Elle tissait la trame de son plan. On ne restait pas l'employée d'un patron qui vous avait assidûment courtisée et à qui l'on s'était refusée. Pourtant Porter ne voyait pas les choses de cette manière. Mais pour quelle raison, mon dieu ? demanda-t-il. Quelle question idiote pour un homme aussi malin que vous ! dit Lora Mae Finney. Et elle retrouva sa volubilité qui lui donnait un petit air de mégère. Les autres ne démissionnaient pas, pourquoi le ferais-je, c'est ça ? ricana-t-elle. Elle ajouta : Ne craignez rien, Porter, c'est encore un de mes tours ! Elle se moquait de lui. Un coup de klaxon se fit entendre. Elle en profita pour imposer son absence et son départ, impassible : Le taxi est là, dit-elle. Et cela voulait dire : souffrez, je vous laisse. Souffrez que je quitte cette maison où je ne suis rien qu'une fille. Je vous accompagne à la porte, dit Porter. N'en faites rien, dit-elle, et ce n'était pas de sa part une politesse ou une simplicité, mais une cruauté, une ruse de femme. Cette fois, c'est un adieu définitif, dit-elle. Et puisque c'était abattre sa dernière carte, elle insista tout de même sur les raisons (ce qu'elle désirait et qu'elle n'obtenait pas), sur ce qu'elle perdait (qu'il était prêt à lui donner) mais aussi sur ce qu'il perdait lui (sa beauté, sa sensualité dans l'amour, sa compagnie gracieuse et tout ce qu'il ne pouvait imaginer). Pour preuve de tout ce capital qu'elle détenait, elle lui donna un baiser très sensuel, prolongé, un peu ruisselant de son dessein. Vous avez peut-être raison, Porter, et je suis peut-être une idiote, mais peut-être que le plus idiot des deux c'est vous ! souffla-t-elle d'un ton pénétré, avant d'approcher ses lèvres. Ses longs doigts, ses ongles rouges caressaient le cou et la joue de Porter Hollingsway. Lora Mae se révélait experte et affolante.

Ce baiser avait pour mission de suggérer à l'imagination virile de Porter un paradis de sensualité. Le baiser n'était pas un cadeau, il était la trace qu'imprimait Lora Mae, une cicatrice presque, une blessure si Porter décidait de la perdre pour toujours. Le baiser dura le temps destiné à déchirer le cœur et les sens de Porter Hollingsway, avant le silence du départ et de l'absence. Il dura comme un long baiser de cinéma. Puis, tout d'un coup, Lora Mae Finney s'arracha à cette volupté qu'elle avait fait naître et, sans se retourner, d'un pas rapide, non pas irritée mais décidée, maîtresse d'elle-même en somme, belle, ses chevilles fines dansotant sur ses escarpins noirs, elle quitta Porter et le salon.

Alors il fut bel et bien seul, abandonné de cette femme qui voulait tout, l'amant, le mari, la maison, l'amour, la vie, et il était pensif, pas hébété mais perplexe, s'avançant tout de même dans l'encadrement de la porte pour appeler sa belle envolée : Lora Mae ! Que voulait-il ? Personne ne le saurait car l'appel resterait sans réponse. Elsa Platte, à ce moment, se demande s'il était en train déjà de se ressaisir, de se décider, de céder, ou si ça n'était rien qu'une envie de reprendre les négociations en essayant de la convaincre sans changer lui-même le poil fondamental de sa ligne de conduite. Mais Lora Mae n'avait aucune raison de suspendre son départ : si ce soupirant changeait d'avis, il aurait tout loisir de la demander en mariage, si ça n'était pas le cas elle n'avait rien à faire dans cette maison, à côté de la photographie d'Addie Ross trônant sur le piano... Donc bien sûr elle ne s'arrêta pas en si bon chemin. On entendit claquer la porte d'entrée, doucement, comme le déclic de quelque chose qui naturellement se referme, dans son propre mouvement spontané. Lora Mae Finney, ange noir, gracieuse jeune femme audacieuse, s'était envolée. Ça n'était pas une blague (bien que précisément ce fût son dernier atout). Disparaître est aussi plein de signification, de messages, de questions, et de violence. Porter Hollingsway marchait seul dans son grand salon vide.

32 – A propos du mariage

Pourquoi se marie-t-on, est une question banale que
se posent la plupart de ceux qui se marient. Ils se
la posent en couple lorsqu'une opposition crée entre
eux la conversation. Un jour ils en parlent, parce
que l'un veut se marier et que l'autre refuse. Qu'est-
ce que ça changera qu'on soit mariés ? Qu'est-ce
que ça apportera ? Pourquoi refuses-tu puisque ça
ne signifie rien pour toi ?

Porter et Lora Mae rappelaient à Elsa sa propre
histoire. Elle aussi un jour avait exigé le mariage
d'un homme qui s'y refusait. Elle avait posé un
ultimatum. Et maintenant elle s'interroge : cela fait-
il une différence avec un désir partagé ? Est-ce une
contrainte dangereuse que l'on inflige à l'autre ?
Fait-il, en se mariant sans envie, un trop grand sacri-
fice qu'il vous fait un jour payer ? Et comment le
fait-il payer ? En s'en allant par exemple ? En brisant
l'alliance qu'il n'avait pas passée ? En étant infidèle ?
Odieux ? Exigeant ? Ne pourrait-il advenir que celui
qui n'envisageait pas le mariage finît par en être
enchanté et remerciât l'autre de ce qu'il lui a fait
découvrir ? La conjugalité et la vie de famille semblent à Elsa Platte bien plus désirables et joyeuses
que la liberté du célibat ou les unions floues.

Elsa Dautun et Alexandre Platte, jeunes et amoureux, avaient connu ce désaccord. Ils s'étaient envolés dans une romance, ils étaient amants (simple

question d'époque), ils partageaient le temps libre de la vie. Mais chacun avait sa propre maison. Qu'attendaient-ils pour se marier ? Pourquoi ne se mariaient-ils pas ? Allaient-ils se marier ? Leur monde parlait alentour d'eux. Virevolte de l'avenir autour du présent, virevolte des espoirs des familles, virevolte des pensées d'une jeune fille. Mais Alexandre ne voulait pas tâter du mariage. Il pensait la même chose que Porter sans avoir eu besoin d'essayer. Il disait aussi que l'on ne passe pas de contrats d'amour et que l'intime ne se légalise pas. L'intimité offre ce qu'elle crée et ne saurait prévoir ce qu'elle sera. La promesse n'a pas de sens.

Je ne veux pas me marier. Je ne veux pas me marier avec toi (peut-être). Avec vous ou avec n'importe qui. Quel amant ne réclamerait pas alors (par caprice ou esprit de contradiction ou exigence) l'élection du mariage ? Le refus de l'un aiguisait l'envie de l'autre, agaçait le désir d'obtenir, créait le caprice et l'obstination. La plupart des amants (hommes et femmes) n'acceptaient pas de s'entendre refuser le mariage quand ils en éprouvaient le désir. C'était un mauvais moment à passer de part et d'autre. Les amoureuses réclamaient, insistaient, faisaient des scènes, des pieds et des mains, se faisaient désirer, menaçaient de rompre, dansaient pour être épousées. Les amants faisaient le beau, imaginaient des pirouettes et des cadeaux avant d'exiger avec autorité.

Bien sûr, Elsa en était convenue : aucune promesse n'était garantie. Mais elle comprend Lora Mae et ceux qui veulent le mariage. Les serments valaient le poids de leur folie au jour où ils étaient proférés. Lora Mae réclamait de Porter un serment, un engagement qui dît qu'ils étaient ensemble pour de bon, qu'ils édifiaient une vie partagée et un couple, qu'ils n'étaient pas dans l'échange mais dans l'amour.

Dis-moi que tu m'aimes pour la vie, même si plus tard tu découvres que tu n'y as pas réussi. Du moins auras-tu cru que c'était possible, un jour l'auras-tu désiré. N'est-ce pas mieux que d'avoir toujours douté ? Demande-moi en mariage. Promets-moi ta tendresse, ta loyauté et ton dévouement. Jure-moi de partager ta maison et ta vie. Fais-moi plusieurs enfants. Et si tu ne veux pas, va-t'en et ne reviens jamais. Je t'oublierai, avait dit Elsa Dautun. Je peux encore t'oublier.

La danse était une façon de captiver l'autre jusqu'à l'envoûtement. Elle pouvait l'aider dans son mariage. Elsa n'avait pas peur de perdre son mari. Avait-elle péché par excès de confiance ?

Elle pense : qu'ai-je fait ? Maintenant, il est bien trop tard pour oublier cet homme. Le serment scellé, les enfants nés, la vie commune ritualisée, la maison, toute l'histoire, sont écrits en lettres de sang dans tout son être féminin. Alexandre trône dans sa vie.

Elle le connaît, elle le touche, elle l'aime, elle l'attend. S'il ne rentre pas, elle le pleurera, elle le détestera. Voilà ce que sont le mariage et la famille : un corps-à-corps jusqu'à la mort, du lit jusqu'à la tombe.

33 – Un intérieur féminin

Voilà que le spectateur, par un fondu-enchaîné, était de retour dans la modeste maison de Lora Mae Finney. En même temps que s'effaçaient les fastes du salon de Porter Hollingsway, se superposait l'image de la petite tante Sadie, chapeautée, appuyée à l'évier de la cuisine secouée par le fracas du train qui passait à ce moment. C'étaient le bruit et la fureur de la pauvreté, une harmonie maltraitée. Dans le temps que durait ce vacarme, le plan s'élargissait, le champ de la caméra venait révéler que Sadie n'était pas seule à attendre stoïquement la fin du tremblement de sa maison. Lora Mae aussi était assise, et sa sœur Babette debout devant elle. Tout frémissait, les chaises, la table, les placards et ce qu'ils contenaient, le réfrigérateur dont la porte s'ouvrait. Et les êtres humains posés dans ce décor semblaient figés par la lutte qu'ils menaient pour ne pas bouger eux aussi comme des choses avec les choses. Le bruit était si assourdissant qu'on aurait cru le train dans la pièce.

Quand le calme fut revenu, Lora Mae attrapa le tissu de la robe de sa sœur sur laquelle elle était occupée à "faire un point". Lora Mae était concentrée sur son ouvrage, sa sœur était boudeuse, et comme sont d'ordinaire les enfants que l'on oblige à tenir en place : pressée de se dégager. Toute seule, silencieuse contre l'évier, Sadie leva son verre à la nouvelle année. Imperceptiblement se faisaient entendre dans sa voix les autres verres qu'elle avait déjà bus. C'était infime, car elle n'était pas alcoolique mais travailleuse, avait la vie dure et une indépendance d'homme qui l'autorisait à boire. Bonne année ! s'écria Sadie. Et Lora Mae répondit avec distinction et indulgence, comme on acquiescerait à une vieille tante ivre. Bonne année, répéta Lora Mae. Puis s'agaçant de sa sœur qui bougeait : Vas-tu rester tranquille ! s'écria-t-elle tout de suite après. Cette robe n'est pas du tout mon style, se plaignit la sœur, elle n'est pas assez décolletée pour moi. N'ayant ni la classe ni la beauté de sa sœur, Babette était plus tarabiscotée. Eh bien, ne la porte pas si tu ne l'aimes pas ! dit Lora Mae en coupant son fil avec les dents. Ne me parle pas comme ça ! dit Babette. Si tu sortais ce soir tu ne me la prêterais pas !

Babette Finney était on ne peut plus différente de sa sœur Lora Mae : blonde, midinette (comme on dirait) mais ni très belle ni très distinguée, mignonnette était le mot juste, et un peu revêche de n'être que cela à côté de sa sœur qui avait l'air d'une impératrice. Elle se chamaillait, se plaignait, aimait le tapage des fratries que Lora Mae, dans ce souci évident d'élégance qu'elle cultivait en tout, essayait au contraire d'épargner à sa famille. J'en ai assez, ça suffit ! Enlève cette robe tout de suite ! commanda Lora Mae. C'est maman qui m'a dit de la mettre, répliqua Babette, pas toi ! Oui mais c'est encore ma robe à ce que je sache, et tu as une minute pour me la rendre, dit Lora Mae. Tu es en colère juste parce que c'est le nouvel an et que tu n'as personne avec qui sortir, cria Babette à sa sœur. Méfie-toi ! dit Lora Mae qui restait sur le débat de la robe sans se laisser entraîner sur une autre pente. Tu vas te retrouver toute nue dans la cuisine ! Joseph Mankiewicz filmait une bataille de sœurs, le soir de la Saint-Sylvestre, dans la cuisine d'une très modeste maison secouée par le passage des trains, et bien sûr la plus jeune des deux, la moins assurée, appela sa mère. Maman ! Elle avait une vraie voix de chipie geignarde. Lora Mae ne quittait pas sa ligne de parole : Dix secondes ! dit-elle, avec une détermination qui terrifia la sœurette.

La même détermination qu'elle a en tout, pense Elsa Platte. Lora Mae : une sorte de rouleau compresseur dans la séduction comme dans la menace… Lora Mae était aussi grave et obstinée que sa sœur semblait légère et pimbêche. Elle semblait ne connaître aucun moment d'épanchement. Son objectif la tenait et elle tenait sa langue. Babette, à l'inverse, suivait le fil de la vie en bavardant comme une pipelette. La brune, ambitieuse et belle, la blonde, à sa place et jolie : les rêves de la première donnaient une cible au réalisme de la seconde. Tout ça parce que Monsieur Hollingsway est furieux contre toi, dit la cadette. Babette Finney portait la bataille sur un autre terrain. Cinq secondes ! gronda Lora Mae. Elle était censée se jeter sur sa sœur et la déshabiller. Maman ! hurla Babette. La mère invisible, occupée ailleurs dans la maison, laissa au loin jaillir sa colère d'être dérangée. Lora Mae ! hurla-t-elle, furieuse, époumonée. La fureur arrivait derrière la voix. Ce prénom était hurlé comme s'il laissait tout entendre. Puis, bien sûr, elle arriva, mère, femme mûrie et épaisse, dans un peignoir imprimé, fané et douteux, pour faire la leçon à sa fille aînée. Ne pourrait-on pas avoir la paix dans cette maison le soir du nouvel an ? Et cela apprenait au spectateur que la paix avait dû manquer ces derniers jours, c'est-à-dire depuis que Lora Mae, quittant le salon et la maison de Porter, avait joué sa dernière carte, attendant de découvrir ce qu'elle avait gagné. Ce coup de bluff avait-il fonctionné ? Les derniers jours de la famille Finney avaient été bousculés par ce doute et maintenant la mère réclamait la trêve du nouvel an. Tante Sadie, que l'on n'avait plus entendue, croisa ses deux bras sur sa poitrine et dit à la mère : Tu confonds avec la trêve de Noël. La veille de la Saint-Sylvestre, dit Sadie avec une terrible ironie, c'est justement quand les gens ont fini de se faire des cadeaux et recommencent à s'entretuer. Ce qui me rappelle que je dois aller travailler.

C'était une réplique intéressante, derrière laquelle se cachait une vision du monde. Comme si les verbes s'entretuer et travailler présentaient pour Sadie

Dugan une parenté. Sadie exprimait l'évidence de la lutte des classes et de la dureté du monde. Elle les éprouvait, elle allait s'y cogner le soir même. On pouvait comprendre qu'elle s'était habillée avec soin non pas pour aller faire la fête, mais pour aller faire le service à la fête des riches. Et c'est ce que fit remarquer Lora Mae : Quelle soirée pour finir l'année, servir le champagne chez Madame Addie Ross et ses amis ! Je préfère ça à rester seule avec un verre de bière, répliqua Sadie, sans méchanceté, avec son bon sens. Lora Mae ne resta pas longtemps dans la mesquinerie et s'excusa avec la délicatesse exquise (et mystérieusement acquise) qu'on lui connaissait, d'ailleurs il s'agissait ici d'une authentique élégance du cœur, car elle dit avec tendresse : Pardon, Sadie, je n'aurais pas dû te dire ça. Ce n'est rien, dit Sadie. Et la petite domestique s'amusa de sa soirée. Pourquoi n'irait-elle pas en profiter pour venger sa nièce en rendant malade, avec quelques breuvages de sa fabrication, ce méchant Porter Hollingsway qui serait à cette fête ? Ne t'embête pas ! dit Lora Mae. Elles s'embrassèrent avec douceur et affection.

Le fantôme d'une histoire d'amour féerique était autour d'elles toutes, et le nom de Porter Hollingsway sur toutes leurs lèvres. Accompagnant Sadie jusqu'à la porte d'entrée, la mère attrapa le bras de sa sœur et demanda confirmation de ce qu'elle avait cru comprendre. Porter Hollingsway sera à la fête d'Addie Ross ? Il y avait de la colère en elle. Il est invité en tout cas, dit Sadie. C'est ce qu'elle a dit. Elle, c'était

Addie Ross. Elle a dit qu'elle espérait le plaisir de sa présence, singea Sadie en faisant des petits mouvements maniérés avec sa tête. On sentait la moquerie pour ces façons alambiquées de dire les choses. Comment le sais-tu ? demanda la mère. Quand je suis engagée pour servir, on me montre la liste des invités, dit Sadie. La mère savait que sa grande fille avait été invitée à cette fête. Lora Mae aurait pu y être aussi, dit-elle, toujours oppressée par la rage. Elle était en colère, mais on ne savait pas exactement contre qui ou quoi. Porter Hollingsway qui courtisait sa fille sans l'épouser ? Lora Mae qui avait mal manipulé l'homme ? Le monde et comment il était fait ? Peut-être était-elle désorientée par tout ce qui s'était passé et le silence de sa fille déçue. Fiche la paix à Lora Mae, dit Sadie. Comment ça fiche-lui la paix ? répéta la mère. Foutez-lui toutes les deux la paix, se contenta de répéter Sadie, qui savait très bien de quoi elle parlait et ce qu'elle voulait dire. Démissionner juste avant Noël ! se lamenta la mère, et avec toutes ces factures à payer ! C'était à la fois réprobateur et sans agressivité. Que préfères-tu ? demanda Sadie avec fermeté, sûre de son propos. Des factures payées ou bien des enfants heureux ? Oh ! arrête ça, dit la mère, je me fiche bien des factures. Sa bonhomie enveloppante ramenait en un instant la conversation dans la bienveillance. Alors relax ! dit Sadie, et elles se serrèrent l'une contre l'autre chaleureusement, comme deux compagnes d'infortune qui savaient se rendre l'une à l'autre la vie heureuse.

Sadie était frêle et presque jolie, un de ces minois délicats que la pauvreté de sa vie et la mise modeste rendent inaperçus. La mère – Ruby – était épaisse, blonde décolorée, sans grâce, mais merveilleuse de bonté réconfortante. C'était une personne authentique, dans la vie, pas à côté, dans l'émotion, et sans feinte. Passe une bonne soirée au "bingo", dit Sadie. Il y avait entre elles de l'amitié, une complicité. Quel dommage que tu ne viennes pas ! dit la mère. Bonne année, Ruby. Bonne année, Sadie. Dans son vilain peignoir à fleurs, la mère souriait, pas belle, mais émouvante de tendresse, avec ses larmes au bord des yeux, dans une longue embrassade, et quand elle referma la porte sur Sadie, son visage de mère soucieuse était apaisé et elle semblait heureuse. Elsa Platte est touchée par ce personnage loyal et courageux qui affronte une vie difficile (on apprendra un peu plus tard qu'elle était veuve). Et aussi par la complicité des femmes : quatre femmes ainsi rassemblées dans la même petite maison au bord de quoi passaient les trains, soulevées dans leur vacarme, se disputant et s'embrassant, sans jérémiades, et l'exquise Lora Mae, sa brune beauté, attendant d'elle-même de sortir de cette pauvreté, attendant avec la fermeté d'un dessein qui domine toutes les alternatives, de changer *de* monde (ce qui ne voulait pas dire, bien au contraire, de changer *le* monde). Si Lora Mae semblait parfois si dure, si peu sentimentale, c'était aussi qu'elle ne croyait pas que le monde pût changer, et qu'elle voulait pénétrer son lumineux côté, envers et contre tout, envers et contre le sort qui l'avait fait naître au bord des trains, douée d'une beauté remarquable et intemporelle.

Ayant refermé la porte, la mère se retourna, et la caméra qui, jusqu'à présent, nous la montrait, vint à l'inverse se loger dans ses yeux. Le spectateur put voir Lora Mae postée, debout dans le salon, regardant cette embrassade : elle avait été le témoin de cette scène dont elle était le fantôme en forme de regrets (Lora Mae aurait pu y être, avait dit la mère à propos de la soirée chez Addie Ross). Tu es sûre que tu ne veux pas venir avec moi ? demanda avec tendresse la mère à la fille. Sa voix, qui avait crié tout à l'heure, était à ce moment douce et enveloppante. Lora Mae Finney avait eu une mère aimante, vivante et courageuse. Une mère pareille au creux de soi était une étrave qui, toute la vie, ne cessait jamais de fendre les vagues que le sort apportait. De cette force peut-être Lora Mae tenait-elle sa fermeté, cette manière inflexible de vouloir, qui lui donnait l'air dur et indécryptable. Avait-elle des sentiments ? Etait-elle amoureuse de Porter ? Chaque fois qu'elle voyait le film, Elsa s'étonnait de n'obtenir de réponse qu'à la fin. Ce qui lui semblait évident, par exemple dans la scène du pique-nique avec Rita, c'était que Lora Mae ne voulait pas souffrir. Mais souffrait-elle ? Avait-elle juste un besoin vital et autoritaire d'un mari ou bien aimait-elle cet homme-là à la folie ? Et l'aimait-elle parce qu'il était riche ou bien pour lui-même ? L'aurait-elle aimé lui, le même, mais sans la belle maison, les magasins, l'argent et le pouvoir ? Etait-elle fascinée ? Et comment faisait-elle pour si peu le montrer ? Car elle ne se départait jamais d'une ironie très perceptible dans toutes les situations. Elle ne se rebellait que quand il la mettait au pied du mur.

Pour l'instant Lora Mae n'était pas ironique et répondait à l'affection expressive de sa mère. Merci non, dit Lora Mae en plissant le nez. Elle ne voulait pas sortir s'amuser. Voulait-elle aller au bout de sa solitude ? Méditait-elle sa défaite ? Sa situation ? Ou bien imaginait-elle qu'il viendrait la chercher ? Ou bien savait-elle qu'il sonnerait (comme il allait le faire dans peu de temps) ? Il ne faut pas adhérer à ce genre de superstition, pense Elsa, non, Lora Mae n'était pas omnisciente, elle avait joué une carte mais elle ignorait l'issue de la partie. Son obstination à la jouer, à vivre ce moment difficile de l'échec, du doute, ou de l'attente (sans savoir ce qu'il était), était pure comme une flamme. Et la mère, attendrie, oubliant la colère qu'avait suscitée la démission de Lora Mae, voyait sa fille dans ce moment qu'elle voulait adoucir. Je rentrerai avant minuit, promit-elle. Mais Lora Mae buvait jusqu'à la lie la coupe de la solitude. Oh ! dit-elle, je vais me coucher tôt, ne t'en fais pas, ne t'occupe pas de moi. Sa voix, pour dire cela, était un murmure fluide, elle adoucissait délibérément le ton de ses paroles. Je vais m'habiller, dit la mère.

Et Lora Mae resta dans le salon. Elle avait souri en face de sa mère, toute seule elle retrouva sa tristesse. Morose, abattue (on voyait qu'elle n'avait pas le moins du monde l'impression de jouer et de gagner une partie), pleine de ce désœuvrement qui venait du fait qu'elle aurait dû être occupée comme les autres à se préparer au réveillon, elle se laissa tomber dans le canapé râpé, soupira distinctement et prit un magazine. Elle était en jupe droite, avec un chemisier blanc et un cardigan léger, les cheveux noués en un catogan un peu lâche, beaucoup plus expressive d'être moins apprêtée, moins glacée dans une beauté redessinée. Son visage n'avait aucun besoin d'apprêt, il était d'une beauté immuable, à l'excès même, comme celui de toutes les actrices hollywoodiennes, que la pellicule ne filmait qu'en plein épanouissement. C'était agréable pour le spectateur, une sorte de rêve. Assise, dépitée, inoccupée, Lora Mae tourna le bouton de la radio. Des cris de joie, le vacarme d'une fête jaillirent aussitôt du poste. Affrontait-on une soirée qui ne devrait pas être solitaire en s'imposant le bruit de la fête des autres ? Lora Mae coupa le poste, d'un geste rapide et décidé qui portait aussi la trace d'un peu de rage et de tristesse. Les larmes semblaient toutes proches, pourtant pleurer ne ressemblait pas à Lora Mae. D'ailleurs elle ne pleura pas, du moins n'en eut-elle pas le temps, un coup de sonnette la fit lever. Elle avait hésité à le faire, et de même, devant la porte, la main sur la poignée, prête à ouvrir, elle eut à nouveau un temps d'arrêt. Lorsque Elsa Platte en cherche la signification (c'était un de ces détails auxquels on n'attache pas d'importance à la première vision d'un film), elle pense que Lora Mae envisage que celui qui sonne soit Porter, et cherche sa contenance. Mais Lora Mae ouvrit la porte et ce ne fut pas Porter Hollingsway qu'elle eut en face d'elle. Ce fut le galant qui venait emmener danser sa sœur Babette le soir du nouvel an. Babette ne faisait pas de complications, Babette n'avait pas d'histoires sentimentales avec des hommes plus vieux et plus riches, Babette ne rêvait pas d'épouser son patron : de la sorte, Babette sortait danser. Babette était folâtre et Lora Mae opiniâtre.

Bonsoir, Lora Mae. Est-ce que Babe est prête ? demanda un jeune homme que le spectateur n'avait encore jamais vu. Sauf si elle se fait une remise en forme complète ! Assois-toi, dit Lora Mae. Il y avait un fond de lassitude dans sa voix. Donne-moi une cigarette, demanda-t-elle au garçon. Tu ne t'es pas encore habillée pour le réveillon ! s'étonna-t-il. Si ! dit Lora Mae, c'est un déguisement ! Intelligence et humour se côtoyaient chez cette femme, en plus de sa beauté elle avait le don d'être perspicace et spirituelle. Elle était aux yeux d'Elsa (qu'elle divertissait profondément) un personnage remarquable : une belle femme intelligente et pas godiche, c'était un plaisir. Ah oui ? fit le jeune galant. En quoi es-tu déguisée ? En princesse, dit Lora Mae. Puis elle ajouta, à voix haute mais pour elle-même : En princesse dans un cadre d'argent. Et cela nous disait combien étaient présents à son esprit Porter, le salon, Addie Ross, le piano, la photographie, la scène de renoncement qu'elle avait jouée. Pensait-elle à tout cela constamment ? Etait-elle tombée dans un de ces trous noirs de la pensée ? se demande Elsa. Cela restait imperceptible : elle tenait sa cigarette, elle souriait. Je ne pige pas, fit remarquer le garçon. Il était grand, maigre, maladroit, encombré de son chapeau, avec un visage un peu disgracieux, une manière de parler peu assurée. Lora Mae ne répondit pas, elle lui tournait le dos, elle piétinait dans sa rêverie et son salon. Comment expliquer ce qu'elle voulait dire, ce à quoi elle faisait référence, et ce qu'elle pensait ? Aussi, au lieu de ce qui avait occupé son esprit, elle dit la chose la plus banale qu'elle pouvait trouver, remit son chignon en place, partit chercher sa sœur qui tardait : Je vais voir ce que fabrique Babe.

Alors le jeune compagnon maladroit et timoré, à son tour, resta assis seul dans le salon. La mise en scène devenait une chorégraphie. Il était vraiment jeune, empoté, tenant son chapeau comme celui qui n'en porte que rarement et ne s'y habitue pas. Il avait un côté très "soupirant". Aussi bien, si peu sûr de lui, la sonnerie de la porte d'entrée l'effraya : il n'était pas dans sa maison, il ignorait qui sonnait, il ignorait s'il avait le droit d'ouvrir. C'était un homme qui se demandait encore s'il avait le droit. Voilà le genre de garçon avec qui sortait la sœur de Lora Mae : on sonnait, il n'allait pas ouvrir. Mais la sonnerie répercutait l'entêtement de celui qui attendait : un second coup, plus fort que le précédent. Le jeune soupirant cherchait des yeux les femmes de la maison, personne ne venant, dans son inquiétude il se décida et alla ouvrir la porte.

La silhouette haute, et large, et sombre (il portait toujours des costumes foncés) de Porter Hollingsway apparut dans l'encadrement. La mise en scène accentuait à dessein le face-à-face des deux soupirants et l'impression d'un ballet des personnages : après la bataille des deux sœurs, le face-à-face des deux hommes et le malentendu immédiat de Porter pris dans l'étau de son désir et de sa jalousie. Qui êtes-vous ? Où est Mademoiselle Finney ? demanda Porter, empressé, à la fois brutal et apeuré (de découvrir qu'il avait bel et bien un rival). Le jeune homme tortilla son chapeau dans ses mains. Elle sera là dans une minute, monsieur Hollingsway, bégayat-il avec une déférence effrayée. (C'était avec son patron qu'il se trouvait ainsi nez à nez.) Nous nous sommes déjà rencontrés ? demanda Porter Hollingsway étonné. Pas exactement, monsieur Hollingsway, je travaille pour vous, dit le jeune homme. Cette réalité semblait lui avoir rendu ses esprits. Mais elle n'avait pas rendu les siens à Porter qui ne pensait sûrement qu'à Lora Mae. Vous attendez Mademoiselle Finney ? Comment vous appelez-vous ? demanda Porter. Il s'avançait vers le jeune employé qui reculait.

Massif, dominant, Porter Hollingsway entamait un interrogatoire qui disait son angoisse et sa stupéfaction : comment l'un de ses employés pouvait-il avoir plus de chances que lui auprès de Lora Mae ? Le soupirant de Babe ne risquait guère de comprendre ce qui se jouait et il était paniqué. Il articula son nom, avec hésitation, crainte, et difficulté, puis tenta de s'effacer, de se minimiser dans le jeu. Nous sommes juste bons amis, Mademoiselle Finney et moi, bredouilla-t-il. Le visage de Porter était lugubre. Bons amis ! Il ne prenait même pas le temps de se demander ce que cela pouvait vouloir dire, et encore moins ce que cherchait à dire ce garçon. Il était dans un de ces moments où l'on ne voit, ne comprend et n'entend que ce qui est en soi, incrusté, douloureux en général, et obsédant comme une douleur exquise. Amoureux fou, amoureux repoussé, mis au pied du mur, il était enfermé dans sa suspicion. Qui voyait Lora Mae ? Ce freluquet même devenait un rival ! Porter contourna le jeune homme pour s'avancer dans le salon : il n'y tenait plus. Je travaille chez vous depuis trois ans, monsieur Hollingsway, gémit le jeune galant. On ne savait pas ce qu'il demandait. De la mansuétude peut-être. Un regard. La fin du grondement intérieur qui animait son patron et dont il ne pouvait saisir la cause. Il tenait toujours son chapeau entre les mains, encombré, lorsque Babe arriva par la cuisine, vive et pimpante, fébrile, souriante, et l'appelant d'un petit nom très familier (elle lui disait : mon petit babouin !). Mais le jeune homme s'était beaucoup moins aventuré que Porter Hollingsway vers le coin des dames, et c'est donc nez à nez avec l'imposante stature du patron que se trouva Babette. Toute cette scène était une formidable orchestration des malentendus, des surprises, des maladresses que génère l'enfermement d'un homme en lui-même. Seule Lora Mae pouvait en posséder les tenants et les aboutissants. Elle savait que Porter ignorait l'existence de sa jeune sœur, et elle souriait dans l'amusement d'avoir compris ce que la jalousie de Porter avait dû s'imaginer. D'ailleurs, arrivée à la suite de sa cadette, elle dit aussitôt à Porter, avec malice : Je vous présente ma sœur Babe. C'était comme une vengeance délicieuse, une manière enjouée de lui tirer la langue. Elsa Platte porte un sourire qui ne bouge pas, et Max rit comme un enfant.

Babe retrouva son assurance et dit : Mon vrai nom est Georgina. Puis elle rejoignit son cavalier qui s'impatientait. Il lui mit galamment son manteau sur les épaules, ouvrit la porte sur le dehors et se retourna pour saluer Monsieur Hollingsway. Une connivence, une gentillesse, une soudaine indulgence avaient traversé le long regard que la sœur cadette jeta à Lora Mae. Bonne année, monsieur Hollingsway, disait le jeune homme, d'une voix intimidée que suivit une mine renfrognée de n'obtenir aucune réponse. Ça n'avait aucune importance, Porter n'entendait rien, il était debout, dans un face-à-face muet et extatique avec Lora Mae. Ses yeux s'écarquillaient, son visage était sous l'emprise de sa fascination, hors de tout contrôle. Appuyée contre l'encadrement de la porte de la cuisine, Lora Mae était muette elle aussi, mais sur le soubassement d'une légère ironie. Ah vous voilà donc ! Vous êtes venu… Elle ne disait rien, elle attendait, avec son beau visage insondable.

Lora Mae Finney n'exprimait aucune déférence particulière pour son ex-patron. Elle ne s'épancherait pas, ne parlerait ni de solitude, ni d'attente, ni d'espérance, ni de plaisir… Devinait-il qu'elle ne dirait rien ? En tout cas il s'avança vers elle, et sans détour, authentique, avoua sa crainte : Je croyais que c'était vous que ce jeune homme attendait. Lora Mae trouva moyen de faire de l'esprit. Je l'ai prêté à Babe, avec la robe, dit-elle. Le spectateur qui avait vu la scène précédente pouvait bien juger cela spirituel. Elsa se régalait de cette scène, elle aimait que les femmes fussent à la hauteur, dignes et malignes. Porter ne releva ni l'humour ni la suprématie qui s'exprimaient dans cette réplique. Il fut pragmatique. Avez-vous une autre robe ? Je veux vous emmener à une soirée, dit-il. Celle d'Addie Ross ? demanda Lora Mae. Oui, dit Porter. Cela risque de ne pas lui plaire, souffla Lora Mae. Elle savait mieux que Porter ce que peut être la lutte des femmes entre elles pour l'appropriation des hommes, et surtout lorsqu'ils sont riches et puissants comme l'était Porter Hollingsway. Elle a dit qu'elle en serait ravie, articula Porter, insistant sur le démenti qu'il pouvait garantir. Il était sûr de son fait et la tonalité de sa voix, autant que sa mimique expressive pour clore ce débat, en témoignaient. Elle doit avoir besoin d'une serveuse supplémentaire, ironisa Lora Mae. Il n'était pas certain que Porter sût que la tante Sadie servait là-bas, aussi écarquilla-t-il encore ses yeux, stupéfait de cette réponse, et comme si décidément il était tombé sur un phénomène.

Le phénomène, indolente, indécise, attentiste, ironique, chaloupait autour de lui dans le désœuvrement de son attente déçue : n'avait-il donc toujours pas compris ? Elle n'attendait pas de sortir avec lui, ni même de sortir tout court, elle attendait que le sceau du mariage vînt s'apposer sur le désir. Elle lui plaisait, bien sûr, mais ça ne suffirait pas, ça ne suffisait même plus pour sortir avec lui. Car à quoi bon sortir si c'était seulement pour perdre sa vertu ? Lora Mae Finney avait fait de sa vertu, alliée à sa beauté, le talisman qui lui ouvrirait les portes d'une vie nouvelle. C'était à prendre ou à laisser. Mais comme il n'était pas encore sûr qu'il n'y avait aucun autre moyen, il agitait le petit carton d'invitation : il avait prévenu Addie Ross qu'il était accompagné et ne changerait pas ses plans. Mais puisque vous n'avez aucun plan, vous pouvez y aller seul, dit Lora Mae. Elle avait peut-être peur de sortir dans ce monde en n'étant rien qu'une employée courtisée. Elle voulait y être invitée mais à part entière et pour toute la vie. Voudriez-vous que nous allions ailleurs ? demanda Porter plein d'espoir et de doute. Non, dit-elle.

Elle ne voulait aller nulle part avec lui. Elle lui tournait le dos, tripotait quelque chose (une cigarette à écraser dans un cendrier, celle que lui avait donnée le jeune cavalier de Babe). Pourquoi ? demanda Porter, l'air malheureux, abattu. Je vous ai déjà dit pourquoi, dit-elle avec fermeté, en se retournant comme pour le piquer. Il pinça ses lèvres, brusquement il se le rappelait, elle ramenait entre eux tout ce qu'il avait voulu effacer en venant la chercher pour sortir, et avec un léger découragement dans le geste, il lui tendit une branche d'orchidées blanches montées de sorte à être accrochées sur une robe. Elles sont pour vous, dit-il. Merci, dit Lora Mae. Elle ne les refusait pas, mais pour autant ne se laisserait pas manipuler. En somme, elle acceptait les cadeaux mais ne se sentait obligée de rien. N'était-ce pas le jeu ? Est-ce que les cadeaux d'ordinaire vous obligent à quoi que ce soit ? Ils étaient là pour faire plaisir, point à la ligne. Mettez-les, insista Porter. Lora Mae rappela qu'elle ne sortait pas. Vous n'allez pas les laisser mourir, murmura-t-il, et l'on aurait dit, avec son air peiné et malheureux, qu'il parlait de son amour. Je vais les mettre au réfrigérateur, répondit-elle sur un tout autre registre. Et sur ces paroles elle s'en alla vers la cuisine.

La caméra avait changé de place et s'était installée au-dessus du réfrigérateur, de sorte qu'elle pouvait tout capturer de Lora Mae : son visage grave, à peine renfrogné, sa réprobation et son refus, ostensibles dans sa démarche excessivement chaloupée, comme celle qu'ont les enfants requis d'aller chercher quelque chose, de rendre un service, et qui le font à contrecœur en rouspétant. Lora Mae n'aurait pas pesté ou râlé, elle aspirait à trop de distinction pour s'y abaisser, mais elle tanguait, et tout le lacis de ses sourires passés (qui n'avaient pas suffi) s'était épuisé. Elle ne souriait plus. Au second plan de l'image, la silhouette de Porter, sombre dans son costume, silencieux, faisait face à cette femme désenchantée : les fleurs au réfrigérateur lui signifiaient que Lora Mae ne l'accompagnerait pas chez Addie Ross. Il pouvait aussi voir que Lora Mae faisait ce qu'elle disait à peine l'avait-elle dit. Elle avait dit : je vais les mettre au réfrigérateur, et maintenant elle venait de refermer la grosse porte sur les fleurs, et se tripotait les mains, plantée devant, la tête baissée, pensive, embarrassée presque (ne venait-elle pas de faire le contraire de ce qu'elle aurait réellement aimé faire ?). Elle ne savait plus quel geste donner à voir, ni quoi faire d'elle-même. Qu'aurait-elle fait ou dit s'il était resté muet ? Personne ne le saurait, parce que Porter Hollingsway était un homme franc qui agissait en accord avec son désir. Alors il fut lui-même : sûr de lui, ferme, habitué à commander et se jugeant en droit de faire un reproche.

Lora Mae, je ne peux plus supporter ça davantage, dit-il. Elle ne demanda pas de quoi il parlait, ça, elle savait très bien que c'était sa disparition, son manège, sa dernière carte, cette façon de le renvoyer dans ses buts parce qu'il refusait d'en passer par où elle voulait. Il n'avait pas tort de juger cela absurde et insupportable. Quand on aimait quelqu'un, n'avait-on pas envie et besoin de passer du temps avec lui ? Elle avait tant de fermeté dans son dessein qu'elle niait cette vérité du cœur. Je croyais que nous avions décidé de rester chacun de son côté, dit-elle, impétueuse. C'était ne pas se voir, dit Porter, mais vous êtes là, dans cette ville ! Il était bouillant comme un amoureux. Elle était glacée dans son obstination, bras croisés devant son réfrigérateur, face à la porte blanche, butée par son refus à lui et agrippée à sa décision à elle. Je peux aller vivre ailleurs, dit-elle. Il n'écoutait plus cette provocation inauthentique (que signifiait refuser de voir un homme dont par ailleurs on exigeait le mariage ?). Il préférait se livrer, son amour et sa détresse, sa jalousie d'homme amoureux, plutôt que jouer ce jeu de menace et d'exigence. Il dit, avec une fièvre qui poussait les mots les uns derrière les autres : Je ne cesse de me demander avec qui vous êtes, qui vous regardez, qui vous embrassez... Elle ne le laissa pas continuer dans cette obsession possessive et jalouse, la colère était montée. Lora Mae, tempétueuse, et forte de sa logique à elle (que signifiait refuser de se marier avec une femme que par ailleurs on avait envie de voir tous les jours ?), s'écria : C'est assez maintenant ! Mais il était trop lancé pour s'arrêter. J'en perds le sommeil, poursuivait Porter Hollingsway, je ne cesse de penser à vous. Il n'était pas apeuré par la voix plus basse et coléreuse de Lora Mae, il avançait vers elle en même temps qu'il dévoilait l'étendue de son désarroi, la machine de son amour en lui. Il avait eu une rectitude un peu mufle et rugueuse en exprimant autrefois son désir de baisers et son avidité d'embrasements, cette même manière de ne pas tourner autour du pot et de tout dire était maintenant presque enfantine et naïve pour se plaindre d'en être plus que privé : abandonné. Mais Lora Mae Finney se déroba à l'éventuelle compassion qu'elle aurait pu éprouver (ne souffrait-elle pas elle aussi ?), à la tendresse féminine qu'auraient pu réveiller en elle ces aveux sincères et débordants d'amour. Non, elle était semblable à une chatte qui va griffer et de rage retrousse ses babines et émet des sifflements. Elle était une chatte, un fauve, pas une poule. Mais qu'est-ce que j'y peux ? siffla-t-elle. Se déballaient le mépris (pour un homme qui ne s'engageait pas ?), la fureur (de ne pas être exaucée ?), l'obstination (à ne pas céder). Mais qu'est-ce que j'y peux ? demanda-t-elle, avant d'envisager ce qu'elle aurait pu faire et qu'elle ne voulait pas. Recommencer tout le chemin pour n'arriver nulle part ? demanda-t-elle.

Le mariage est vraiment à ses yeux la seule ligne d'arrivée ! pense Elsa Platte, et Porter Hollingsway n'aura pas d'autre issue ! Lora Mae lui posait bel et bien un ultimatum. Elle préférait le punir en ne le voyant plus plutôt que subir sa cour sans être demandée en mariage. Et même si c'était imperceptible de l'extérieur, elle devait en souffrir, sans quoi cela voulait dire qu'elle n'éprouvait rien pour lui. Elle décidait de ne pas voir un homme dont par ailleurs elle exigeait le mariage. Elle voulait épouser un homme qu'elle décidait de ne pas voir. Paradoxe de l'amour mécontent. Je t'aime mais je me venge. Tu me fais souffrir, je crie contre toi que j'aime. Justement, elle évoqua cette souffrance. Peut-être ne jouait-elle pas sa dernière carte en le repoussant, peut-être se protégeait-elle ? Elle dit : Vous perdez le sommeil, et moi ce que je peux éprouver, cela ne compte pas ? Etait-ce un sentiment d'injustice ? Elle était à ce moment-là à la fois ironique et violente, véhémente bien plus que blessée et abattue. Savez-vous ce que vous me faites ? gémissait Porter Hollingsway.

Ils étaient face à face, très proches, véhéments, animaux dans leur combat. Chacun revendiquait sa souffrance. Il fallait que l'autre, qui la causait, la reconnût enfin ! Je trouve que c'est une image extraordinaire, dit Elsa à ses enfants. On dirait deux fauves qui se menacent. C'était une scène de ménage avant le mariage ! Aussi Elsa dit : Ils ne sont pas mariés, mais ils forment déjà un couple.

Ils étaient ce couple en lutte, dans l'amour, parce que chacun le configurait à son idée. Ils étaient un couple. Le mariage n'avait rien à voir avec cela. Ils n'étaient pas encore mariés, ils n'habitaient pas ensemble, ils n'avaient pas d'enfant ensemble, ils n'avaient même pas été amants, mais ils étaient déjà serrés (étouffés) dans le nœud d'un lien amoureux. Il disait : Vous me faites souffrir. Ne voyez-vous

pas comme vous me faites souffrir ? Elle répondait :
Mais vous connaissez tous mes tours ! Et lui bien
sûr ne pouvait que crier cette évidence que l'amour
ne déjoue aucun tour puisqu'il aime. Lui, Porter
Hollingsway, riche, puissant, intelligent, absolument
coutumier de tous ses tours, ne pouvait échapper à
son sortilège dès lors qu'il y était sensible, et peu
importait qu'il connût ou non le numéro qu'elle jouait.
Je ne peux plus le supporter, répéta-t-il, visage contre
visage. Etait-ce la dernière parole, celle qui clôt le
combat, comme le dernier coup ou l'ultime supplique ? Toute la colère de Lora Mae retomba. Quelque
chose de tendu et de tempétueux en elle s'effondra.
La digue qui retenait sa douceur lâcha. Elle serra
ses bras contre sa poitrine, soudain vulnérable, lasse,
blessée et non plus enragée comme elle l'avait été
l'instant d'avant. On aurait dit qu'elle se sentait
captive d'un piège, qu'elle n'en voyait pas l'issue (ce
qui voulait dire qu'elle considérait cette fois pour
véritable et définitif le refus du mariage chez Porter),
et qu'elle prenait son soupirant à témoin. Oh ! Porter, dit-elle, à quoi bon ? Sa voix était un murmure
faible. Et sans ironie, un peu plus distinctement
(comme ragaillardie par le trait d'humour, ou même
la cocasserie de la situation – être invitée à une
soirée où servait sa tante), elle ajouta : Dites à Addie
Ross que la cuisinière est sortie et que je dois tenir
compagnie au réfrigérateur. C'était clair : elle n'irait
pas, aussi amoureuse fût-elle, car si elle mettait le
doigt de l'amour dans le piège, il se refermerait sur
elle, et elle souffrirait, et souffrir, elle s'y refusait.

De toute façon, il n'y a pas de suspense, dit Max, on sait qu'il l'a épousée !

35 – Fiançailles du nouvel an

Voilà ! C'était le dernier affrontement. Elle ne cédait pas. Et c'était finalement peut-être authentique : non pas un jeu ou une stratégie, mais une manière pour elle d'éviter un tourment. Il fallait bien envisager qu'elle souffrît de se faire ainsi draguer sans engagement et par son patron (le comble de la vulgarité). Cette idée s'était imposée à Elsa au bout de plusieurs visionnages. Lora Mae Finney n'avait-elle pas une élégance intérieure qui justifiât de sentir sa dignité blessée à être convoitée sans promesse et sortie sans titre ? Elle était belle, elle lui plaisait, mais elle ne voulait pas céder à la trivialité de ses motifs. Donc elle refusait définitivement de sortir avec son patron. Elle ne serait pas une maîtresse ou une femme entretenue. Rien n'était dit, ces raisons étaient laissées à l'appréciation du spectateur. Mankiewicz se contentait de mettre des paroles et des actes dans la boîte, de la même manière qu'ils se présentaient dans la vie : sans explication.

Porter Hollingsway serra ses lèvres, une mimique de contrariété s'ébaucha sur son visage, il secoua sa tête de haut en bas comme pour se dire : bien bien, non, je ne rêve pas. Il était maintenant certain que cette femme ne cédait jamais. Elle était invincible.

Il allait le lui dire. Vous avez gagné. Il n'en pouvait plus de désir et de doute. Il ne le lui avait pas caché. C'était l'exacte vérité. C'était ce qu'il avait éprouvé, de souffrance, d'envie d'être avec elle, de colère à l'idée qu'elle fût avec un autre. Il n'était pas menteur. Il était loyal et simple. Il n'en pouvait plus et elle ne renonçait pas : c'était donc lui qui allait céder. Il céda. OK, dit-il. Et c'était le début de quelque chose, non pas la fin. Il dit la réalité simple : OK, je cède, vous avez gagné. Il ne dit pas : je veux vous épouser, ou bien même voulez-vous m'épouser ? Et tout cela était parfaitement logique : il n'avait pas besoin de demander puisque c'était la condition qu'elle avait mise au fait de sortir avec lui. Quel besoin aurait-il eu de lui demander : voulez-vous m'épouser ? Elle ne voulait que cela ! A ce moment, il avait l'air de quelqu'un qui se décide, à qui l'on a un peu forcé la main. Deux rides séparaient son nez de ses joues, il semblait mécontent, pas très gentil. Son amour était invisible. Max le fait remarquer à sa mère. Ça n'a pas l'air de le réjouir le mariage ! dit le jeune garçon. N'a-t-il pas perdu la guerre des sexes ? dit Elsa Platte à son fils.

Il était joli que ce mécontentement s'évanouît presque instantanément dans l'amour et l'espoir. Porter Hollingsway fonçait. OK, vous avez gagné, je vous épouserai, disait-il à Lora Mae Finney. Cela n'était pas solennel, cela n'était pas ce qu'une femme éprise espère de son amant : ce n'était pas une demande en mariage. Cela ressemblait plutôt à la dernière phrase d'une conversation, à une victoire par abandon, mais pas à une demande… Porter Hollingsway concluait une affaire. OK. Il avait tenté de négocier pour payer moins cher, il n'avait pas réussi, et maintenant il acceptait les conditions proposées. Plus tard Lora Mae le lui reprocherait, mais pour l'instant le spectateur allait découvrir ses yeux pleins de larmes.

Enfin appelée au mariage, Mademoiselle Lora Mae Finney n'était pas triomphante, elle était émue. Elsa trouvait que c'était rassurant. Pour la première fois, Lora Mae révélait qu'elle ressentait une émotion. La caméra avait de nouveau changé de place, elle s'était arrêtée à l'orée de la cuisine, tout au bord du visage grave de Lora Mae qui, appuyée à l'encadrement de la porte, tournait le dos à Porter, regardait le salon vide, pâle, lointaine, avec un regard flou, égaré sous l'aile des sourcils noirs. OK, vous avez gagné, je vous épouserai. Tandis que ces mots étaient (enfin) prononcés, Joseph Mankiewicz tenait dans son troisième œil le clair visage de la belle au premier plan et son galant, dans son pardessus noir, secouant la tête de bas en haut avant de céder. OK, vous avez gagné, je vous épouserai. Est-ce que cette expression n'avait pas l'avantage de montrer comment, dans le mariage, chacun était une proie pour l'autre ? se dit Elsa Platte.

La caméra captait la moindre expression de Lora Mae. Le visage fut d'abord impassible. La soudaineté (la brusquerie) de cette reddition le surprenait dans sa contemplation ; la jeune femme demeurait immobile, songeuse, inexpressive, comme si elle n'avait rien entendu, comme si rien n'avait été dit. Mais si, elle avait bien entendu, et ses yeux se mirent à rouler, presque pris de panique, soumis à l'incrédulité, à une rêverie nourrie d'une information folle, de quelque chose d'incroyable qu'il fallait bel et bien considérer comme advenu. La caméra à nouveau se déplaça, elle vint se placer entre les deux amoureux et le visage de Porter apparut en gros plan. Son air mécontent avait fait place à une expression d'inquiétude à la fois intense et stupéfaite. Son regard attendait l'assentiment, la joie, le sourire, et sans doute était-il étonné d'avoir à attendre. Lora Mae n'avait pas eu un mouvement, elle ne s'était pas retournée. Comme le spectateur, que la caméra tenait placé entre eux deux, Porter ne voyait que la chevelure noire, le catogan vaguement défait, le nœud de tissu blanc qui serrait les cheveux. L'image avait la beauté d'un tableau. Qu'en dites-vous ? demanda-t-il. Après tout, pense Elsa, il n'avait auparavant posé aucune question. Il attendait, dans une souffrance qui lui faisait écarquiller les yeux, suspendu à un verdict. La lourde chevelure noire était immobile. Puis, très lentement, la tête se retourna. Lentement, dans un silence complet, apparut le profil pur de Lora Mae qui pivotait sur elle-même. Elle avait beaucoup parlé à Porter en lui tournant le dos, c'était presque une habitude chez elle, mais là elle voulait lui faire face. Elle allait dévoiler le nu visage de son amour, de son émotion, de sa beauté encore. L'instant d'avant, elle avait reçu la capitulation sans y croire. Maintenant elle avait l'air un peu sonné, ses yeux étaient pleins de larmes, et puisqu'il attendait de toute évidence une parole, elle dit d'un ton cassant et lassé à la fois : Merci ! C'est trop gentil de votre part.

Quelle peste ! dit Max. C'était dire la perplexité que suscitait la réaction de Lora Mae. La réplique décevait l'envie d'exaltation du spectateur. Chacun attendait, comme Porter, quelque chose d'une explosion de joie, une libération. Comme si ce qui, dans la trame d'une histoire, venait enchanter l'un des personnages faisait aussi plaisir au lecteur ou au spectateur. Mais plus tard, ayant réfléchi, Elsa fut bien obligée de convenir que Lora Mae avait une réaction fine et sensible. Porter Hollingsway, par cette manière de dire les choses, ne lui signifiait-il pas trop qu'elle lui extorquait le mariage ? Et pourquoi cédait-il ? Pas pour lui faire plaisir à elle, mais pour apaiser son désir à lui. Parce qu'il ne pouvait faire autrement. Elle était la plus forte, elle gagnait parce qu'elle pouvait – mieux que lui n'y réussissait – se passer de lui. Il la voulait à tout prix. Il payait le prix qu'elle demandait : je vous épouserai. Fallait-il tomber à genoux devant tant d'amour ? Disons qu'il était maladroit. Il s'était fait prier. Une femme n'avait pas envie de supplier un homme de l'épouser, de le menacer ou de rompre pour cela, mais c'était ce qu'avait dû faire Lora Mae. Alors

elle ne remerciait pas exactement, elle se moquait :
Merci ! C'est trop gentil de votre part.

Porter Hollingsway était aussi déçu que le spectateur. Quelle réponse est-ce ? demanda-t-il en faisant
une grimace (ni dégoût, ni colère, ni méchanceté,
simplement de la perplexité). Je ne sais pas, souffla
Lora Mae. Elle n'avait plus qu'un filet de voix. Ça
m'est venu comme ça, expliqua-t-elle, pas misérable
parce qu'elle était trop belle pour cela, mais cham-
boulée, ça oui, confuse, comme quelqu'un qui ne
sait pas quoi dire, qui a gagné mais qui ne l'attendait
plus et ne laisse éclater aucune joie.

Elle n'avait pas bougé, elle était toujours plantée
dans l'encadrement de la porte, entre le vilain salon
et la petite cuisine qui tremblait quand passaient les
trains. Elle n'avait ni ri, ni souri, ni témoigné une
joie quelconque. Aucun soulagement, aucun bonheur,
pas le moindre transport apparent. Emotion et gravité l'avaient paralysée. Et en somme, elle bredouil-
lait des bêtises qui disaient la vérité (ça n'est pas
une jolie demande en mariage) mais pas une vérité
pertinente, utile ou bienveillante. Donc il fallait la
faire taire et la consoler. Elle était si perdue, cette
petite, d'avoir ainsi fait céder un homme à qui ça
n'était pas habituel. C'est donc lui qui s'avança vers
elle. On aurait dit qu'elle allait se dissoudre dans ses
larmes, fondre sur elle-même comme une bougie.
Etait-il touché par cette faiblesse ? Il vint à elle. Il
le fit presque comme un père (d'ailleurs il l'appela

mon enfant, ma fille, fillette). Que voulait-il ? La rassurer, l'entraîner, lui rendre sa joie, lui dire qu'elle avait raison, qu'ils faisaient bien, qu'il était heureux de l'épouser, il voulait l'enchanter enfin ! Alors il dit : Nous réussirons, fillette. Nous en sommes déjà là où d'autres mariages mettent des années à arriver. Ses grandes mains tenaient le haut des bras de Lora Mae, ses mains appuyaient ses mots : Je vous tiens, je ne vous lâcherai pas, je serai là pour vous. Ce n'est pas du baratin, vous verrez, ce sera un bon mariage. Elle avait le visage levé vers lui, les yeux pleins d'eau, elle l'écoutait comme une enfant. Elle se livrait à ce savoir qu'avait accrédité son long refus de se marier.

Porter Hollingsway cherchait aussi à se convaincre lui-même. Sa peur du mariage devait être réelle, et grande sa défiance envers tout ce que détruit la vie commune, car on aurait dit que cet élan bavard devait conforter sa décision, donner de l'air aux voiles de leur bateau, en affirmant que leur mariage serait différent de tous les autres. Oui, leur union s'agrémenterait d'une véritable connaissance de l'autre. Ne s'étaient-ils pas joué mille tours ? Ne s'étaient-ils pas manipulés ? Porter Hollingsway, gaillard, puissant et riche, était rempli de doute. Il savait que l'amour et la vie conjugale ne font pas toujours de l'amour conjugal. Lora Mae l'écoutait dire, incapable de prononcer une seule parole. Elle avait toujours des yeux pleins de larmes qui brillaient comme des miroirs, comme la surface mouillée d'un lac. Vous avez fait une bonne affaire, Lora Mae, dit-il, toujours sur ce ton de celui qui veut se prouver quelque chose. C'était encore une maladresse (et elle lui serait reprochée), et pourtant il regardait la jeune femme dans les yeux et elle avait enfin l'air bouleversée et amoureuse et soumise à l'homme qu'il était, soumise à son futur mari comme elle ne l'avait jamais été auparavant à l'homme qui refusait le mariage. Son profil droit, les lignes noires de ses sourcils sous son grand front, son expression, avaient quelque chose de sublime, de délivré, de livré. Ses yeux fouillaient le fond de ses yeux à lui, espéraient peut-être violemment autre chose que ce que, justement, il disait. Le mariage, dans le cœur d'une jeune fille, ce n'était pas une affaire, mais un serment, une promesse, une folie, une alliance, un sacrement... et c'était toute la vie, toute la vie qui se donnait, s'ordonnait, se transformait, s'alliait. Avec ses yeux, elle essayait peut-être de lui dire tout cela, et déjà c'était un malentendu, il n'entendait rien et prononçait cette ineptie : Vous avez fait une bonne affaire, Lora Mae ! Elle ne répondit pas. Elle ne dit mot. En fait, pense Elsa, il n'y avait rien à répondre à une idiotie pareille. (Mais ce n'était pas une idiotie.)

Dans le silence entre eux, la voix tonitruante de la mère se fit entendre. Si tu me cherches, je suis chez les Callaghan ! criait-elle à sa fille. C'était la manière d'échanger en famille : de loin, en parlant fort. La grosse femme en robe du soir, occupée à s'accrocher un bracelet, apparut dans l'encadrement de la porte. Rapide, s'acharnant sur son bijou, elle disait à Lora Mae de ne pas s'inquiéter, et où la trouver, tout cela sans quitter des yeux son poignet et le bracelet, tordant le cou et ne voyant pas sa fille dans les bras de Porter Hollingsway. Puis bien sûr, elle leva les yeux et découvrit le couple. La caméra saisit le sursaut de sa surprise, puis les deux amants, leurs visages proches l'un de l'autre comme sur une photographie dans un cadre. Cela dura une seconde. Une imperceptible expression de joie, de triomphe et de fierté, recomposa le visage de Lora Mae. Elle était comme une petite fille heureuse qui va parler à sa mère de ce qu'elle a réussi. Bonne année, maman ! dit-elle avec vivacité, à dessein devançant toute parole de sa mère. Nous allons nous marier !

A ce moment, pense Elsa, on comprenait à quel point c'était le mariage que voulait Lora Mae. Le mariage. Pas l'amour. Pas l'amour et le mariage. Le mariage. Le mariage, et tant mieux s'il y avait l'amour.

Aussitôt ces mots lancés, Lora Mae se tourna vers Porter. Elle sembla s'enfouir dans ses bras, s'enfoncer dans la grande silhouette pour entrer dans le silence d'un long baiser. La mère ouvrait d'immenses yeux, effarée, mais n'ayant pas même le temps d'être effarée, déjà vacillant sous le choc de l'événement, s'évanouissant au milieu de son salon en s'écriant : Bingo ! Le baiser des fiancés se poursuivait, un baiser profond et sensuel, un baiser hollywoodien, la femme ployée sous l'homme, les bouches invisibles et encastrées l'une dans l'autre. C'est alors que ce romantisme effréné fut malmené par le cinéaste avec un humour qui réjouit Elsa et ses enfants. La cuisine entra en vibration, le vacarme enveloppa le baiser, les corps embrassés se mirent à trembler, frémir, sauter comme des pommes de terre dans une poêle : un train passait. Ils ne s'embrassaient pas dans la demeure tranquille de Porter mais dans la pauvre maison au bord de la voie ferrée. C'était drôle, et symboliquement impudique, presque indécent, pense Elsa : on eût dit les sursauts frénétiques d'une fornication. Le bruit était énorme. La belle main de Lora Mae agrippait le dos de Porter, ses ongles s'enfonçaient dans le tissu sombre de son pardessus. Il était sa prise autant qu'elle était la sienne.

36 – Cent raisons

Puis l'écran devint noir. Le baiser avait disparu. C'était la fin du flash-back. Elsa dit : A votre avis, que voulait nous dire Mankiewicz ? Que pensait Lora Mae ? Ce mariage qu'elle avait arraché à un homme réfractaire avait-il pour autant des raisons de finir ? Le oui autant que le non pouvait être une réponse : il ne voulait pas se marier, il l'aimait tellement qu'il s'était marié. Il y a tant de raisons d'aimer qui que ce soit. La fascination de Porter pour Addie Ross était-elle une graine de rupture ? Addie Ross

n'avait-elle, comme on dit, qu'à lever le petit doigt ?
La différence sociale était-elle un problème irréductible ? Lora Mae n'était-elle pas assez aimante ?
L'argent avait-il créé entre eux un malentendu ? (Lui :
Vous m'avez épousé pour mon argent. Elle : Vous
m'avez achetée.) On trouve toujours cent raisons à
la fin d'un couple. C'était même une chose étrange
qui attristait Elsa : il y avait toujours une explication à
la fin d'un amour ou tout simplement d'un mariage.

Il n'était pas marrant. Elle n'était pas commode.
Il la trompait beaucoup. Elle ne pouvait pas avoir
d'enfant. Elle a rencontré quelqu'un. Leurs enfants
leur ont pourri la vie. Il n'a pas supporté qu'elle soit
malade. Il n'acceptait pas qu'elle gagne plus d'argent
que lui. Il n'était pas facile à vivre. Il ne s'occupait
pas plus d'elle que d'une chaussette. Elle n'a pas
surmonté qu'il reste si longtemps au chômage. Il ne
voulait plus habiter dans cette maison. Elle n'a pas
supporté de devoir déménager. Il a rencontré cette
autre femme. Elle a pris un amant. Quand les enfants
sont partis, ils se sont retrouvés tout seuls. Ils ne
s'intéressaient pas aux mêmes choses. Elle n'avait
plus envie de faire l'amour. Elle ne lui parlait pas
gentiment. Cela faisait longtemps que ça n'allait plus
entre eux. Il n'aimait pas sortir. Elle était tellement
frivole. Elle a toujours vécu à l'extérieur. C'était un
emmerdeur. Il n'a fait aucun effort avec ses beaux-
parents. Elle ne l'a jamais aimé. Ils n'avaient plus de
vie sexuelle. Elle ne le flattait pas, il est allé voir
ailleurs. Elle refusait de voyager avec lui. Elle voulait

qu'il vende son bateau. Il s'est mis au golf. Elle l'a complètement coupé de sa famille.

Que ne fallait-il pas entendre lorsqu'un couple annonçait sa séparation ! Que de bêtises, de mesquineries, de commérages et de fausses raisons ! C'est fou comme les autres croient tellement comprendre, se permettent de résumer, de conclure, eux qui n'ont accès à rien. Ne faudrait-il pas constater simplement que tout passe ? pense Elsa Platte. La fièvre du début, l'émotion de la première nuit, le plaisir de connaître, l'appétit d'être ensemble, l'envie de charmer, se cassent contre le temps, la répétition, l'inattention de l'habitude, la lassitude, la connaissance, l'agacement, les désagréments, les mauvais souvenirs.

Elle n'a pas supporté… Il n'a pas supporté… Qui supportait encore quelque chose ? pense Elsa. Qui concevait qu'un autre fût irremplaçable et méritât quelques sacrifices ? Les amours étaient-ils donc interchangeables ? Elsa disait : Chacun de nous élit un être indispensable, unique, irremplaçable. Et cette élection est une décision dont la cause le plus souvent nous échappe. Mais si nous ne savons pas décider, c'est l'être unique qui nous échappe.

L'écran était noir. Le baiser avait disparu. Ce flash-back avait donné au spectateur un éclairage sur le mariage de Lora Mae Finney. Madame Hollingsway avait-elle des raisons de croire que son mari était parti avec Addie Ross ? Elle en avait, bien sûr. L'écran était noir, comme s'il voulait n'imposer aucune pensée et laisser la place à celles-ci. As-tu déjà eu envie de quitter papa ? demandent les enfants. Non, dit Elsa à ses enfants, jamais. Elle ne sait pas si c'est vrai. Oui, on trouve toujours des raisons de quitter l'autre, mais on en trouve aussi d'innombrables de rester. La vraie question n'est pas celle des raisons qu'on aurait, mais celle de la volonté qu'on y met : que voulait-on ? Rester, durer, ou bien partir et recommencer ? Les raisons, celles de rester, celles de partir, on pouvait les ranger en deux colonnes ; et aucune colonne ne resterait vide. La volonté seule faisait le choix.

Dans l'écran noir la lumière revenait peu à peu. C'était le ciel au-dessus du lac, un ciel blanc, argenté par un soleil couchant. L'image était un parfait contre-jour sur lequel les objets apparaissaient comme des ombres chinoises. La grande silhouette d'un arbre au premier plan, la ligne noire des collines sur la gauche, le miroitement glacé de l'eau, le bateau au loin, et le ronflement continu de sa roue. Voilà que le présent était de retour : c'était la fin du pique-nique. Les enfants allaient regagner l'orphelinat et les trois charmantes accompagnatrices rejoindre leur foyer. Y retrouveraient-elles aussi leurs maris ? Ceux-là mêmes qui avaient toutes les raisons de les quitter… N'a-t-on pas souvent toutes les raisons de rester ? dit Elsa Platte. Il y avait de la mélancolie et du pragmatisme dans le ton de sa voix.

37 – Suspense

Le ciel blanc phosphorescent s'était désormais vidé de sa lumière et chargé d'une couche continue de nuages. Tout l'alentour du lac était sombre. Quelque chose de lugubre était tombé sur le paysage devenu morne après son dernier scintillement. Le bateau avait dû s'amarrer, les enfants en descendre et se ranger en files avant de monter dans les cars. L'ensemble de l'opération, débarquement et embarquement, s'était déjà passé et le spectateur regardait les grands véhicules se mettre en branle, lentement manœuvrer pour quitter le terre-plein devant le débarcadère. Les banderoles fixées sur leurs flancs commençaient à se détacher et flottaient dans le vent du soir : Dix-huitième pique-nique annuel.

Le dix-huitième pique-nique en ce samedi 1er mai, Rita, Deborah et Lora Mae s'en souviendraient, pense Elsa Platte. Elles n'étaient pas près d'oublier ce supplice d'une affreuse rêverie, cette expérience ineffaçable de la suspicion, ni celle de la remise en cause de soi. Oublieraient-elles jamais cette mise à l'épreuve du lien, de l'amour, de son évidence et de la confiance, pendant tout un jour ?

Ce jour prenait fin. Les trois femmes agitaient leurs mains, au revoir les enfants, elles étaient groupées entre leurs deux voitures. Ce n'était pas un conciliabule, mais la retombée silencieuse d'une journée difficile. Trois cars emportaient les orphelins, bon vent (peut-être même : bon débarras, mais ce genre de pensées est toujours coupable et ne s'exprime pas, à peine au-dedans de soi). Quelle journée ! Quelle journée qui ne ressemblerait jamais à aucune autre ! Cela ne serait pas le moindre de leurs hauts faits d'épouses et d'amies que de l'avoir traversée sans larmes ni querelles. Maintenant les accompagnatrices étaient lasses. Et c'était sans compter avec l'angoisse intérieure qui sûrement augmentait au fur et à mesure qu'approchait l'incertaine issue. Il arrive que l'on préfère ne pas savoir. Deborah regardait sans un mot se finir cette après-midi, son beau visage parfaitement lisse dans sa gravité. Au contraire Rita soupira, le front plissé, toute sa fraîcheur et sa gaieté détruites par ce qu'elle avait pu se remémorer et s'imaginer, par le grand tort qu'elle s'était attribué, et le tamis sévère à travers quoi elle avait fait passer sa vie conjugale. Eh bien, dit Lora Mae en guise de conclusion, on se voit ce soir au Club. Des trois héroïnes, elle était la plus insondable, celle qui le mieux cachait son désarroi, toujours drapée dans son élégance (qui prenait ce jour-là la forme d'un manteau immaculé) et perchée sur les hauteurs de sa distinction – perchée était le bon mot, car sa distinction était aussi naturelle qu'élaborée, une véritable construction de son immense volonté. Rita força son sourire tout en dévisageant cette amie moqueuse qui ne se livrait pas, mais c'était en le lui pardonnant et avec une ironie amenuisée par la tristesse. Leurs regards se dérobaient. En haut ? En bas ? Elles ne savaient où les diriger. Elles tournaient autour d'un objet brûlant. Le dénouement approchait. Une seule d'entre elles serait la malheureuse. Peut-être y pensaient-elles en ces termes, à la manière de compétitrices, de concurrentes. Si tu es la malheureuse, je ne le serai pas. Est-ce toi ou est-ce moi ? Une crispation, comme une main glacée vous attrape le ventre, les tenait dans une réserve un peu gênée. Deborah s'éclipsa la première, comme envolée, déjà installée au volant de sa voiture où Rita la rejoignit.

De son côté, toute seule et soudain constatant cette solitude, Lora Mae ouvrit la portière de sa voiture décapotable en se mordant la lèvre, comme si quelque chose coinçait dans la poignée qu'il fallait débloquer et que c'était un peu difficile pour ses petites mains féminines. Est-ce que ça n'était pas en effet difficile de continuer, de faire les mêmes gestes comme si de rien n'était, comme si la foudre n'était pas (peut-être) tombée sur votre maison ? Elle faisait cette mimique de se mordre la lèvre inférieure, celle qui signifie que l'on ravale sa peine, sa rancœur, ses paroles, sa souffrance, sa colère, son ressentiment. Lora Mae avait sûrement une bête qui lui rongeait le ventre. Comment savoir si l'amour de l'autre, un jour, ne sera pas rassasié de ce qu'on lui donnait ? Lora Mae avait assez le sens de la vie pour savoir que cette question était honnête. Etait-il entièrement de leur ressort, à elles, les femmes, de garder l'autre au creux de leurs bras ? pense Elsa Platte à voix haute. Elle serait capable de poser la question à son téléviseur. La bête rongeait le ventre de Lora Mae. Mon mari est-il parti avec Addie Ross ? C'est peut-être mon mari. Mon mari est parti. C'est mon mari.

Mon mari est-il parti ? Mon mari partira-t-il un jour avec une autre ? Qui peut savoir ? Qui sait ? Allez donc deviner la réponse et l'avenir, et toutes les idées qui traversent l'esprit d'un homme, et toutes les femmes qui attisent son désir. Et surtout quand il n'est qu'un mari et pas un père. Elsa avait songé que seuls George et Rita avaient des enfants. Cela faisait-il une différence ? Les enfants n'incitent-ils pas un homme à rester ? pense Elsa en regardant Noémie et Max. Mais une femme auprès de qui un époux resterait à cause des enfants ne saurait être comblée. Il faudrait qu'elle l'ignorât pour être heureuse de son mariage. Ce serait alors un couple fondé sur un mensonge et un malentendu : elle qui croirait être aimée et lui qui aimerait ses enfants. Et si elle s'en apercevait, que ferait-elle ? Elle rechercherait l'amour, elle prendrait un amant, et finalement peut-être divorcerait, quitterait l'homme qui ne l'aimait pas. Mais les enfants rendraient la séparation plus difficile, et imparfaite. Les enfants étaient la trace permanente, présente et à venir, de ce qui avait été, de l'autre, celui à qui on aurait voulu dire : si tu n'es plus là, je considérerai que tu n'as jamais été là. Et je t'effacerai de ma mémoire tendre pour annuler ma peine, nier mon amputation, cesser d'en souffrir chaque matin et chaque soir, dans les draps vides, sans ta tête à mon côté sur l'oreiller qui demeure tien, et le restera jusqu'à ce qu'un autre vienne y laisser des cheveux et l'empreinte de sa tête dans la nuit. C'était bien ce qu'Elsa Platte dirait à Alexandre s'il ne revenait pas.

Les deux voitures quittèrent le terre-plein, l'une derrière l'autre, la décapotable suivant le break, dans la griseur triste, roulant autour du kiosque déserté, tournant le dos au bateau sur le pont duquel, au premier plan maintenant, un vieil homme mince, en salopette, casquette sur la tête, passait le balai. Le balai disait : les réjouissances sont finies. Le balai disait à Elsa : les traces de toutes les journées peuvent être effacées. Alors, comme si le cinéaste voulait entériner cette pensée, l'image s'estompa. Mankiewicz usait encore du fondu-enchaîné ; à l'ombre du lac succédait progressivement l'allée de la maison de Rita, éclaboussée d'une lumière qui s'éparpillait en traversant les feuillages. Un soleil qui semblait matinal (Elsa pensait que cette scène n'avait peut-être pas été tournée à la fin d'une après-midi) avait percé la couche de nuages. Le break de Deborah stoppa dans les éclats de lumière. Le chant d'un oiseau se fit entendre en même temps que Rita claquait la portière de la voiture et faisait un signe de la main à Deborah.

Elles ne se diraient rien. Elles n'étaient plus capables de parler. Voilà la voiture déjà repartie et Deborah en route vers chez elle et son propre dévoilement.

Le chant d'un oiseau, le soleil tout neuf, on sentait une renaissance. Une renaissance se préparait-elle ? On ne sait jamais si bien à quoi l'on tient qu'après avoir manqué le perdre. Ou bien un ensevelissement ? Il arrive que l'on perde et que, malgré tout son désir, on ne puisse revenir en arrière. Et il faut compter en amour avec la liberté de l'autre. Mankiewicz jouait avec le suspense. C'était le début de l'épopée des trois retours. Rita était seule plantée au milieu de la route, hésitante, retenue, le réalisateur prenait son temps.

38 – L'objet perdu et retrouvé de l'amour

Seule au milieu de la route, face à l'allée qui menait à sa maison, Rita enfonça ses mains dans les poches de sa jupe comme on relève ses manches avant d'affronter une tâche ou un combat difficiles. Elle s'était montrée endurante, mais là, devant sa porte, l'abattement l'emportait sur l'élan. A quoi bon marcher vers sa maison désertée ? A quoi bon aller découvrir le pire ? Ce moment était pure anxiété. Elle éprouvait ce sentiment d'appréhension douloureuse, un sentiment isolé et envahissant. Il désamorçait toute autre perception de la réalité et de la vie, il occultait sa douceur, le chaud du soleil revenu, le chant de l'oiseau… Tout cela était écrasé sous un pressentiment négatif. Mais Rita ne pouvait rester plantée de cette manière, dans une rêverie dilatoire qui n'était même pas paisible. Aussi finit-elle par s'ébranler, balançante, pensive et sombre, ressassant le doute ou la consternation. Elle marchait comme si elle était certaine d'avoir, par sa propre faute, perdu son mari. Un rayon de soleil éclaira un instant sa chevelure léonine et son visage fermé, dramatique (mais qui ne perdait pas sa beauté). Elle avançait, figure désespérée dans la confrérie des femmes abandonnées, dans la détresse, l'insécurité, sous la menace. La fin d'un amour, c'est plus difficile à regarder que le soleil : on en sent la brûlure mais la source en désempare le cœur et la raison.

Elle marchait en balançant, en renonçant. Brusquement une note de piano, une seule note isolée, qui avait traversé seule l'espace jusqu'à Rita, vint à son oreille. Aussitôt Rita s'arrêta, quelque chose dans son visage se transforma, s'ouvrit. Elle fut attentive en continuant d'avancer. Le spectateur entendait la même chose qu'elle. Y aurait-il une autre note ? Une musique ? Oui… voilà ! Cela montait au fur et à mesure que la maison se rapprochait. Déjà l'épouse s'illuminait. Que voulait dire la musique ? Y a-t-il de la musique dans une maison vide ? Rita Phipps se mit à trotter vers la musique et sa maison (elle avait imperceptiblement pressé le pas). La lumière aussi claire que celle d'un matin ensoleillé venait frapper son visage, en soulignait les traits qui se détendaient et peu à peu, approchant dans les notes maintenant audibles en multitude, esquissèrent un sourire. La présence était soudain aussi indubitable que la musique. George était là ! George devait écouter un disque.

Les pas de Rita s'accélérèrent. Elle trottinait de plus en plus vite sur ses talons, dans le concerto pour piano et violon. Après les notes détachées du piano, elle entendait maintenant distinctement le violon. Elsa aussi commence à distinguer la musique. La joie au visage, de soulagement et de bonheur inspirant l'air, Rita se mit à courir et disparut dans l'ombre de sa maison. (La caméra, qui d'abord tournait le dos à la maison et montrait l'arrivée de Rita, s'était maintenant retournée et filmait la maison et le dos de Rita qui s'y précipitait.) On devinait que Rita Phipps se jetait sur la porte d'entrée et on la retrouvait entrant dans le salon éclairé, bondissant et s'écriant : George ! D'abord George était invisible, on ne voyait que le salon vide, et seule s'élevant au-dessus du canapé, de derrière le dossier, une fumée blanche. Puis la tête de George jaillit comme un diablotin d'une boîte à attrapes, joyeux, et s'écriant : Bonjour, toi !

Il était joyeux et naturel. Il ne savait pas, pense Elsa. C'est vrai qu'il ne sait rien ! s'exclame Max. George Phipps n'avait pas passé une journée entière avec une préoccupation pesante et abominable, obsédante, dont le remède était une réponse qui pouvait être comme un coup de couteau : oui, votre mari a quitté la maison après votre départ pour le pique-nique. George Phipps ignorait complètement la désolation qui avait rongé sa femme chérie tout le jour, comment elle ne s'était plus crue chérie, comment elle s'était assommée de remords et imaginée délaissée pour une rivale. Il ne savait pas qu'elle l'avait suspecté, qu'elle avait douté de sa loyauté ou de sa constance. Qu'elle l'avait pensé capable de filer avec Addie Ross, comme si les compagnes lui étaient interchangeables, ou comparables dans une relation d'ordre qui fondait un choix. Il ne savait rien de ce manège horrible dans sa tête chérie. On peut aimer et ignorer : on peut ne rien deviner de quelque chose de crucial concernant celui ou celle qu'on aime. (Ensuite, si on apprenait ce qui s'était passé, on dirait : je l'ignorais, je ne savais pas, je n'en avais pas idée, c'est extravagant ! et aussi : pourquoi ne m'as-tu rien dit ? Pourquoi ne m'as-tu pas téléphoné aussitôt ?)

Il était allongé sur le canapé, sa pipe à la bouche, dans la musique, heureux et serein, et il redressait la tête en souriant pour accueillir son épouse. Par magie, pense aussi Elsa, ils n'avaient pas d'enfants dans les jambes. Pour ces retrouvailles, ils étaient l'un à l'autre. George ! George chéri ! disait Rita. Elle courait vers lui sans attendre, vraiment courant, répétant son prénom. George mon chéri ! Et elle se jetait dans ses bras (il s'était levé du canapé). Faut-il que nous frôlions la réalité de la perte pour que nous apparaisse l'importance des choses ou des êtres ? Rita Phipps se jeta dans les bras de son mari comme elle n'avait pas dû le faire depuis longtemps, comme si elle ne l'avait pas vu depuis des jours, comme si elle le retrouvait lui qui avait disparu. Elle le serra comme s'ils avaient vécu un drame. Et elle avait vécu un drame.

C'était bel et bien cela, mais il ne pouvait en avoir la moindre idée. Puisqu'il n'était pas parti. Il n'était coupable de rien, comment aurait-il imaginé qu'il avait été accusé ?

Mais il sentit bien qu'elle était fiévreuse. Il était heureusement déconcerté. Qu'est-ce qui me vaut un tel accueil ? demanda-t-il à sa femme. Il était en robe d'intérieur, le contraire d'un homme qui quittait sa maison et sa femme : un père de famille installé dans ses pantoufles. George, dis-moi une chose ! supplia-t-elle, toujours projetée contre lui par l'allégresse, et parlant près de son oreille, comme entre des baisers, il y a quelque chose que je dois savoir absolument. D'abord je vais éteindre la musique, dit George qui, pour ce faire, se détacha des bras qui l'entouraient. Non ! dit Rita, remettant en place le collier de tendresse, n'éteins pas cette merveilleuse musique ! Et comme elle était au firmament de l'émotion, elle exagéra : Ne l'éteins jamais !

Là, vraiment, George Phipps eut la certitude qu'une chose anormale s'était passée ou se passait. Es-tu saoule ? demanda-t-il à sa femme, pas frappé pour deux sous, amusé, toujours jouant avec sa pipe. Prit-elle le temps de dire qu'elle n'avait rien bu ? Elsa l'oublie, elle n'entend que la question empressée : Dis-moi tout de suite, pourquoi n'es-tu pas allé pêcher aujourd'hui ? La sonnerie du téléphone suspendit la réponse tant attendue, comme la solution de ce qui était devenu une énigme. Pourquoi les choses n'avaient-elles pas été comme un jour ordinaire ? Par quelle absurdité l'imagination de Rita avait-elle trouvé des prises pour lui gâcher cette journée ? Téléphone ! dit George. Mais Rita demeurait suspendue à son cou et poursuivait l'enchaînement logique de son enquête. Et tu ne t'habilles jamais le week-end, pourquoi ce matin avais-tu mis ton costume bleu ? Voilà qui mérite toute une histoire… dit George Phipps en faisant mine de recéler des secrets. C'est pour vous, madame, dit Sadie en se penchant par la porte de la cuisine où elle avait décroché le téléphone mural. C'est elle… souffla-t-elle d'un air entendu. Elle voulait parler de la grosse et inoubliable Madame Manleigh. Mais après la terrible épreuve de ce jour, Rita avait oublié jusqu'à sa Madame Manleigh. Qui elle ? demanda-t-elle. Et lorsqu'elle eut compris, elle ne voulut pas répondre. Dites-lui que je ne suis pas là, dit-elle à Sadie. Elle t'a appelée deux fois cette après-midi, intervint George, en même temps qu'il décrochait un autre poste et tendait l'appareil à son épouse. Pas si cela te dérange, dit Rita en souriant. Prends-la, dit-il. Il insistait. Elsa Platte juge à ce moment qu'il est vraiment un mari délicieux : attentionné et intelligent. Brad Bishop était plus fade, et Porter Hollingsway moins cultivé. Si elle avait eu à choisir entre les trois, c'est bien George Phipps qu'elle aurait épousé.

Le visage de Rita était un sourire. Ses yeux ne quittaient pas son mari. L'expression de ses traits

disait qu'elle voulait le combler, lui plaire, le satis-
faire, non pas lui obéir (d'ailleurs il ne commandait
pas) mais agir dans le sens de son plaisir. C'était
l'amour ! C'était à croire que l'expérience de la perte,
ravivant le sentiment, pouvait rendre plus sage et
clairvoyant. Si l'expérience était salvatrice, fallait-il
user en amour des menaces de départ : si tu me
maltraites ainsi, je te quitterai… Faut-il savoir user
de cette phrase ? se demande Elsa Platte.

Bonjour, madame Manleigh, concéda Rita, déten-
due, souriante, tellement heureuse. Oui, je viens de
rentrer, je suis sortie toute la journée. A George qui
baissait le son du gramophone, Rita fit signe de le
monter. C'était une vraie finesse du scénario : monter le son était la manière appropriée de dire que le
dedans primait sur le dehors, que la maison ne s'arrêtait pas de vivre sous les sollicitations du dehors. Ce
qui se passait dans le salon était primordial. C'était
l'ordre de la préséance fondamentale : celle de
l'amour. Non, madame Manleigh, dit Rita, je suis
désolée, mais je ne travaillerai pas ce soir. Pourquoi ?
devait s'étonner l'interlocutrice autoritaire. Parce
que, madame Manleigh, mon mari n'aime pas que
je travaille le week-end. Voilà ! Les choses s'étaient
reconfigurées : une journée d'angoisse et Rita Phipps
savait à quel point elle tenait à son mari et comment
il devait passer avant sa patronne… Tout le temps
qu'elle articula cette phrase, Rita sourit à George,
l'accaparant par sa propre attention. Il fumait sa
pipe en rigolant. On pouvait se le rappeler se faisant

reprendre ou rejeter parce qu'il avait une opinion élevée de la littérature, et l'on se disait : voilà un homme qui a mangé son pain noir, voilà un mari dont la tendresse est récompensée. Au bout du téléphone, que l'on n'entendait pas, la grosse patronne devait imaginer les menaces du mari, elle qui avait annihilé le sien. Rita ne corrobora pas ces insinuations, elle était toujours posée dans son sourire de femme épanouie. Oui, il est devant moi, murmurait-elle, souriant d'aise (oui, il est bel et bien là, il n'est pas parti et je suis sûre de l'aimer), mais il ne m'oblige à rien, c'est moi qui prends cette décision toute seule. Vous aurez le travail lundi, au revoir, madame Manleigh. Et elle raccrocha. Expédiée la grosse ! dit le grand fils d'Elsa, et il éclate d'un rire énorme parce qu'il voit sa mère froncer les sourcils.

Rita Phipps raccrocha l'appareil avec un sourire de bonheur et de fierté : rien n'était perdu, elle avait George pour elle et elle venait de lui donner une preuve de sa primauté. Quel renouveau après la parenthèse de cette journée ! George ne croyait pas si bien dire lorsque, s'approchant de son épouse, il s'émerveilla : La paix ! C'est délicieux ! Mais Rita n'avait pas refermé la parenthèse et réclamait de comprendre comment s'étaient nourris son imagination et son désespoir. Réponds à ma question, dit-elle à George. Ils étaient l'un en face de l'autre, pleins de sourires, se tenant par les bras, elle le regardait dans les yeux pour poser sa question et attendre sa réponse, quant à lui il était au ciel de l'amour, les yeux en l'air, et il se souvenait qu'il devait raconter pourquoi il portait son costume bleu…

Comme il est doux que le dedans de sa maison ne soit pas contaminé par les requêtes, les obligations, les charmes et les enchantements du dehors. Et c'est encore plus merveilleux maintenant que les menaces se sont multipliées, pense Elsa. Autrefois la famille avait une membrane protectrice. Les portes, le soir, se refermaient, les êtres menaçants et leurs convoitises n'entraient pas. Désormais, les mails, les sms, les appels à toute heure du jour et de la nuit viennent troubler l'intimité, glissent des mots secrets dans la transparence conjugale et détruisent sa réalité cellulaire. Il incombe aux époux de préserver la bulle imperméable de leur amour. Merveille du silence dans la maison ! Dans cette paix domestique, George raconta à Rita : le soir du dîner avec Madame Manleigh, il avait voulu lui faire part d'une nouvelle. A deux reprises il avait tenté de lui parler mais avait dû renoncer tant elle était préoccupée par ce dîner.

Il s'agissait simplement de te dire que le groupe théâtre du lycée a décidé de monter la *Nuit des rois* et m'a demandé de les diriger, dit George. La première représentation était aujourd'hui. D'où le costume bleu, plus approprié qu'une tenue de week-end. George Phipps était un homme heureux que la culture enjouait : il souriait à sa femme et à Shakespeare.

Et Addie était au courant, c'est ça ? murmura Rita. D'où la citation de Shakespeare… acquiesça George. Si la musique nourrit l'amour… Rita et George Phipps s'embrassaient dans les mots de Shakespeare. C'était une fin de scène parfaitement hollywoodienne. Rita, pétillante et aimante, avait fini de couper toutes les broussailles qui poussent autour de l'amour. Grâce à Addie Ross, le renouveau était complet. Ils s'embrassaient sans réserve et dans la joie. La caméra avait déjà abandonné l'heureux couple et attendait, derrière la deuxième porte, le retour de Deborah. Brad ou Porter ? demande Max en faisant une moue dubitative et amusée.

39 – La maison vide de Deborah

La musique avait changé, ce n'était plus le concerto pour violon et piano, ce n'était plus la musique bien réelle d'une maison habitée, c'était une musique de film qui venait se plaquer sur le vaste silence de la maison des Bishop. Elle avait quelque chose d'incongru après celle qu'écoutait George. Elle souligne le silence d'une extraordinaire façon, pense Elsa Platte. La porte s'ouvrait, laissant entrer Deborah dans son tailleur de la journée, tendue mais polie pour saluer le maître d'hôtel. Bonsoir, Tomasino, soufflait Deborah. Elle était moins orageuse que le matin même où elle avait fait cette scène de jalousie à Brad, elle était à vrai dire refroidie et résignée, comme si le fondement avéré de ses soupçons lui avait fait l'effet d'un coup sur la tête et d'une jolie leçon. Elle posa son sac sur la table de l'entrée et aussitôt, sans délai, un fond d'inquiétude troublant sa voix, s'enquit de Brad. Monsieur Bishop a-t-il téléphoné ? demanda-t-elle.

Il n'avait pas appelé, une dame l'avait fait et avait laissé un message. Tomasino tendit un papier plié. Sa secrétaire ? demanda Deborah, dans une émotion paralysée. Tomasino ne savait pas. Il se retira. Avait-il perçu qu'il risquait d'être partie prenante de l'inquiétude – ou de la dévastation – d'une femme ? Il se retira et Deborah resta seule. La caméra offrait l'écran entier à son visage figé : comme posée dans l'harmonie de ses traits, à la limite d'être inexpressive, inerte, Deborah exprimait la sidération. C'était une jeune fille effrayée. Elle ouvrait maintenant la missive qui faisait trembler ses mains. Mankiewicz choisissait de faire un gros plan sur le message de sorte que le spectateur pouvait le lire en même temps qu'une voix à dessein ressemblante à celle d'Addie Ross (mais pas celle d'Addie Ross, pense Elsa), lisait. Le message disait : pendant que vous étiez sortie, Monsieur Bishop a appelé pour dire qu'il serait absent ce soir. Cela pouvait être la voix d'Addie Ross, cela pouvait être la voix qu'entendait l'esprit en souffrance de Deborah. Il serait absent ce soir. Il serait absent ce soir. Cette phrase n'aurait pas signifié davantage si la lettre du matin ne l'avait pas enveloppée dans l'appréhension d'une trahison. Il serait absent ce soir. La phrase devenait assassine, cruelle, et dans l'oreille de Deborah proférée avec suavité par la voix de la charmeuse au goût exquis. Il serait absent ce soir et tous les autres soirs.

Deborah Bishop, avec son foulard à pois, bien coiffée, lisse, naïve, si jeune et amoureuse, et fraîchement mariée, leva les yeux de ce papier maudit, regarda fixement devant elle, sans accommoder, ferma à demi les paupières, mais ne pleura pas, ne trépigna pas, ne cria pas, simplement se tourna vers l'escalier, avec la rigidité d'une marionnette, et commença à gravir lentement les marches vers sa chambre, sans cesser de regarder droit devant elle, et de se tenir très droite, comme une reine qui tire sa traîne. On aurait dit l'ennoblissement suprême par la souffrance ou bien que Deborah Bishop se hissait jusqu'à son plus grand courage. C'était dans son esprit un fait acquis : elle était la malheureuse, la malchanceuse. Si jeune, si belle, et déjà quittée par son mari.

Elsa pense à Brad, lui aussi amoureux, naïf, jeune, gâté par la vie, heureux d'avoir épousé Deborah : un jeune marié riche et charmant, comme l'avait dit Porter. Et Porter avait le sens des réalités. Maintenant Deborah était en pleine détresse, persuadée que Brad avait rejoint Addie. Comment avait pu lui venir l'incroyable conviction que Brad était le déserteur ? Qu'il avait pu déjà profaner leur alliance scellée il y a si peu de temps, au cœur de la guerre et de la bataille ? Qu'avait-elle fait de toutes les preuves

qu'il avait données de son amour ? Sous ce prétexte que l'on ne connaît personne, à cause de cette
vérité répétée, avérée pour certains, que l'on ne sait
pas tout, que tout homme est capable de tout, qu'il
ne faut pas se fier aux apparences, fallait-il vraiment
suspecter si facilement ? A cause d'une lettre ? Une
simple lettre suffisait-elle ? Le témoignage d'une
seule femme ? Elle disait : ton mari part avec moi,
et l'on était sûre qu'elle disait vrai. Mais peut-être
cette femme prenait-elle son désir pour une réalité.
Le scénario laissait bien penser qu'Addie avait espéré épouser Brad et mal accepté son mariage. Mais
Brad… qu'éprouvait-il ? Sa femme ne le savait donc
pas ?

Pourrais-tu me tromper ? Si tu me trompais, me
le dirais-tu ? Si tu tombais amoureux d'une autre,
saurais-tu me le cacher ? Je voudrais que tu ne m'en
dises rien. Si tu me trompais, me quitterais-tu ? Cela
t'inquiéterait-il d'avoir envie de me tromper ? En
as-tu déjà eu envie jusqu'à ce jour ? Comme on est
fort pour envisager cette question sous tous les angles
tant qu'elle ne se pose pas ! Tant qu'on est plein de
désir, de tendresse, d'élan, tant que la jouissance
vient vous combler, tant que l'autre se raconte, vous
regarde et vous caresse. Et quand vient le premier
nuage, comme un orage annoncé dans un ciel bleu,
quand marche la première femme que les yeux
convoitent, le premier homme qui reçoit un sourire,
que dit-on ? Que sait-on alors partager ?

Elsa pose toutes sortes de questions à Max et Noémie. Ils n'ont pas encore vu la fin du film. Ils ne connaissent pas l'issue de la comédie dramatique. Ils peuvent être utilisés par elle qui en sait trop pour retrouver l'ignorance originelle. Alors, dit Elsa, tu as une idée de celui qui est parti ? Qu'en penses-tu ? Ça n'est pas Brad, trop sage, dit Max. Mais il faut se méfier des apparences, souffle Elsa. Et puis Addie est peut-être une sorcière… Alors maintenant Max ne sait plus, sa mère le fait douter (comme on dit).

Doit-on suspecter n'importe quel compagnon, n'importe quelle compagne ? Doit-on se convaincre que la chair est faible, comme on le répète avec un sourire indulgent, ironique, amusé ? Comme on l'affirme en rigolant quand on ne se sent pas concerné. Faut-il s'interdire de croire à cette sorte d'amour définitif qui ne défaille jamais, qui résiste au temps, à l'habitude, aux conflits, aux manquements, aux infidélités, aux inattentions, aux omissions ? Tu crois que cet homme peut quitter sa femme pour une autre ou bien est-il un mari fidèle et fiable ? Crois-tu qu'une femme aurait une chance dans la sale besogne de le voler à son épouse, et de l'installer en seconde main dans sa vie et dans son lit ? Est-il le genre d'homme qui se marie une seule fois ou plusieurs fois ? Il n'y a pas de genre d'homme qui, ni de genre de femme qui, il y a des moments, des circonstances, des rencontres, des opportunités, des creux, des pics, des surprises, des dépressions, répond Elsa à sa propre question. C'était peut-être ce que se disait Deborah en montant vers sa chambre désertée, si près des larmes, et grave, et face à la question : pourquoi ?

40 – Lora Mae, réjouis-toi

D'un trait de caméra le spectateur était transporté dans la troisième maison, chez la dernière victime possible, Lora Mae Hollingsway. Sur le piano était posé son portrait dans un cadre d'argent : Mademoiselle Finney avait obtenu ce qu'elle voulait jusqu'au moindre détail. Dans un petit salon, sa mère écoutait à la radio les résultats des courses de chevaux. Le spectateur pouvait découvrir que Porter Hollingsway avait même eu la générosité d'accueillir chez lui sa belle-mère. En somme il avait dû prendre la fille et la mère.

Le son de la radio était mis assez fort et cela donnait l'impression d'une maison gaie et délurée comme la mère. La grosse femme sympathique jouait aux courses. Elle savait vivre, distraire son veuvage, se faire plaisir. Mais jouer aux courses, ça n'était peut-être plus le style de la maison de sa fille. On ne pouvait le savoir. En tout cas, entendant venir Lora Mae, Ruby Finney s'empressa de couper le poste et de cacher son cahier sous le coussin du fauteuil sur lequel elle s'assit. Elle avait pris sa trousse à ouvrage sur ses genoux. Quel bruit fait ta radio ! dit Lora Mae en entrant. Sadie a raison, dit la mère en se tournant vers sa fille, toutes les courses sont truquées. Lora Mae n'était sûrement pas d'humeur à plaisanter mais l'humour était une de ses armes favorites : Ce sont les chevaux qui se donnent le mot ! dit-elle. Elle portait une robe du soir d'une simplicité austère, dont la seule fantaisie était un bicolore vertical : blanc au-dessus de la ceinture, noir en dessous. Elle était entrée dans le salon nonchalamment, sans conviction, amollie par le désarroi, l'inquiétude, le doute. Elsa peut remarquer que sa démarche balance au même rythme que celle de Rita avançant vers son allée, avant qu'elle ait entendu la première note de la musique qui emplissait sa maison. Nonchalance physique qui marque la résignation de l'esprit au malheur dont il s'imagine être frappé.

Et dans cette affliction intérieure qui conserve encore la bouée de l'incertitude, Lora Mae, belle et navrée, s'approchait du petit bar arrondi de son salon. La mère s'étonna : Comment se fait-il que Porter ne soit pas rentré ? C'était, en toute innocence, mettre le doigt sur la blessure. Lora Mae répondit par une autre question qui n'avait rien à voir. Elle prenait le temps de se demander si elle allait dire qu'il y avait une blessure. Veux-tu boire quelque chose ? demanda-t-elle à sa mère. Elle allait lui parler et ne rien lui cacher, mais peut-être à ce moment précis n'y était-elle pas encore décidée. Un peu de cette boisson verte, dit la mère. "Crème de menthe", dit Lora Mae comme on répète une leçon.

C'était un souvenir de son premier dîner avec Porter. Elle avait dégusté ce cocktail, en avait demandé le nom, s'était extasiée. Mais maintenant Lora Mae disait : Je n'ai jamais aimé ça. Avec un petit air dégoûté. Et Elsa se dit : comme on peut mentir aux premiers rendez-vous ! Il nous paraît inadmissible de déplaire, impossible de proférer une seule parole négative, aussi insignifiante soit-elle. Les premiers moments de l'amour doivent être un acquiescement généralisé à l'autre et au monde : au monde de l'autre, ce qu'il connaît, ce qu'il fait, qui il aime…

L'horloge sonna la demi-heure. Sept heures et demie, dit la mère, il ne rentre jamais si tard. Il y avait dans sa façon de parler une affection de mère. Madame Finney adorait son gendre, c'était là une évidence. Lora Mae servit sa mère, s'avança vers elle, le verre à la main, et s'engagea dans la confidence : Maman, dit-elle, et cela semblait un aveu très doux, fait d'une voix délicate. Maman, Porter pourrait bien ne pas rentrer du tout. Voilà, c'était dit. L'inquiétude était partagée. La grosse femme dans son fauteuil n'eut pas le moindre sursaut. Tu veux dire ce soir ? demanda-t-elle. Non, tous les soirs, répondit Lora Mae. Elle était assise sur un tabouret du bar, pensive, calme, une main (la droite) posée sur le tissu de sa jupe, une main qu'elle regardait comme si ça n'avait pas été une partie de son propre corps. A-t-elle honte, comme cela semblait le cas ? se demande Elsa Platte. Honte parce que celui qui est abandonné pense avoir sa part de responsabilité – ou imagine que les autres le pensent.

336

De Lora Mae émanait une impression d'abandon. Défaite ? Libération de la confession ? Paix de la conversation ? Bonheur de la chaleur humaine ? Elle partageait une complicité visible avec sa mère, en même temps qu'émanaient d'elle dignité et simplicité. Elle ne s'écroulait pas dans les bras de sa mère, à peine si elle se confiait, elle ne déchargeait pas sur elle un fardeau, elle lui parlait, elle ne lui cachait pas la forme de sa vie. L'intonation de sa voix disait qu'une confiance véritable liait la fille à la mère. Aussi, la fille n'hésitait pas à livrer le fond de sa pensée. Je crois qu'il est parti pour de bon, dit-elle, sans lever les yeux de sa jupe et de sa main qu'elle regardait. Avec quelqu'un d'autre ? murmura la mère, délicate, d'une voix douce. Je ne le crois pas, dit-elle ensuite, avec plus de fermeté. Moi si, souffla Lora Mae. Porter ne te quitterait jamais, et pas pour une autre femme, affirma la mère à sa fille.

Elsa Platte éprouvait une vive sympathie pour cette mère qui rassurait sa fille de tout le poids de sa clairvoyance. Prise à partie par une confidence grave, elle n'hésitait pas à afficher sa confiance. Elle était certaine de sa connaissance du cœur des hommes. Porter ne te quitterait jamais, et pas pour une autre femme, affirma Madame Finney. Même si, plus tard, il se révélait qu'elle avait tort, du moins aurait-elle rompu la spirale envoûtante du doute et de la crainte. Mon mari est-il parti avec Addie Ross ? A cela la mère répondait : impossible. Et pourquoi pas ? demanda Lora Mae. Cette fois-ci elle regardait sa mère en s'adressant à elle. Parce qu'il est amoureux de toi ! s'exclama la mère, et il y avait une bulle de rire dans sa voix, comme si elle avait parlé à son idiote de petite jeune fille romantique. As-tu perdu la tête ? s'écria Lora Mae. Et elle avait crié cela, comme si la douceur atone de la déréliction s'était envolée en une seconde, tandis qu'elle écoutait sa mère et qu'elle la croyait, à un niveau en deçà de sa conscience, parce qu'elle voulait la croire et que l'espoir d'un coup l'égayait.

Alors le débat fut suspendu, et l'inquiétude de Lora Mae perdit son objet (même si son soulagement fut moins apparent que sa stupéfaction) : Porter était à la maison. Vêtu de son habituel costume sombre qui le faisait paraître aussi massif que les réfrigérateurs vendus dans ses magasins, il se tenait dans l'encadrement de la porte. J'entends de jolies voix, disait-il. Puis, s'amusant, indulgent, paternel, il demanda : Pour quoi vous disputez-vous cette fois ? Des bijoux ? de l'argent ? Mes filles et moi ne nous disputons jamais, répondit Madame Finney sur un ton qui ne tolérait pas la discussion. C'était l'emploi de l'adjectif *mes* qui signifiait qu'elle tenait à cette qualité de sa famille, et que cette paix n'était pas momentanée et spécifique, mais étendue et perpétuelle : sa réussite personnelle de mère.

Sers-moi un verre, demanda Porter à son épouse. La mère poursuivait l'exposé de son succès maternel, c'était une manière détournée de dire à Lora

Mae : tu vois, j'avais raison, il est là, tu vois, j'avais raison, il t'aime, tu vois, n'aie pas peur, il ne te quittera pas, crois ta mère quand elle te dit quelque chose. Crois ta mère parce qu'elle dit vrai. Crois-la parce qu'elle connaît le cœur des hommes. Aussi, dit-elle à Porter, avec sa bonhomie si chaleureuse : Et la raison pour laquelle nous ne nous disputons pas, voulez-vous la connaître ? C'est que mes filles sont sûres que leur mère, quand elle parle, sait de quoi elle parle. Sa tête eut un petit geste vers le bas pour marquer toute la vérité de cette assertion. Elle était déjà en train de se lever pour quitter le salon et laisser au couple son intimité, avec cette délicatesse qu'on lui connaissait, celle de son cœur.

Porter s'était quant à lui assis dans un fauteuil en face de sa belle-mère. Lora Mae était derrière le bar. S'en allant, en passant devant sa fille, Madame Finney lui dit : Ton père était loin d'être parfait, paix à son âme, mais grâce à lui je connais les hommes. Elle avait sa trousse de couture à la main, sa grosse silhouette s'éloigna. On pouvait sentir qu'elle était heureuse dans cette maison, qu'elle avait de l'affection pour son gendre et qu'il lui avait donné une place chez lui. En plus d'être une femme qui savait vivre, elle était une mère comblée, elle savait – mieux que sa fille – que sa fille était aimée.

Derrière le bar, préparant le verre de son mari, Lora Mae n'était pas souriante mais elle était splendide. Une reine, ainsi qu'elle l'avait dit à propos

d'Addie Ross. Ses cheveux coiffés en arrière déga-
geaient l'architecture de son visage. S'était-elle
maquillée ? C'était imperceptible, mais ses cils
semblaient très noirs et ses yeux plus bridés qu'à
l'ordinaire. Avec ces yeux-là, elle observait son mari,
non pas d'un regard franc, mais comme dans un
guet ironique. Un guet suspicieux. Avait-elle été si
certaine de sa défection qu'elle était maintenant
interloquée de le voir assis chez lui ? Elle termina
de préparer la boisson et vint tendre le verre à Porter. Il regardait par terre, elle était quant à elle
hautaine, et son expression insolente n'incitait pas
à la tendresse. A ce moment précis, personne n'aurait
dit de ce couple qu'il était un bon couple. Selon une
habitude machiste qui semblait la sienne, Porter but
d'un trait, sans dire merci, sans un regard pour son
épouse, et se plaignit aussitôt. Il y a trop de soda,
dit-il. Pas plus que d'habitude, dit Lora Mae. Elle
était debout au-dessus de lui, elle croisa ses bras à
l'endroit où sa robe changeait de couleur mais ne dit
rien. Ce fut Porter qui parla : J'ai eu une rude journée, dit-il, je ne veux pas faire semblant de boire,
je veux boire. Comment Lora Mae se lança-t-elle ?
Comment fit-elle le lien entre cette rude journée
qu'il avait eue et le départ d'Addie Ross ? Le spectateur ignorait si elle faisait un lien, ou si elle choisissait simplement ce moment pour parler de ce qui
l'avait préoccupée tout le jour. Moi aussi j'ai eu une
rude journée ! C'était peut-être ce qu'elle avait pensé
et qu'elle allait dire à sa manière.

Rita n'avait pas parlé à George de sa journée dans l'inquiétude (ou, du moins, on ne l'avait pas vue le faire). Deborah, à cette heure effondrée de le croire l'infidèle, n'avait pas eu le loisir de parler à son mari. C'était donc Lora Mae qui, des trois femmes, pouvait raconter avec minutie la lettre, et ses suites, le coup si puissant qu'elle avait assené sur leurs trois esprits, de sorte qu'ils s'étaient orientés vers la souffrance, la malédiction, l'offense, la trahison, oubliant l'amour et les preuves qu'elles en détenaient.

Addie Ross a quitté la ville aujourd'hui, avec un de nos maris, dit Lora Mae en regardant attentivement son mari, qui s'était levé et était passé derrière le bar. (Une muraille, ce bar, pense Elsa Platte.) Lora Mae s'y accouda, guettant l'effet de ses paroles sur Porter. Vraiment ? dit Porter sans lever les yeux. Le spectateur était porté à penser qu'il était gêné, mais ce ne fut pas l'avis de Lora Mae. Sans doute s'attendait-elle à plus de confusion. Elle dit : Ça n'a pas l'air de te faire beaucoup d'effet ! Sa parole était claire et vigoureuse. Lora Mae avait retrouvé le sourire ironique qui accompagnait son humour et son courage. Elle n'était pas un tempérament qui contourne mais qui affronte. Que veux-tu que je te dise ? répondit Porter. Je suis fatigué, ces histoires ne m'intéressent pas. Il éludait, n'avait pas envie de parler, elle lui mit les points sur les *i*. J'ai pensé que tu pouvais être l'heureux élu, dit Lora Mae, continuant d'affronter, non seulement ne se voilant pas ce qu'elle avait pensé tout le jour, mais le disant. A nouveau elle lui tournait le dos. C'était ainsi qu'elle menait depuis le début du film leurs conversations orageuses. Son effronterie de jolie femme connaissait cette limite-là : elle ne le regardait pas dans les yeux, elle se soustrayait au face-à-face visuel. Tu as dû avoir le cœur brisé en me voyant rentrer, dit Porter Hollingsway. Son visage composa une grimace comme si ces mots et cette idée lui faisaient mal.

Tu as dû avoir le cœur brisé en me voyant rentrer. C'était à l'instant de cette parole-là que le contentieux entre eux devenait une évidence perceptible. Ce mariage, arraché à Porter, avait mal tourné. Ce couple n'avait rien à voir avec celui que formaient, par exemple, Rita et George. Il n'y avait entre eux ni gaieté ni affection apparente, le lien semblait s'être glacé dans la moquerie et la rancœur, et ils étaient maintenant en pleines turbulences. Depuis quand ai-je un cœur ? ironisa Lora Mae. C'était ramener le spectateur aux scènes antérieures, à ses discussions avec Porter au temps où il refusait de l'épouser et elle de l'aimer hors du mariage. Elle-même sembla rêveuse, comme si elle se les remémorait. Ses grands sourcils, ses yeux de Chinoise, son teint clair sans une imperfection, tout cela était livré à la caméra de Mankiewicz. Alors comme ça tu t'es figuré que j'étais parti avec Addie Ross ! répéta Porter, comme si cette idée l'amusait énormément (son visage s'était imperceptiblement éclairé dans un sourire). La conversation reprenait. Ce qu'il avait dit l'instant d'avant n'était qu'une réplique agressive, l'expression de la rancœur entre eux. Elle rappelait à Elsa le ton d'ironie blessée qui était celui de Clark Gable jouant Rhett Butler lorsqu'il parlait à Scarlett.

Tu t'es figuré que j'étais parti avec Addie Ross... c'était le véritable début de la conversation. Maintenant ils allaient parler enfin de ce qui avait taraudé Lora Mae. Et quel effet cela t'a fait ? demanda Porter. Il était venu se planter devant sa femme. Les deux époux se regardaient. Leurs visages étaient déformés par ces expressions de mépris qui ne sont en vérité que souffrance. Ils faisaient mine de mépriser leur souffrance, c'était exactement cela. Ne me réponds pas, devança Porter, je vais te dire ce que tu as pensé. Vas-y, tu sais toujours tout ! dit Lora Mae. Tu t'es dit : je m'en fiche, me voilà riche, j'ai tout ce qu'il me faut, dit Porter.

Debout, immobile, infiniment troublée, Lora Mae resta d'abord silencieuse. Elle avait de quoi être stupéfaite et elle l'était : ce que venait de dire Porter était presque mot pour mot ce qu'elle avait dit à Rita, dans les vestiaires après le pique-nique, pour nier son émoi et son inquiétude. J'ai tout ce qu'il me faut. Cette tricherie, en premier lieu vis-à-vis d'elle-même et de ses sentiments, cette phrase qui était une manière de consolation par anticipation (mon mari est parti ? bon débarras), voilà qu'elle la retrouvait dans la bouche de celui qu'elle aimait. Voilà qu'elle était suspectée de manquer d'amour ou de n'aimer que l'argent. Tu devrais lire l'avenir dans les fêtes foraines ! dit-elle vivement émue. La justesse de cette réplique, l'ambivalence de sa signification étaient étonnantes. Porter Hollingsway était quant à lui lancé dans l'analyse du comportement de sa femme. Il singeait ce qu'il imaginait de sa pensée. Depuis trois ans je suis une épouse modèle, me voilà enfin payée de mes efforts ! disait-il, malheureux, rageur, sombre. Le cœur était gros, comme le dit l'expression, le cœur l'entraînait comme une pierre dans le flux de l'agression. Avait-il le sentiment de s'être fait avoir ? Il devait croire à ce qu'il disait. (Et ce pouvait bel et bien être une raison de partir avec Addie Ross.) C'est ça que tu as pensé ! dit-il en s'asseyant. Il avait fini. Sa propre lassitude l'asseyait.

Le pauvre ! murmure Noémie. Elle est dure, dit Max, on ne voit pas du tout qu'elle est amoureuse. Elsa pense : la manière dont Porter aurait accepté le mariage, contraint et forcé par le mélange de son désir et du refus de Lora Mae, l'un aussi tenace que l'autre, aurait-elle mal noué leur union ? Il n'avait pas eu d'autre moyen d'accéder à son désir d'elle, il n'avait pas eu de délai, d'atermoiement, de rêverie érotique, d'alliance des corps sans anneaux.

Porter était fatigué, il n'en pouvait plus. Lora Mae était interloquée. Restée debout, elle accusait le choc. Une vague de pensées mesquines, une suspicion sévère à son égard, venaient de la déborder. Jamais elle n'avait dû auparavant se figurer que Porter pensait cela. D'où la surprise sombre que lui faisaient ses paroles. Ou bien le choc venait-il d'avoir été si finement devinée ? Car les mots qu'elle avait dits à Rita étaient bel et bien ceux que lui prêtait Porter. J'ai tout ce qu'il me faut. J'ai tout ce qu'il me faut. C'était évidemment la meilleure défense contre le désespoir : nier ce qu'on perd, discréditer réalité et souvenir pour éteindre le feu des regrets. Elle l'avait fait. Mais était-ce le fond de sa pensée et de son cœur ? Comme si elle n'avait aucun besoin de l'amour d'un homme, aucun besoin de Porter dans sa vie.

Tout de même elle se défendit. En attaquant. J'ai été une bonne épouse, la meilleure que ton argent pouvait acheter, articula-t-elle avec une difficulté qui était sa peine. Payable à la livraison, dit-il. N'est-ce pas ce que tu as voulu ? demanda-t-elle, contrariée, tourmentée, sur le ton d'un reproche désespéré et s'avançant vers lui pour quêter la réponse à cette question.

C'est l'éternel problème des relations qui tournent mal ! pense Elsa. Qui a commencé ? Qui est responsable ? Qui a causé cet état de fait ? Qui l'a peut-être voulu ? Mais comment répondre ? En reprenant tout le cours de l'histoire ? Non, c'était inutile, car la mémoire déformait, réécrivait, arrangeait la trame en fonction du tissu recherché. Lora Mae justement revenait à l'origine : cette fameuse soirée de Saint-Sylvestre où Porter était venu la débusquer dans sa retraite et lui dire : OK, je vous épouse. Elle répéta les mots qu'alors il avait dits : Vous faites une bonne

affaire, jeune fille. C'est vrai qu'il avait dit ça, dit
Max. Chut ! demande Noémie.

Ce face-à-face était aussi captivant que boulever-
sant. Le spectateur regrettait l'architecture du malentendu. Il avait envie de crier : vous vous aimez ! Le
reste n'a pas d'importance. Mais Porter et Lora Mae
ne pouvaient rien entendre. Ils crevaient le contentieux, ils s'envoyaient à la figure ce qu'en trois ans
ils n'avaient jamais osé se dire. Ils s'approchaient du
nœud brûlant qui les liait depuis l'origine. Elle dit :
As-tu remarqué que pas une fois depuis notre mariage nous ne nous sommes dit je t'aime, même pour
rire. Il répondit, il s'en alla sur un autre terrain, il la
griffa encore. Pour toi je ne suis qu'un portefeuille,
dit-il. Ce n'était pas une réponse, c'était une explication et une excuse. Et moi une de tes marchandi-
ses, rétorqua Lora Mae. Est-ce que Porter avait idée
que cette voie ne menait à rien ? Il en changea. Il
n'était pas déloyal dans la conversation, il n'éludait
rien, il était authentique et cherchait la vérité de ce
qui s'était passé entre eux. Il dit : Je t'ai épousée parce
que j'étais fou amoureux de toi. Il fallait tout de
même qu'elle le sût : non, elle n'était pas une marchandise, et que lui fallait-il de plus, il l'avait épousée par amour. Tu ne m'as même pas demandé ma
main ! protesta-t-elle. C'était de toute évidence l'immense regret d'un cœur romantique. J'ai été un bon
mari, tu as eu tout ce que tu voulais, dit-il.

Ainsi parlent les hommes. J'ai été un bon mari. Ainsi parlent les hommes qui se sentent des maris (avec le rôle protecteur qu'évoque le mot) et qui éprouvent de la tendresse pour leur femme. C'était une dispute de gens qui s'aimaient. A quoi pouvait-on le savoir ? Il n'y avait pas de méchanceté délibérée. Aucun des deux ne parlait pour blesser. Ils ne se qualifiaient pas : ils parlaient de ce qu'ils avaient fait sans rien se dire de ce qu'ils étaient l'un pour l'autre. Il y avait peu de rancœur, peu d'irritation, pas de vengeance et d'imprécation, mais de la plainte. Et la plainte disait : tu ne m'aimes pas comme il faut. Aime-moi mieux. Dis-moi que tu m'aimes. Et la plainte n'était pas conclusive. Elle ne disait pas que l'histoire d'amour était finie.

Je n'étais qu'une marchandise, répéta Lora Mae, tu ne m'as jamais fait me sentir une femme. C'était plutôt abusif de la part d'une femme qui l'était jusqu'au bout des ongles, pas capricieusement féminine, mais extravagante, belle, habile à user du pouvoir qui lui était par là conféré. M'en as-tu laissé une chance ? Pas la moindre ! Tu avais affiché ton prix ! répliqua Porter. Il s'exhalait de sa tristesse non pas de l'agressivité, mais un regret de ce que les choses ne se fussent pas passées d'une autre façon, en même temps que l'acceptation de cette forme jouée qui ne changerait plus. Comme s'il était résigné à ce sort et cette évidence que la vie amoureuse des riches est plus complexe, mise en péril par ce troisième élément que certains aiment : l'argent.

Et voilà que le dernier mot semblait dit. Lora Mae se pinça les lèvres, se redressa, roide et bourrue. Porter se mordait aussi la bouche, renfrogné dans sa peine, replié sur lui-même dans son fauteuil. Tu ferais mieux d'aller t'habiller, dit Lora Mae, nous avons rendez-vous au Club à vingt heures trente. Vont-ils devenir un couple-façade ? pense Elsa. Lora Mae marchait vers la porte pour s'en aller, dans sa robe bicolore qui figurait comme le noir et le blanc de la vie, qui semblait dire : tout n'est jamais ni noir ni blanc. Elle n'avait pas eu un geste tendre pour son mari. Elle était purement dans la dispute. Elle sortait de la pièce avec humeur. L'image rappelait celle d'un autre départ : Lora Mae quittait le salon de la maison et Porter, elle ne voulait plus le revoir puisqu'il ne voulait pas l'épouser. De la même façon que cette fois-là, Porter Hollingsway se tenait dans son fauteuil, prostré, ne se retournant pas, silencieux, sombre, comme maudit. Je serai prêt à l'heure, répondit-il à sa femme.

41 – Le bal

Et le tourniquet des bals et réceptions était sur le point de reprendre. Robes longues, colliers de perles, sourires et danse, champagne, et les mots relégués derrière ces objets de gaieté, les mots que l'on pourrait se dire et qu'on ne dirait pas : amoindris par la mondanité et la politesse. Les membres huppés du Country Club s'apprêtaient pour cette soirée d'ouverture de la saison. Tous sauf Addie Ross. Celle qui de ces soirées avait été la diva sulfureuse et raffinée venait de s'envoler au bras d'un homme jeune, élégant et riche, qui avait été le mari d'une autre. Certaines embardées surprennent l'intimité mais rarement la société. Le bal serait semblable à tous les autres.

Les habitudes reprenaient : George et Rita passèrent prendre Deborah et Brad. Brad ? Non, pas ce soir. George et Rita l'attendaient au salon. Ils ne savaient pas. Ils ignoraient que Brad était absent, envolé, et qu'il était la cause du visage si paisible et triste de Deborah. C'est ainsi que la caméra nous donnait Deborah, dans une peine sans mélange qui, en effaçant toute expression de son visage, le rendait parfaitement lisse. Sur une musique romantique, elle descendait de sa chambre, par l'imposant escalier de sa maison, celui qu'elle avait monté l'instant d'avant dans un désespoir incrédule. Elle portait une robe noire et dorée, sophistiquée et élégante, et à son bras une étole de fourrure. On pouvait mesurer le chemin qu'elle avait parcouru depuis le premier bal et comment elle était devenue, presque par mimétisme, la femme de Brad.

Les rires de George et Rita parvenaient du salon. Deborah se présenta dans l'encadrement large de la baie. Elle avance radieuse dans la nuit claire et étoilée, récita George pour accueillir son amie. Il était venu galamment lui prendre le bras, et l'avait menée jusqu'à Rita. Tu es la plus belle, dit Rita, je te déteste ! Elle était décontractée par le bonheur, assise de guingois dans un fauteuil large, amicale. On ne remarquait pas (comme à la première rencontre) la toilette qu'elle portait, on prêtait attention à son rayonnement. C'est bizarre qu'elle ne s'imagine pas le malheur de Deborah, dit Max. Elle pourrait se demander laquelle de ses deux amies a perdu son mari. On dirait qu'elle a effacé le problème. C'est vrai, dit Elsa, je ne vois qu'une explication, elle était si sûre que c'était son mari qu'elle en a oublié le reste de l'histoire. Et du coup elle plaisante : tu es la plus belle, je te déteste !

Merci, murmura Deborah. Le spectateur était alors le seul à connaître dans quelle souffrance venait s'incruster le compliment de Rita. George avait servi des verres de Martini. Est-il bon ? demanda Deborah. Tu ne prends rien ? demanda Rita. Merci, non, rien pour le moment, dit Deborah. George regarda sa montre : Dans combien de temps Brad va-t-il descendre ? Brad n'est pas là, dit Deborah avec un calme recherché (on pouvait percevoir la bouffée d'air respirée avant de parler, le soulèvement de la poitrine), comme si c'était une évidence connue. Que veux-tu dire ? demanda Rita en se levant précipitamment. Brad n'est pas là, il a laissé un message pour prévenir qu'il ne rentrerait pas ce soir, dit Deborah. Tout cela fut dit le dos tourné, sans regarder ses amis, les bras tombants, dans une sorte d'hébétude. Debout et raides, comme pour une revue militaire, l'un à côté de l'autre, Rita et George étaient consternés. Ils se jetèrent un coup d'œil qui donnait à penser que Rita avait raconté leur après-midi et leur souci, la lettre et le mari volé. Si ça n'était pas George, cela pouvait-il être Brad ? George et Rita connaissaient mieux que Deborah le lien qui avait uni Brad et Addie. Et puis, quel que soit le passé, n'importe quel homme peut balancer sa vie dans la rivière à cause d'une femme. N'importe quelle femme peut faire perdre la tête à un homme. Et surtout si elle y est résolue. Alors ils s'empressèrent de choyer Deborah. Cela voulait dire s'approcher d'elle, ne pas la laisser seule, l'entourer, lui parler, lui faire des propositions. Ils firent tout cela. Tu n'es pas obligée de venir, dit George. Pourquoi ne viendrais-je pas ? dit Deborah. Elle avait choisi d'être stoïque. Elle voulait ne rien changer, faire comme si elle n'avait rien perdu, poursuivre seule. Elle ne pleurait pas, ne se rebellait pas. Elle s'enroulait dans un silence qui souriait. Prenons un dernier verre avant de partir, proposa Rita en tapotant les mains de son amie qu'elle avait enfermées dans les siennes. Non merci, je suis bien comme ça, dit Deborah. Pour nous réchauffer avant de sortir, insista George. Elle n'y tient pas, souffla Rita à son mari. Alors allons-y, dit celui-ci. Les deux femmes passèrent devant, Rita tenant le bras de Deborah, George ouvrit la porte. Et ils furent dehors.

Alors ce fut le bal, sans Brad et sans Addie. En un dernier fondu-enchaîné, Joseph Mankiewicz faisait apparaître décalquée sur les moulures de la porte de la maison de Deborah que franchissait le trio, la salle de bal remplie de danseurs.

Maintenant les couples dansaient. Au premier plan, à une table ronde, le spectateur pouvait reconnaître Porter et Deborah, assis côte à côte, seuls comme ils l'avaient été au premier bal. Amoureuse, malheureuse, marquée par l'épreuve de sa répudiation, Deborah était lisse et inerte, en même temps qu'elle se tenait bien droite sur sa chaise. Elle avait cette posture qu'adoptent les enfants fiers après qu'ils se sont fait réprimander : détachée et tenue, hautaine. Elle jouait avec un verre qu'elle faisait tourner sur son pied. Porter regardait devant lui, comme un rêveur dont le regard ne focalise pas. Ils rêvaient côte à côte, emportés dans leurs divagations. Ils s'ennuyaient. Elsa, qui avait vu la fin du film, était amusée par leurs états parallèles : ensemble, tendus et agacés. Lora Mae dansait avec un petit homme sans distinction, aux cheveux noirs gominés. Quand elle passa près de la table, Deborah lui fit un signe de la main.

Es-tu sûre de ne pas vouloir un autre verre ? demanda Porter. Sûre, dit Deborah en levant les yeux vers le lointain de la salle. Elle pouvait voir s'éloigner Lora Mae et son cavalier. Lora Mae danse avec n'importe qui, laissa tomber Porter. Tous les coiffeurs de la ville pourraient danser avec ma femme ! dit-il. Si tu y voyais une objection, elle ne le ferait pas, dit Deborah. Je laisserais même un chimpanzé danser avec elle, dit Porter avec rancœur. Les coudes sur la table, il se servait à boire sans les décoller. Alors tu n'as pas à te plaindre, dit Deborah. Elle avait bien changé depuis le premier bal. Elle avait une opinion. Mais je ne me plains de rien ! dit Porter. Il énuméra : Je suis comme un coq en pâte, j'ai une femme ravissante, une belle maison et des amis délicieux, tout le monde m'aime ! Il martela cette phrase avec rage, il était plein d'une ironie qui était du dépit. Que lui manquait-il à lui qui avait tout ? Il ne pouvait lui manquer que l'amour. Mais il l'avait aussi ! Ou bien était-ce qu'il ne le savait pas ?

Deborah s'engageait sans retenue, rageusement, dans cette conversation. Oh, arrête de dire n'importe quoi ! dit-elle. Arrête de gémir et de gâcher cette soirée. J'en ai plus qu'assez de tes jérémiades ! Que t'arrive-t-il ? s'étonna Porter. Jamais encore il n'avait dû la voir aussi en colère. Tu es si bête ! lança Deborah. Porter était un peu abasourdi, stupéfait. Attends une minute ! dit-il. Mais Deborah était lancée. Pourquoi allait-elle dans cette direction, et se mettait-elle dans cet état, c'était une chose difficile à dire. Sans doute parlait-elle de ce qu'elle avait perdu, des chances que l'on tient ou détient et que l'on ne voit pas, et que l'on regrette une fois égarées : et de l'amour en particulier. De l'amour, cette grâce mystérieuse d'aimer qui nous est parfois accordée, et celle d'être aimé, ce mystère de la réciprocité qui peut s'interrompre. Elle dit : As-tu la moindre idée

353

de la façon dont Lora Mae t'aime ? Et ça n'était qu'une fausse question, c'était un reproche. Une colère vigoureuse animait l'eau dormante que Deborah Bishop avait semblé être.

Porter éclata d'un rire méchant. Cette question lui causait une hilarante surprise. Vraiment il ne s'attendait pas à cela. Non ! Combien ? Dis-moi ! demanda-t-il, maintenant agressif et furieux. C'était une chose étonnante à observer qu'il crût si peu à l'amour de Lora Mae. Lora Mae t'aime énormément, dit Deborah. Mais elle n'ose pas te le dire, elle a peur que tu te moques d'elle. Moi, me moquer ! s'exclama Porter. C'est elle qui ne pourrait pas me le dire sans s'étouffer de rire ! dit-il. Et il ne riait pas le moins du monde, non, il était très sérieux pour croire à ce qu'il disait. C'était à l'amour de Lora Mae qu'il ne croyait pas. Pire ! C'était la capacité d'aimer de son épouse qu'il mettait en doute. Lora Mae amoureuse de moi ? Tu parles ! dit-il. Lora Mae et l'amour, ça fait deux. La seule chose qu'elle puisse faire, ça n'est pas m'aimer c'est attendre. C'est tout, termina Porter, certain d'avoir fini une démonstration. Mais Deborah ne sembla pas comprendre. Attendre ? répéta-t-elle, dubitative. Oui, expliqua Porter, attendre de ramasser la mise ! Pour elle, je ne suis qu'une machine à sous. Ces mots n'étaient pas dits mais assénés. Porter Hollingsway était persuadé d'être aimé pour son argent, et cela le rendait aussi furieux que malheureux et paranoïaque. Ne me parle pas de Lora Mae et de l'amour ! conclut-il. Et de fait, Deborah resta silencieuse.

La danse avait mis Rita en joie. Au bras de George, elle revenait s'asseoir à table et riait comme une jeune fille ravie de s'amuser. Mais le silence lourd entre Deborah et Porter vint briser sa légèreté. Que se passe-t-il ? demanda-t-elle. Ni Porter ni Deborah n'avaient bougé à l'arrivée de leurs amis : pas un mot, pas un sourire, pas un geste. Quelle ambiance ! plaisanta Rita. On dirait que vous cachez un cadavre sous la table. Seule la gêne pouvait expliquer de sa part pareille maladresse. Je m'excuse, dit Deborah en se redressant très dignement sur sa chaise. Elle s'excusait d'être une si triste convive. Elle s'excusait en sachant qu'elle avait une excuse. Les autres savaient qu'elle était excusable. D'ailleurs, Rita lui tapota la main en disant : Ce n'est rien. Deborah ne répondait pas, elle continuait à regarder droit devant, grave, dans le flou de son regard. Elle murmura : Comment avais-tu appelé Addie ? Notre chère absente… Ce pourrait être elle le cadavre que nous cachons. Hélas, c'est Brad ! Rita jeta un coup d'œil à George, et cela voulait dire : ça y est, les pensées noires reviennent, il faut faire quelque chose ! Et George se précipita. Deborah, s'empressa-t-il, vas-tu laisser ce délicieux champagne sans y tremper tes lèvres ? Toi qui parles si bien, dit Deborah qui n'était pas dupe, as-tu une belle citation qui soit adaptée à ma situation ? demanda-t-elle, un peu pincée. Invente-la toi-même, ce sera plus amusant, dit George, sans que rien n'expliquât cette indélicatesse. (Il savait le malheur de Deborah. N'y croyait-il pas ? L'avait-il déjà oublié ? Ou bien le partageait-il si mal ?) La caméra s'intéressa à Porter. Il était intrigué. Il ne comprenait rien à ces escarmouches, ces attentions marquées, ces sous-entendus, ces plaintes, ces excuses. Suis-je si saoul ? demanda-t-il, étonné. Je ne comprends pas un mot de cette conversation. Mais toute réponse fut éludée par l'arrivée de Lora Mae que son cavalier ramenait à son mari avec ses remerciements. (Merci de m'avoir prêté votre femme pour cette danse !)

Lora Mae était souriante et belle. Il a l'air sympathique, qui est-ce ? demanda George en désignant le cavalier qui s'éloignait. Un associé de ma mère, dit Lora Mae, avec sa distinction si travaillée. C'est un bookmaker, corrigea Porter d'une grosse voix, pleine de mécontentement et de réprobation. Sa mère joue aux courses avec ce type, dit-il. Lora Mae serra ses lèvres. La caméra nous montrait Rita, qui percevait, avec l'indulgence et la sérénité que donne le bonheur, ce désaccord entre Porter et Lora Mae. Lora Mae pinça encore son sourire. On pouvait penser que ces manières d'ours maladroit lui étaient familières de la part de Porter.

Tout ce silence conjugal sans plaintes et sans colère, cet acquiescement à la fête et à la danse, étaient insupportables à Deborah. Elle n'y tenait plus. Excusez-moi tous, s'il vous plaît, dit-elle en repoussant sa chaise, semblant étouffer ou prête à vomir (et quelque chose en effet ne passait pas). Je vais te raccompagner, dit aussitôt George. Je préfère rentrer seule si ça ne t'ennuie pas, dit Deborah, finissant de reculer sa chaise. Les femmes, Lora Mae et Rita, George, et même Porter qui ne comprenait rien mais s'imprégnait de l'atmosphère, tout ce monde était grave, comme arrêté dans le mouvement. Qu'est-ce qui se passe ? demanda Porter. Tais-toi, lui dit aussitôt Lora Mae d'un ton qui ne souffrait pas la contestation. Pourquoi ne viendrais-tu pas dormir à la maison ? proposa Rita à Deborah. Merci, Rita, mais ça ira, dit Deborah.

On parlait à Deborah comme à une grande blessée, mais Porter ignorait qu'elle en était une. Mais qu'y a-t-il ? répéta-t-il. Il fit une grimace, une contorsion. Quelqu'un va-t-il me dire ce qui se passe ? Plus tard, siffla Lora Mae entre ses lèvres. Et on l'imaginait déjà, à peine Deborah envolée, qui soufflait à Porter : Brad est parti avec Addie. Son mari l'a quittée… Deborah avait entendu Porter et elle dit : Tu n'es pas au courant, Porter ? La transparence et le commentaire de sa souffrance par celui qui souffre ne créent pas des situations faciles à traverser. Le monde préfère éviter cette mise à plat qui l'embarrasse, ce déballage, comme on dit alors. Ainsi voulut faire Rita, qui attrapa le bras de Deborah : Viens, allons faire un tour, dit-elle. Elle ne voulait pas que son amie parlât. Mais Deborah au contraire entendait bien s'exprimer. Non ! dit-elle, je veux dire à Porter ce qu'il ignore.

Et Deborah parla de son malheur. Je veux partir parce que je gâche votre soirée, dit-elle à Porter. Son visage clair et harmonieux, lisse comme un marbre, son large décolleté en bateau, la petite médaille à son cou, ses boucles d'oreilles, occupaient tout l'écran : la caméra cadrait un portrait. Portrait de Deborah Bishop. Portrait de Deborah Bishop abandonnée. Je ne sais pas jouer la comédie comme toi, Porter, dit-elle. Il y avait un mélange étouffé d'agressivité, de rancœur, et de mépris dans cette parole. On ne comprenait pas pourquoi elle disait cela, ni même ce qu'elle entendait par là. Peut-être voulait-elle dire qu'il n'aimait ni la danse ni les mondanités, mais savait venir et rester. Ou bien disait-elle que Porter jouait parfaitement – et pour cause – le rôle de celui qui ignorait que Brad avait quitté sa femme. Il est vrai que je ne suis pas un homme, poursuivit Deborah. Porter Hollingsway ne comprenait pas un mot de ce que lui disait cette femme désespérée. Mais quelle comédie ? De quoi me parles-tu ? s'écria-t-il. L'agacement l'emportait sur la courtoisie et la prudence. Il n'en pouvait plus de se sentir l'idiot à cette table. Je ne sais pas du tout de quoi tu parles ! répéta-t-il. Tu ne sais pas ! s'exclama à son tour Deborah. Je te croyais plus malin ! Il faut te mettre les points sur les *i* ? demanda-t-elle. Oui, dit Porter. Eh bien, dit-elle, OK.

Et elle se posa, comme par une préparation intérieure, dans le rythme ému de la confidence, de l'aveu, de l'humilité qu'il fallait pour dire : mon mari est parti avec Addie Ross. Elle le dit. Mon mari est parti avec Addie Ross. Ayant prononcé ces mots déchirants, elle se leva. La scène était lourde, cérémonieuse, personne ne disait rien. Ces mots avaient frappé de mutisme l'assemblée des amis que Deborah pria de rester assis. Ils la regardaient tous. Que pouvaient-ils faire ? Bonne nuit, souffla-t-elle en s'élançant, pressée, désespérée, farouche et gracieuse comme une biche qui fuit. Mais Porter attrapa son bras et l'arrêta quand elle passa derrière lui.

Assois-toi, lui demanda-t-il. C'était une requête, faite avec douceur. Elle ne comprit pas tout de suite. S'il te plaît, Porter, laisse-moi partir, supplia-t-elle. Sans doute croyait-elle qu'il insistait pour qu'elle terminât malgré tout la soirée avec eux. Qu'il contournait son vœu à elle d'aller se cacher chez elle et pleurer. Mais ça n'était pas cela. Il était doux comme avec un petit enfant. Il savait maintenant pourquoi elle souffrait. Elle voulait s'en aller, elle ne voulait rien d'autre, et cependant il insista (puisqu'il pouvait la soulager – et que lui seul le pouvait). Assois-toi, répéta-t-il en la poussant vers sa chaise. Laisse-la partir, intervint George.

Personne ne pouvait savoir ce que voulait Porter. Mais lui savait qu'il pouvait faire du bien. Ne t'en mêle pas, dit gentiment Porter à George, et vous autres non plus. Juste un instant, souffla-t-il en souriant à Deborah. Un poids semblait l'écraser. Il était penaud devant ce qu'il s'apprêtait à faire, et plein de bonté. Deborah s'était rassise et se tenait figée en face de Porter. La caméra était sur lui qui regardait la jeune femme. Il secouait la tête, l'air de dire : pauvre petite, tu as dû bien souffrir, ou peut-être, pauvre petite, qu'es-tu allée imaginer ? Il fit une moue, un sourire, cette fois comme s'il se moquait de lui-même. Il allait se livrer aux lions. Il s'en moquait. Alors il se lança. Brad n'est pas parti avec Addie Ross, dit-il à Deborah, c'est moi qui l'ai fait.

C'est la révélation ! s'exclame Max. Regardez la tête que fait Lora Mae ! Elle est sidérée.

Dans le plan qu'avait choisi Mankiewicz, Lora Mae était aux côtés de son mari qui avouait. Elle était absorbée, ses yeux noirs allaient de Deborah (pour qui elle éprouvait de la compassion et une tendresse d'amie) à Porter (qu'elle découvrait). Sa douceur était à fleur de visage. Quand elle regardait Porter, elle semblait l'interroger. Etait-elle aussi surprise que le spectateur ? C'était pour lui un ultime rebondissement : ce qu'il avait cru était faux. Et ce qu'il avait cherché lui était cette fois expliqué. La caméra attrapa Deborah, dubitative mais déjà souriante. Il restait juste un étonnement. Mais pourtant tu es là ? dit-elle à Porter.

Il était là en effet, assis près de sa femme, et la caméra ne les saisissait plus que rassemblés : un couple dans la tourmente. Porter dit : Un homme peut changer d'avis, n'est-ce pas ? Lora Mae écoutait, placide, si calme que l'on en oubliait ce qu'elle était en train d'entendre, ce qu'elle avait manqué perdre, ce qu'elle avait retrouvé, la déroute et le retour. C'était maintenant Deborah qui avait de quoi compatir.

Une harmonie était restaurée (une autre empoisonnée) : Deborah se leva. La vitalité était revenue en elle. Elle ne marchait pas, elle virevoltait vers sa maison, légère comme une aile, dans l'éblouissement d'un merveilleux soulagement. Un air de piano, très rythmé et gai, accompagna son départ et le baiser joyeux qu'elle donna à Porter avant de filer mordre toute seule dans sa joie. Elle disparut entre les tables.

Tu es un sacré type, Porter ! dit George. C'était gentil de ta part, dit Rita, mais elle l'aurait su demain matin. Parler avait été généreux et inutile, pensaient Rita et George. Cette pensée révélait qu'ils avaient la prudence des couples qui espèrent tenir : celle du silence. En somme, ils jugeaient regrettable (préjudiciable) que Porter eût avoué sa faiblesse. Oui, bien sûr, Porter avait connu un moment d'égarement, mais ça n'était pas même une faute, le revirement effaçait tout. Effaçait-il vraiment tout ? pensait Elsa. Pour les autres peut-être, mais qu'en serait-il pour Lora Mae ? Eviterait-elle l'écueil du ressassement et du reproche à perpétuité ? Elle aurait passé une nuit horrible ! dit Porter en parlant de Deborah, elle n'est qu'une enfant. Seule Lora Mae n'avait encore rien dit, assommée peut-être, étonnée, consternée, qui pouvait savoir ? Elle était encore indéchiffrable. Elle se tenait immobile et silencieuse à côté de ce mari qui s'était imaginé la quitter. Et qui était revenu. Qu'avait conçu et tramé son esprit d'homme pour commander cette volte-face ? Ce serait une discussion du futur. Qu'as-tu pensé ? Qu'est-ce qui t'a fait changer d'avis ? Dis-moi. J'ai besoin de savoir. Mais pour l'instant, Lora Mae Finney-Hollingsway ne faisait aucun commentaire et s'abstenait de poser la moindre question.

Rita regardait le couple rassemblé dans ce choc intime. Elle eut un sourire un peu désolé et attendri et, voulant les laisser seuls à leur découverte, à leur nouvel état, invita George à danser. En se tenant par la main, ils s'en allaient vers la piste de danse, unis, unifiés dans la paix conjugale qui suit les tempêtes traversées. Mais Porter, par le même geste qu'il avait eu pour retenir Deborah, attrapa Rita. Rita, dit-il, si ça ne t'ennuie pas, j'ai besoin de vous une minute encore. Et quand il tint ce témoin qu'elle pouvait être, il se tourna vers Lora Mae, sa femme, et lui dit : Voilà, tu as ce que tu voulais. Ils ont tous entendu que je t'avais abandonnée pour une autre femme. Tu peux demander le divorce, tu as toutes les preuves, tu peux tout avoir. Je suis à ta merci.

Il semblait donc si sûr d'avoir été épousé pour son argent ! Et Lora Mae était si émue de l'entendre. Ses yeux noirs s'étaient emplis de larmes. Elle le regardait dans les yeux avec ce regard brouillé d'eau. Elle secoua la tête comme une mère indulgente qui sourit devant l'enfant qui s'est sali. Tu dis toujours des bêtises quand tu as bu, dit-elle, troublée, adoucie. Porter Hollingsway écarquillait ses yeux. Il avait le même regard halluciné et plein d'espérance qu'il avait eu pour lui faire la cour. Je n'ai rien écouté de ce que tu as dit, affirma Lora Mae. L'esprit de décision qui portait ces paroles lui donnait une attitude raide, mais l'expression de son visage était tendre. Porter écarquilla encore les yeux, incapable de prononcer un seul mot. Lora Mae prenait le commandement de leur navire en perdition. Il le lui laissait. Elle décidait du cap à tenir, elle imposait son ordre et sa certitude. Si tu as dit quelque chose, murmura-t-elle, je ne l'ai tout simplement pas entendu. Son sourire étira doucement sa bouche, elle secoua à nouveau la tête, cela disait : je n'y crois pas, cela disait le plus doux des dénis, non tu n'as pas songé à m'abandonner, tu n'as pas frôlé la trahison, cela disait son pardon, j'efface ce que tu as avoué, tu n'as rien dit. Cela disait : tu as fait une bêtise énorme, comment as-tu pu faire cela, mais tu t'es corrigé toi-même, et tu n'es pas parti, tu es là. Tu es là et je t'aime et tu peux voir mon amour.

Témoins bienveillants de cette scène, George et Rita étaient semblables à deux parents qui regardent leurs enfants se réconcilier. L'amitié des couples qui connaissent cette difficulté d'être un couple crée quelquefois cette intimité et cette entraide pleine de sagesse. Belle et grave comme une Madone, Lora Mae dardait son regard dans celui de son mari. Il était stupéfait, ébahi, soulevé. Elle était émue, intimidée, et soudain gênée de partager ce moment avec des amis. Pourquoi n'allez-vous pas danser, les jeunes ! lança-t-elle à Rita et George. Ils s'envolèrent. La caméra s'installa devant Porter et Lora Mae, seuls, face à face, côte à côte, dans ce moment d'après la révélation et le pardon. La révélation était une trappe ouverte, un gouffre à peurs, une boîte à songes. Le pardon était le coup de pied habile qui la refermait. La suite serait longue, pleine de rebondissements (remords, regrets, soupçons, questions, doutes, angoisses, colères, divagations, explications mille fois recommencées…). Mais dans l'instant du premier choix, il n'y avait pas de place pour cette valse : Lora Mae avait décidé d'effacer. Elle ne tenait pas rigueur à son mari de ce qu'il avait fait. Il était là, elle pouvait le toucher, elle souriait, elle découvrait que son propre amour était indulgent, elle était apaisée, heureuse.

Porter n'avait pas prononcé un seul mot. Il était dans une attente extatique, dans l'éblouissement de découvrir que sa princesse n'en avait pas qu'après son argent. L'homme qu'il était comptait aussi, il avait sa place. Etait-ce cette saveur toute neuve de leur lien qui intimidait Lora Mae ? Sa main caressait les courbes de son verre. Comme ceux d'une jeune fille à son premier bal, ses yeux regardaient la nappe. Porter la regardait. Il devait la trouver pleine de beauté dans sa douceur restaurée. Il devait être émerveillé, et subjugué par elle. Il prononça son prénom : Lora Mae. Il la nommait dans son amour. Il l'appelait. Il voulait peut-être qu'elle levât les yeux vers lui. Elle les leva. Pleins de larmes. Et elle l'apostropha avec une tendresse exquise : Mon grand gorille ! Et lui alors s'élança aussi là où il n'allait pas d'ordinaire. On... danse ? proposa-t-il à sa femme. Elle était bouleversée, frémissante, au bal. C'était la demande la plus appropriée qu'il pouvait faire. Lora Mae acquiesça. Elle n'était qu'acceptation et contentement. Ils se levèrent ensemble sans se quitter des yeux, comme saisis par la même hallucination, dans une même bulle, hypnotisés. Elle s'approcha contre ce cavalier qu'il devenait et l'embrassa sur la bouche. Longuement. Et quand elle cessa et qu'il retrouva ses lèvres pour lui seul, il souriait, dans une béatitude complète, regardant s'il y avait des témoins de son bonheur. Il était un petit garçon qui vient de réussir une pirouette ou un tour de magie, et qui regarde si quelqu'un l'a vu.

Le visage d'Elsa Platte est mouillé de larmes. Maman, tu pleures ! lui reproche son fils. De la main, elle lui fait signe de se taire.

L'un contre l'autre maintenant Porter et Lora Mae dansaient. Leurs corps balançaient ensemble. Au premier plan de l'écran, tandis que leurs silhouettes réunies s'éloignaient vers le fond de la salle, la table était désertée. La nappe blanche, les restes d'une collation. Une coupe de champagne balança elle aussi comme les danseurs, puis elle tomba et se brisa (elle n'avait qu'un pied). *"Hé ho !"* souffla la voix suave d'Addie Ross. Son esprit de femme hantait une dernière fois le groupe, ce lieu de réunion où elle avait promené son charme maléfique, et salua tout le monde, avant de s'en retourner au pays des voleuses sans avoir rien pris, cette fois.

Bien fait pour sa pomme ! dit Max en s'étirant. Quel film parfait, dit Elsa. Elle a les yeux pleins de larmes. C'était le spectacle de la renaissance d'un couple. Avez-vous remarqué comme tout est construit ? demande-t-elle à ses enfants. Oui, maman, disent-ils en insistant sur le oui d'une manière qui veut se moquer de ce côté scolaire qu'elle a avec eux. Mais elle poursuit. Les dialogues sont très subtils non ? Oui, maman ! répètent Max et Noémie en riant franchement. Mais c'est vrai ! s'exclame Elsa. Ils se moquent de leur mère, leur mère qui danse sa vie, leur mère qui pleure pour un rien et qui veut toujours *leur faire découvrir des choses*. Oui, maman ! dit Noémie, c'est vrai. On aurait dit qu'elle était la mère et Elsa l'enfant. Et papa n'est toujours pas rentré ! s'amuse Noémie. Est-il en voyage ? demande Max. Quelle heure est-il ? demande Elsa. Oh ! il est très tard ! Allez vite vous coucher tous les deux, vous allez être fatigués demain. Oui, maman ! disent-ils encore dans un jaillissement de rires. Mais ils ne discutent pas, ils vont se coucher exactement comme elle le leur demande. Ils sont des merveilles d'enfants, des personnes presque achevées, intelligentes et attentives. Ils vont se coucher. Et après qu'elle est passée dans leur chambre pour un baiser, elle reste seule. Elle est dans cet état spécial d'acuité émotive que crée en nous le cinéma.

42 – Torrent de larmes

Maintenant, elle est défigurée : le visage rougi, les yeux enfouis dans le gonflement des paupières, la bouche renversée. Impétueuse, émotive, exaltée, loyale, Elsa se laisse aller à pleurer. Maintenant que les enfants sont au lit, un long sanglot qui rebondit la soulève. L'émotion de voir ces couples restaurés l'a bouleversée. Elle est sensible à l'idée, le couple. L'image d'un homme à côté d'une femme, la pensée de leur lien invisible (que l'on cherche dans l'image), le sentiment de leur liaison intime, revêtent à ses yeux une beauté inégalable. On ne se refait pas, il y a des personnalités chez qui cette notion ne suscite aucun émoi, voire déclenche l'hilarité (tant elle est un fantasme), le dégoût (tant elle est une aliénation), le regret (tant elle est invivable). Pour Elsa, c'est une évidence brûlante qu'être deux est bien plus désirable qu'être un. Et cela même si l'amour n'est pas donné, mais conquis et travaillé. Elle n'ignore pas quel chemin fragmenté est celui du mariage. Elle songe à Lora Mae et Porter, ou à Rita et George que l'amour a saisis dès l'enfance. Quand l'un des deux amants trébuche et sort de la piste, l'autre doit le retenir par le bras. Voilà l'histoire d'un amour. Je n'ai rien entendu, disait Lora Mae. Je te jure que j'oublierai pour toujours que tu as voulu partir avec une autre. Et aussi : je t'aime plus que jamais. Notre alliance est le cœur ardent de ma vie. De quelle manière veux-tu que je t'aime ?

Je te jure. Combien de fois promet-on ainsi pour restaurer ce que l'on croit perdu ? Pour recomposer ce qui agaçait. Si l'un dit : j'en ai assez, l'autre répond : non, tu n'en as pas assez, je te promets que je ne le ferai plus. Je te jure. Je te jure que je ferai tout pour te plaire. Mais ne me quitte pas. Ces mots-là sont les mots des couples qui s'aventurent dans la durée.

Le film a suscité une immense rêverie. Elsa se compare, se critique, s'imagine, se projette. Qu'est-ce qu'elle jurera si Alexandre ouvre maintenant la porte et entre dans le salon où sa femme pleure ? Je jurerai d'être présente et femme et amante. Je jurerai de n'être pas seulement mère. A ces pensées on dirait que se ravive le désir de ce qui manque. Elle s'était étiolée, une renaissance la submerge. Elle pourrait danser dans le silence et l'ombre de la maison vide, danser l'attente heureuse des promesses qu'elle formule. Elle a envie d'aimer ici et tout de suite. Elle pourrait se mettre nue, s'allonger et attendre le moment de tenir ses promesses.

Celui qu'elle attend a déserté. L'absence allume un regret : je possédais quelque chose que j'ai perdu. Le regret devient désespoir. Comment est-ce arrivé ? Est-il perdu à jamais ? J'attends mon mari qui m'a prévenue qu'il ne rentrerait pas par ma faute… Le désespoir réveille les souvenirs. Autrefois il était là, il disait oui mon amour, oui, oui.

Et elle aussi avait dit oui à ses lèvres charnues qui n'osaient pas l'embrasser. Oui à ses paroles subtiles et parfois incompréhensibles. Oui à ses rêves d'homme qu'elle ne partageait pas. Oui à ses erreurs et errements qu'elle ne pouvait empêcher. Oui à ce qu'il ne faisait pas pour elle. Oui à sa famille qui n'aimait que lui. Oui aux enfants qu'il incrusterait en elle. Oui à l'ample mouvement de la vie qui vous emporte parfois loin de vous-même. Oui à la vie plutôt qu'à la danse. Cela, c'est ta plus grande erreur, diraient la mère, le père, les amies. Oui pour devenir quelqu'un d'autre à côté de lui.

Autrefois elle pensait : s'il meurt… Elle pensait : mon aile, mon loup, mon amant, mon tendre, ma vie, mon poète, mon magicien, ma rencontre miraculeuse, ma source… Son regard mordait le jour, caracolait d'ardeur. Son sourire s'allongeait au cœur de son visage, dans un accomplissement impudique. Tout cela disait le collier des oui : la suite de ses acquiescements.

Elle pense : on dit oui, oui, oui. Souvent, on prend sur soi. On espère l'amour, la gratitude, la sollicitude, et toute cette alchimie sans fin du don et de la reconnaissance. Puis un jour on change de pas, on profère un non qui n'a l'air de rien mais qui ouvre les portes de la fabrique du non. Et on déclenche, sans l'avoir même imaginé, la colère, le désamour, l'abandon, la défection. Est-ce que quelque chose d'aussi grave est vraiment arrivé ? pense Elsa Platte. Et elle se remet à sangloter de ce qu'elle a gâché, qui est perdu, effacé, renié, de la séparation maintenant au présent. Elle est là, il n'est pas avec elle. Pour la première fois, elle imagine qu'elle est moins aimée qu'elle n'aime. Elle peut entendre au-dedans, dans sa tête bouffie, la phrase à laquelle elle n'a pas su répondre. *Demain soir et les soirs suivants, prépare-toi à dormir seule. Je ne rentrerai pas. Je ne rentrerai pas dans une maison où ma femme est installée devant la télévision, voit le même film depuis trois mois, ne se lève pas pour me préparer à dîner, et se couche sans me regarder !*

43 – Défection

Il avait dit cela hier, dans la nuit, quand elle ne voulait pas être touchée, et elle avait très bien entendu, n'en avait rien montré, opposant son sommeil aux mots, espérant ce faisant ne leur donner aucune réalité. Mais Alexandre n'avait pas eu besoin d'effacer ce qu'il avait dit puisqu'il s'y était tenu : il était bel et bien parti de chez lui. Et maintenant Elsa est seule, et sera seule dans son lit, le lieu même où s'était enclenchée leur dispute, la plage unique qui reçoit la suite floue des rêves, des émois, la jouissance, et le dernier souffle. Là où s'enchantaient et se scellaient les amours, était-ce là que le leur s'était émietté ?

Elle est stupéfaite. Quelle surprise violente, après avoir revu ce film et le sourire des femmes dans les bras de leurs maris, de retrouver sa solitude ! Pour combien de temps ? La bête lui creuse le ventre. Elle est devenue muette. Pourrait-elle danser ? Elle a été incapable de dire quelque chose à ses enfants. Elle aurait pu danser sa peine et son attente. Quand ils étaient petits, elle avait de ces élans singuliers. Papa ne rentre pas ce soir ? avait demandé Noémie. Et Sarah de sa petite voix piaillante avant d'aller au lit avait crié : Il est où papa ? Je veux que papa vienne me dire bonsoir ! Et Max avait dit à sa petite sœur *ta gueule*, parce qu'elle faisait trop de bruit, et il avait fallu lui faire remarquer que l'on ne parlait pas comme ça, et l'ambiance était devenue triste, autour d'une mère triste, perdue dans ses remontrances. Elle essayait pourtant de parler gentiment : Papa viendra te voir dans ton lit dès qu'il arrivera, mais seulement si tu ne fais pas de caprices pour t'endormir. Max, je t'ai déjà dit que je n'aime pas quand tu parles si mal à ta sœur. Elle parlait dans un automatisme de mère organisée qui ne s'en laisse pas conter, et distraite en même temps, comme une femme tourmentée dont la pensée s'aventure dans ces spirales où l'on se perd seul, dans cette pause de la vie où l'on attend l'autre qu'on aime, pour lui dire pardon, l'embrasser, et recommencer.

De toute façon ça ne les regarde pas, pense Elsa à propos de ses enfants. C'était une bonne idée d'avoir regardé ce film tous les trois. Mais le ressassement de l'inquiétude ne cesse pas. Qu'était-il arrivé ? Comment cela était-il arrivé ? Qu'avait-elle fait ? Pas fait ? Mal fait ? Défait ? Est-ce que c'était grave ? Ou bien un jeu, une plaisanterie ? Elle espère que c'est une blague d'Alexandre. Il y a en lui une fibre originale, une capacité à se comporter comme personne ne le fait. Il agissait parfois comme nul autre n'en avait idée. Mais il n'est pas là. Sa présence manque affreusement. La maison semble désertée et hostile. Et le doute aussi est affreux, qui engendre un incertain remords, un repentir solitaire. Ce qu'il avait reproché était-il légitime ? Etait-il si désespéré qu'il le disait ? Mais non pourtant. Je n'ai plus d'avis, pense Elsa Platte. Je ne sais pas ce que je crois. Et je ne danse plus. Et je suis éteinte et seule.

Elle est profondément tourmentée, polarisée par son questionnement, et cette nuit qu'elle va passer ressemble comme une jumelle ombreuse à cette journée que passaient Deborah, Rita et Lora Mae. Est-ce que mon mari m'a quittée ? Est-ce que c'est sérieux ou est-ce que c'est une blague ? Il fallait attendre la réponse bien sagement en restant occupée à la place où on était. Et tout le passé flambait comme une source noire et une explication. Les mots de la veille sont dans son oreille. *Demain soir et les soirs suivants, prépare-toi à dormir seule. Je ne rentrerai pas. Je ne rentrerai pas dans une maison où ma femme est installée devant la télévision, voit le même film depuis trois mois, ne se lève pas pour me préparer à dîner et se couche sans me regarder !* Au moment où ces paroles avaient été proférées, Elsa ne dormait pas le moins du monde, elle ne faisait que ruser avec le désir de son époux, elle avait parfaitement entendu et elle avait sciemment fait celle qui dort. De sorte qu'il pût, s'il le voulait, oublier ce qu'il avait dit sans avoir l'air d'être faible, de n'être pas derrière ses mots ou de se dédire. Elle avait éprouvé une vive émotion intérieure, comme un coup de poing au cœur. L'idée qu'il pût partir, ne pas rentrer chez lui dans son foyer, manquer à leur maison, allumait en elle une panique, faisait flamber une douleur fulgurante. L'habitude de sa présence avait créé une unité : le perdre c'était se perdre elle-même. Tout son ventre et sa poitrine s'enflammaient à cette idée : le feu l'habitait sans répit. J'ai entrelacé ma vie à la tienne, je grandis autour de toi comme une fleur qui grimpe. Pourquoi n'avait-elle pas prononcé une phrase comme celle-là ? Mais pourquoi ne l'avait-elle pas pris, lui son mari, dans ses bras, couvert de baisers et contredit d'un seul élan ? Tu ne peux pas partir, j'ai entrelacé ma vie à la tienne, je grandis autour de toi comme une fleur qui grimpe.

Elle était restée silencieuse parce qu'elle ne l'avait pas cru. Il était là, à son côté, dans le lit, à portée de bras, elle entendait sa respiration ample, et malgré la colère ou le dépit qui l'avait fait parler ainsi à sa femme, sa femme ne croyait pas qu'il partirait, elle croyait qu'elle le possédait (exactement comme elle se sentait par lui possédée). Ils étaient inséparables. Ils étaient des amants devenus siamois. Il était à côté d'elle, tout était comme s'il n'avait rien dit. Elle pourrait le caresser dans la nuit, déployer sur lui sa tendresse et effacer ses paroles funestes. Ainsi s'était-elle endormie sans croire qu'il exécuterait ce qu'elle prenait pour une menace. Au matin, toute cette scène semblait oubliée, mais en partant il n'avait pas dit à ce soir, au lieu de quoi il avait dit, assez froidement (quand elle y repense), au revoir.

Au revoir. Et Alexandre Platte avait disparu de chez lui. C'était un mardi soir, c'était le jour où les enfants étaient autorisés à veiller un peu plus tard (il n'y avait pas d'école le lendemain). C'était pour ça que les petits demandaient sans cesse : Quand est-ce que papa rentre ?

Où est-il ? pense-t-elle maintenant, assise sur le canapé, devant la télévision dont l'écran désormais est noir. Elle a téléphoné au bureau. Non. Où est-il ? Que fait-il ? Que peut-il bien faire sans moi ? A ce moment, le monde si vaste s'ouvre devant elle comme un ventre, une trappe. Tout lui semble imaginable, possible. C'est une souffrance aux motifs indénombrables, puisque le mari est merveilleux, un être tout à coup devenu magicien, sans limite, à qui rien ni personne n'est inaccessible : un de ces jongleurs qui séduisent le monde.

Il ne manquait ni d'idées, ni d'amis, ni d'argent, ni même d'audace, ni de femmes à qui il plaisait. Il pouvait aussi bien être parti en Inde qu'occupé à dîner avec une femme, ou chez des copains, ou dans un lit avec une maîtresse qui – elle – voudrait bien tout ce qu'il voudrait. Le désespoir de tout ce qu'elle n'a pas fait pour son mari s'empare d'Elsa Platte. Trop tard ! Comme c'est tragique de se désapprouver soi-même et d'entrer dans les raisons de l'autre, puis de faire face au vertige de sa liberté quand il l'a reprise par votre faute. Ce que l'on est pour l'autre ne représente jamais qu'une seule des millions de possibilités que lui propose la vie. Et ce que l'on ne donnait pas, d'autres peuvent le donner. Et ce que l'on ne recevait pas, d'autres savent le susciter et le recevoir. Ça n'était certes pas la raison qui retenait un homme près d'une femme et une femme près d'un homme, c'était l'amour.

Et en période de gros temps, c'était la morale. La morale était ce qui faisait attendre le retour de l'amour. Car, pense Elsa, le sentiment est discontinu, prend parfois les formes contraires de la haine et de la colère. N'en veut-on pas à celui qu'on aime de ne pas se conduire comme on aime ? Ne le déteste-t-on pas parfois de ne pouvoir le renier ? C'était assez drôle ce renversement. Elle préférait dire drôle plutôt que tragique. Un couple envenimé : drôle ? Tragique ? Ou ni l'un ni l'autre ?

Alexandre ! Elle l'imagine maintenant, attablé en face d'une jeune conquête, leurs regards composant des sourires au-dessus des verres à vin encore pleins, sanglants comme les ongles de la belle. La fille rit – bêtement, évidemment – et il est dans le ravissement d'être si apprécié – crétin et vaniteux – et il continue de parler en laissant sa bouche s'étirer dans toutes sortes de sourires pleins de sous-entendus galants. Puis il pose des questions, s'intéresse à elle maintenant qu'il a fait ce qu'il faut pour qu'elle l'admire. Il passe à la flatterie, caressant, captivé (mais par quoi ?). C'est le grand jeu, il met tout le paquet de son charme sur la table. Et alors ils sont aux anges l'un et l'autre. Cette image a le pouvoir de mettre Elsa Platte dans un état de rage incontrôlable. Elle pourrait en une seconde, par jalousie, nier toutes les qualités de celui qu'elle aime, oubliant qu'elle l'aime et pourquoi. Salaud ! Salaud ! Salaud ! Qui dira l'horreur d'être alliée par l'amour à un homme qui a besoin de plaire ? pense Elsa dans sa fureur. Aucun des trois maris du film n'avait cette tare-là, ni Brad, ni George, ni même Porter qui devait au contraire fuir les femmes intéressées par son argent.

060901080206090108020609… S'il le faut elle tapera ces chiffres des jours durant, pour entendre sa voix et dire son amour. Réponds-moi ! Où es-tu ? Je t'attends depuis des heures. Les enfants sont inquiets. Alexandre, réponds ! Alexandre, je t'en prie ! Alexandre. Le prénom qu'on porte, toute sa vie on l'entend, et plus encore par amour proféré, car c'est aussi un prénom qu'on aime. Elle pleure. Elle n'a plus de fierté. S'il répondait, elle supplierait.

Reviens maintenant ! Reviens maintenant ! Je ne peux pas vivre sans toi. Au lieu de quoi elle laisse au répondeur un message si plein de colère que l'amour s'en trouve éclipsé.

44 – Laisse-moi, je t'aime

Alexandre Platte était au-dehors. Il respirait à l'air libre. Il ne faisait plus face au refus glacial de son épouse. Est-ce qu'elle ne pouvait pas se figurer une seconde ce que c'était pour un amant d'être repoussé ? Il voulait une femme qui avait un sexe. Cela semblait provocateur, irrespectueux, capricieux peut-être de la part d'un père, mais ça ne l'était pas. Un hommage sous-tendait son désir. De l'amour il voulait aussi cet enchantement, cette odeur de forêt humide, cette fonte du monde dans un geste. Il voulait bouillir, se contenir, s'enhardir, freiner, jaillir, s'effondrer sur un corps tendre qui l'accueillait. Il n'avait plus rien de tout cela, eh bien il foutait le camp. Allait-il se battre à longueur de vie pour poser sur elle ses mains pleines de l'or du désir ? Il laissait de côté la question.

Il avait agi sur un coup de tête, mais il ne regrettait rien. Installé à l'hôtel, dans une chambre confortable et spacieuse, ordinateur et livres sur la table, une télévision, le minibar rempli, il rêvait sa femme, sa femme d'autrefois. En cette nuit de crise, nuit inaugurale, il se remémorait les étreintes de leur jeunesse, sans s'apercevoir comment lui-même avait cessé d'exprimer sa tendresse et son désir. On dit que l'on a ce que l'on mérite. On dit que les torts sont toujours partagés. On dit beaucoup de bêtises, pensait-il.

Alexandre Platte descendit au bar de l'hôtel. Des touristes japonais avaient cet air réjoui de ceux qui découvrent Paris, des Russes avaient vidé des carafons de vodka et portaient ces visages naturellement ronds que l'alcool gonfle comme des ballons. A une petite table rencognée, une femme seule pleurait avec une discrétion qui était de la honte. Tout ce spectacle d'une humanité dans le malheur, le divertissement, l'abrutissement, le rendit morose. Que faisait-il loin des siens, ses enfants, sa femme, et tout ça pour une histoire de caresses qui manquaient. Comme c'est curieux, pensa-t-il. Quelle force l'avait poussé ? Il n'avait pas pu rentrer chez lui ce soir-là, après les mots de la veille qui disaient la vérité, qui disaient : je n'en peux plus que ma femme soit éteinte et morte. Qui disaient : je n'aime plus cette façon de vivre. Qui disaient : une vie usée par la vie ne me suffit pas. Tout cela était vrai, mais il pouvait le changer en tenant la main d'Elsa. En une seconde il sut qu'il voulait reconquérir la fièvre, la joie, et le désir. Tout passe, mais tout revient, pensa-t-il, et sa volonté s'affermit autour de l'objet précieux de son cœur. Et il sentit la joie venir derrière sa certitude.

45 – Le corps aime

Pourquoi appelle-t-on désir plutôt qu'amour ce qu'exprime le corps ? Pourquoi ne pas dire que le corps aime ? A sa façon le corps n'est-il pas amoureux ? Il éprouve, demande et initie, sensuel, cajoleur, caressant, voluptueux, délassé, livré, captivé, et, à l'instant d'advenir à chacun de ces états, aimanté. Précédant la conscience, le corps avance en tête et sait mieux que nous. Il est la proue qui ouvre la vie comme une mer. Il la rencontre et la crée, l'invente et la découvre, par clairvoyance en saisit le contour. La vie n'est pas étale devant lui et déjà écrite quand il la lit, mais elle est en suspens. Il en décroche la forme qu'il désire. Notre corps veut avant nous, pense Elsa. Notre corps devance ce que notre cœur réclamera à la vie. Et c'est ainsi depuis la naissance. En lui d'abord s'abritent les sensations qui assaillent et nourrissent. Le corps découvre en premier. Tout un moi et un monde s'élaborent dans ses émois. Et quand cette chronologie de la construction intérieure est oubliée, lorsque la personne est achevée, entière et debout, le corps est encore devin. On s'est éduqué, on croit penser, on néglige l'intelligence et la volonté qui habitent la chair.

En premier, le corps éprouve attirance ou répulsion et semble connaître toute la suite de l'histoire. Elsa a souvent senti dans la danse l'élan spontané du corps vers un geste, l'aspiration chorégraphique en lui naturelle. Le corps a des envies. Il est la source incontrôlable des pensées et des gestes qu'on nommera ensuite amour, ou fin de l'amour. Le corps aime. Il fait vibrer dans l'air l'attraction initiale. Il chavire autour d'elle. Il entraîne le cœur. Il plie la vie à son désir, se déploie, ronronne, rugit, supplie les lèvres d'embrasser, pousse les mains à la caresse, mouille tous ses dedans, efface la membrane entre le dedans et le dehors. Ce sont les corps qui s'aiment en premier, se le chantent en silence, bien avant le premier mot d'amour proféré. Et le mécanisme fonctionne aussi bien à rebours. Elsa Platte pense : les corps cessent de se toucher avant que la conscience ne s'avoue l'érosion de l'amour. Pour déjouer la séparation, il faudrait raviver le lien des corps, pense la danseuse. Il faudrait qu'ils fassent l'amour. Elle a cette certitude. Tout entre nous serait restauré. Rien que ce désir la rend sensuelle et désirable, elle dénoue ses cheveux, délie ce qui se serrait en elle.

Mais il est tard. Il aurait fallu y penser plus tôt. Maintenant l'amant qu'elle captivait s'est envolé loin de la maison. Voilà le résultat, il n'y a plus personne à qui livrer son désir, il n'est pas là ce soir. *Demain soir et les soirs suivants, prépare-toi à dormir seule. Je ne rentrerai pas. Je ne rentrerai pas dans une maison où ma femme est installée devant la télévision, voit le même film depuis trois mois, ne se lève pas pour me préparer à dîner, et se couche sans me regarder !*

Dans l'obscurité du salon où les fauteuils font des ombres qu'elle connaît et contourne pour gagner sa chambre, vaillante autant qu'affligée, Elsa Platte pourrait pleurer encore, mais les moments graves de ceux qui pleurent facilement sont secs. Tout à coup ils se tiennent dans l'heure sérieuse qui les réclame. Ils se terrent, ils ne vivent plus. Maintenant qu'elle a cette certitude qu'Alexandre ne rentrera pas, Elsa ne pleure plus. Elle pense à lui, à la vie avec lui, à eux, à leur histoire, à la dispute, à la phrase à laquelle elle aurait dû aussitôt répondre, au baiser qu'il aurait fallu donner, à l'étreinte qui a manqué. Et à toutes les inattentions qui ont précédé, construit et précipité cette issue.

Car l'inattention est omniprésente dans le défilé de la vie. De la même manière que Rita, Deborah et Lora Mae, Elsa reprend le passé et découvre l'étendue de son tort ! Sauf que – c'est le cinéma américain – ces trois-là ont récupéré leur mari. Elle en a pleuré. La beauté des couples dans leur amour ravivé l'a harponnée. Quand elle pleurait pour une scène de film, Alexandre se moquait d'elle. Parfois il disait : Tu es ridicule. Elle pense : lui non plus n'était pas tendre et attentionné avec moi. Et se demande : était-ce de lui qu'il parlait lorsqu'il croyait parler de moi ? Quelle découverte. Quelle éprouvante traversée que de se placer tout seul les yeux sur l'échec : ce que l'autre vous reproche, ce qu'on peut lui reprocher. La poussière de la nuit enveloppe ces pensées douloureuses. La silhouette blanche d'une femme sèche comme une danseuse traverse la poussière d'ombre. Elle ne danse pas. Rien ne danse en elle que le doute de soi. Elle tend l'oreille un instant, croyant avoir entendu un bruit. Non. Le silence de la maison est le plus vaste silence qu'elles aient jamais connu (la maison et la mère), un silence immense et interminable, vaste, qui vous avale comme l'attente, vous égare, vaste et inconnu qui vous fait souffrir, et d'autant plus vaste qu'il n'est déchiré que par le bruit que fait dans la cage d'escalier l'ascenseur vieillot qui s'arrêtera à un autre étage, ou bien le cri presque dément d'Arthur en plein cauchemar. Et vaste comme l'espace qu'alors la mère traverse pour aller consoler son fils et revenir.

Cette fois un bruit se fait entendre. Un grattement contre la porte d'entrée s'immisce, minuscule dans ce silence si lourd. La silhouette empressée s'immobilise. Elle ne tressaille pas, contrôle la surprise pour tendre l'oreille, écouter ce qu'elle a l'impression d'avoir entendu mais n'entend plus. Elle demeure arrêtée, décontenancée. A-t-elle inventé ce bruit ? Qui gratterait ainsi comme le ferait un animal ? Elle s'en retourne, même pas déçue. Mais elle n'a rien inventé. Cela recommence. Quelqu'un grattouille, frotte, esquisse des gestes et bruits légers, tapote contre le bois de la porte. Quelqu'un qui ne veut être entendu que d'elle. Et lorsqu'elle perçoit de nouveau ce qui l'avait arrêtée, elle fait volte-face en une fraction imperceptible de seconde. C'est un mouvement sans réserve, une impulsion certaine et immodérée. C'est d'une vivacité, d'une allégresse qui sont déjà une réconciliation, une approbation. Elsa Platte accourt vers sa vie qui bruit dans cette nuit, ouvre la porte, aussitôt sourit et se sent féminine. Elle est jolie, rajeunie, mordue par son enchantement. Tous les enfants sont au lit ? Je t'emmène dans la chambre ?

Elle dit oui. Voilà de retour le oui enchanté d'autrefois. Elle rit comme une cascade chuterait dans la nuit. Oui, oui, oui. La roue des pensées casse un cran, le chemin mental forme un coude. Deux corps enlacés se faufilent vers un lit. Le froissement de l'air qu'ils traversent est amoureux, le désir s'évapore en sillage, l'atmosphère brûle. La danseuse met ses pas dans d'autres pas. Elle met ses doigts dans l'oubli, dans l'acquiescement. Dans le lit, elle est en larmes. L'amant la soutient, lui donne à boire des caresses. C'est fini. C'est fini. Il prononce la phrase que l'on dit aux enfants quand ils se sont blessés, ont fait un cauchemar, quand ils pleurent. Une phrase met le point final à une soirée, des sanglots, une attente, un désespoir. Une phrase annule une autre phrase. *Attends-toi à dormir seule. C'est fini.* Est-ce que l'on n'a jamais autre chose à se mettre au cœur que des phrases ? Elle a le corps de l'autre. Celui-là elle peut le saisir, le palper, l'embrasser, le chérir, le lécher, l'effleurer jusqu'à sur lui s'endormir. Et dire la phrase qui accompagne ces gestes : je t'aime. Une phrase de plus.

Je me donne à toi de toutes les manières qu'une femme se donne à un homme.

Elle dispose d'elle-même, impétueuse et dense, une danseuse. Elle se livre à son propre désir autant qu'à son époux. Elle s'abandonne à l'appétit réciproque. L'assurance d'être jolie dissipe la pudeur. Elle est poète avec son corps, sophistiquée, incandescente, sculpturale. Elle sait qu'elle est belle. Habillée elle l'est, nue elle ne perd pas cette confiance, ses atouts sont naturels et passent l'épreuve du dépouillement. Elle se libère par l'orgueil d'être impudique et ravissante. Son dos long et étroit, interminable au-dessus des reins creux, l'absence des hanches, les jambes sèches et musclées : c'est le corps d'une jeune fille. Elle offre à la sensualité cette chair travaillée, virtuose et assouplie.

Un doigté qu'elle connaît saisit sa nuque sous les cheveux, la fait ployer sous un baiser. Elle est à la disposition de l'homme. Toute la chair que tiennent ses muscles tord le cou à sa pudeur. Elle jouit d'être déshabillée, mise à nu avec la dévotion que méritent les beaux fuseaux de ses cuisses. Les mains de l'amant, larges, carrées comme des feuilles de platane, d'abord palpitent sur son dos frêle, puis le caressent, le massent, en chauffent la cambrure douce. Les mains donnent et ne demandent rien. Les mains sont le chaud de la vie qui pétrit des images sans percer l'énigme. Les mains trouvent dans les lignes du corps les chemins de leur joie, écrivent les déclinaisons innombrables du flamboiement initial qui vers cette femme les a portées. Les mains sont le brûlant de l'envie. Elles se divertissent dans les étoffes, les agrafes, les boutons. Leurs maladresses sont des habiletés dilatoires. La chair tremble de cette vie qui l'irrigue. La chair se déploie, l'esprit de féminité s'incarne, la femme s'allonge.

L'appel en elle s'aiguise et se précise. Comme un orage dans le soir d'un jour languide, une turbulence intérieure s'élève en même temps que le corps s'amollit. Son désir est une aube, une apparition : un éveil à une autre manière d'être en soi. Une envie de l'homme se diffuse, s'étale, l'envahit jusqu'à occuper l'espace entier de son sexe et de sa pensée. Une envie d'être une femme escortée, dont un homme s'empare pour l'habiter, s'y incruster, en elle s'enfoncer jusqu'à la bouleverser. Elle veut par lui se sentir emplie là où elle est creusée. Elle offre à son amant ce passage intime. Ouvrir les cuisses est la forme explicite que prend son désir. Elle veut écarter les cuisses. L'expression ne choque pas, qui confesse l'allégresse de la féminité épanouie, sa floraison. Le mouvement s'ébauche, ni avilissement, ni sacre. Elle se fait à elle-même l'offrande de ce que son corps peut atteindre. Prends-moi. Je me donne à toi de toutes les manières qu'une femme peut se donner à un homme. C'est un don et une requête, une invitation, un accueil. Elle est la maison de son désir. Dans l'attente, cela brûle en supplique : viens ! Viens que je me rencontre moi-même.

Celui qui est revenu et celle qui attendait, ils sont agglomérés dans le désir. C'est lui qui est collé à elle. Il glisse une cuisse entre ses cuisses, son genou les écarte. Il s'installe au creux de sa femme qui l'appelle. S'il ne venait pas, elle gémirait de plus en plus fort. Il verrait sa folie d'être aimée et la belle démesure d'être vivant. Entrer là où il vient est violent et tendre, brutal et doux, lentement il s'y glisse, un faufilement abominable si elle ne l'appelait comme une éventration délicieuse. Il la regarde dans les yeux, qu'elle ouvre et ferme par volupté, comme si elle allait mourir. Le ventre est contre le ventre. Le velu du poitrail s'écrase sur les seins bruns. Il passe une main sous les fesses fermes et petites qui emplissent sa paume d'une chaleur moelleuse. Sa main dessine une femme fine et courbe, et souple comme une liane. Je t'aime. C'est le corps, fervent et cavalier, qui parle en lui des vallons, des lisières, des confins qu'il explore. L'homme, s'il parlait, devrait dire : mon corps aime ton corps.

Des lambeaux de phrases se murmurent encore. Qu'as-tu fait ? Bientôt un soupir profond, répété, les avale dans son halètement. Elle caresse le large aplat du dos. Le territoire qu'elle connaît. Il a la peau adoucie par un velours de poils légers, une de ces choses que l'on aime surtout dans l'amour. Cela fait tout le soyeux, l'animal, le secret. Et le pli singulier de chacun dénudé par le désir.

Elle est à elle-même femme et sexe. Sa pensée désire. C'est en elle ardent et sans entrave. Son sexe devient le monde. Elle est tout entière à ce qu'elle fait : l'amour. Elle est l'amour. Les sensations envahissent le lien intime à elle-même : elle se sent un corps occupé à son désir. La peau, les lignes creuses et pleines, les contours de son volume, sa bouche, l'intérieur doux de ses cuisses, la plante sensible de ses pieds, la rondeur de ses fesses, ses lèvres enfouies, sa toison brune et l'appel au creux de cet invisible : elle donne cet ensemble à l'amant. La place de son sexe est devenue son centre mental. La fleur au fond d'elle attend.

C'est une orchidée mauve qui pousse au plancher de son ventre, au cœur protégé de son corps, au bord du grand muscle féminin qui a porté ses enfants. La fleur apparaît seulement sous les caresses. Puis, il faut que l'amant en touche le centre avec son sexe. Elle aide l'amant, balance et remonte son bassin vers lui. Elle éprouve qu'elle est empalée. Est-ce abominable, impie, dévastateur ? Rien de tout cela. C'est ce qu'elle veut. Elle excite en l'homme le barbare et l'animal, la frénésie et l'appétit. Tout se mêle, l'eau de son désir, le chaud de son sexe ouvert, la douceur fragile du pénis. Leurs corps sont durs et doux. Elle fond. Les peaux les plus fragiles et les muqueuses se caressent dans la mer de son désir. Elle hausse le plancher de son ventre vers la pointe qui la pénètre. Elle recherche cette piqûre profonde. Il s'enfonce en elle. Il possède un dard qui devient un instant la tige de cette fleur qui n'a pas de tige. La fleur étalée au creux de la femme, comme une décoration collée sur le fond d'elle, un décalcomanie invisible qu'elle visualise seulement dans le plaisir. Elle ne criera que quand la fleur sera piquée.

Il espère la tenir longtemps au bout de son sexe. Il est décidé à l'habiter dans un geste irrémédiable, comme s'il était possible de posséder autre chose que ce qu'on a perdu (qui ne vit plus), autre chose que le souvenir conservé de ce qui n'est plus. Une rage d'amant l'a pris, cette contention douloureuse pour durer dans une femme, cet élan que suscite le plaisir féminin chez les hommes captivés par son spectacle. Il veut voir sans être vu. Il veut disparaître dans l'affolement sensuel qu'il suscite. Il veut qu'elle l'efface et ne pense qu'à la fleur. Il est l'instrument de sa femme en sexe, le complément de son manque, le jardinier de sa floraison. Ses mains caressent et palpent et soutiennent le mouvement. Il transporte sa femme vers le plaisir. Dans un frémissement qu'il contient, il parcourt la ligne arrondie de ses fesses dessinées au compas. Elle soupire, demande encore davantage, plus de lui autour d'elle, plus de mains sur elle, plus de lèvres à ses seins, un affairement des lèvres et des doigts. Elle s'allonge, se couche là vraiment, s'étire dans son ruissellement secret, se déplie, plus langoureuse, abandonnée, évaporée dans l'esprit de plaisir, amollie entre les mains de l'amour. Elle est l'attente, incertaine et fiévreuse, entre ses hanches, de la fleur butinée.

Il enchante l'attente de l'amante. Amoureux et présomptueux, il veut que ce jour se termine dans le cri de son plaisir. Il doit atteindre l'orchidée mauve qu'elle renferme, son talisman de chair rosée, sa blessure aux effets merveilleux. Il faut toucher ce cœur de fleur qui la fait crier. Il va, il vient, il a le nez dans ses cheveux, les yeux clos, la bouche intrépide. Il distrait son plaisir dans ce qu'il fait, endigue en lui la montée et la débâcle. Alors elle commence à répéter son nom, sans se lasser, sans écouter même qu'elle le répète, entre ses lèvres qui s'ouvrent et se ferment comme dans l'eau, dans l'hallucination de l'amour. Et sa voix haute est une autre voix, un murmure étranglé qu'il possédera à jamais, parce que cette nuit demain sera gelée par la mémoire. Il en entendra la mélodie au-dedans.

Là. Là. Comme il l'aime dans ce moment ! Leur corps-à-corps exhausse son amour. Elle soupire. Il pourrait l'encourager tant il veut l'entendre crier sous lui, sentir comme elle s'absente et se dissout dans une simple sensation fulgurante. Elle commence à chanter, par la gorge, un cri plaintif, modulé, déchirant, un dénouement. Le dard de l'amour pique la fleur invisible. La femme voit s'étaler la fleur en même temps qu'elle crie. Ses jambes sont sans vie dans le courant qui les saisit. Elle crie l'ascension achevée, la déchirure au sommet, au bord de la douleur. Elle a oublié celui qui la comble. Elle a perdu son regard. Elle est seule avec sa fleur, tout au fond de son ventre fendu, dans la plaie vibrante que l'homme traverse.

Elle sait qu'il aime entendre son cri. Elle crie aussi pour que chaque jour et chaque nuit vers elle il revienne. Que veut-elle de plus que ce qu'elle tient à ce moment ? Elle veut l'autre en entier jusqu'à la mort : son amour à jamais, son désir, sa tendresse et son dévouement. Elle pourrait lui dire ce qu'elle tait : rappelle-toi toujours le cri de ma jouissance. Sois hanté par l'envie de l'entendre à nouveau. Désire-moi de toutes tes forces, de toute ton âme. Ne pense à nulle autre qu'à moi. Sois certain à jamais d'être attendu entre mes cuisses. Leur secret clair t'appartient. Espère encore le contempler, me renverser à nouveau sous toi, te coller contre moi, et faire s'ouvrir ma gorge sur son grand halètement. Désire faire l'amour avec moi. Car c'est par ton désir que je te possède. C'est par là que tu m'es attaché. Assouvi et inassouvi. Dans le souvenir et l'espérance.

La vie est
un puzzle, chaque
jour tu as une nouvelle
pièce, mais elle ne s'emboîte
pas toujours avec celle de la veille !!
La vie est pleine de surprises...
Nous sommes chacun l'une d'elle !!

Jean Baptiste

TABLE

BABEL

Extrait du catalogue

COÉDITION ACTES SUD – LEMÉAC

Ouvrage réalisé
par l'Atelier graphique Actes Sud.
Achevé d'imprimer
en septembre 2010
par Normandie Roto Impression s.a.s.
61250 Lonrai
sur papier fabriqué à partir de bois provenant
de forêts gérées durablement (www.fsc.org)
pour le compte
des éditions Actes Sud
Le Méjan
Place Nina-Berberova
13200 Arles.

Dépôt légal
1re édition : janvier 2010
N° impr. : 103603
(Imprimé en France)